中國學術通義

出版說明

錢穆賓四先生，生前爲促進今日國人對我中華傳統文化之認識，曾計劃將其著作分類編爲「小論叢」，以便利青年學子之閱讀。今素書樓文教基金會乃遵先生遺意，將先生著作分類選輯，以聯經出版公司之全集本爲底本，重排出版。中國學術小叢書一套，包括國學概論、中國學術通義、現代中國學術論衡、學籥、學術思想遺稿、經學大要六書。

國學概論一書，乃先生早年任教中學時所編講義，民國二十（一九三一）年，上海商務印書館出版。四十五（一九五六）年，台灣商務印書館重印。

中國學術通義一書，乃民國六十四（一九七五）年春，先生將其近三十年所撰論文，就經、史、子、集四部，求其會通和合，有關論中國傳統學術之獨特性所在者，彙集而成，是書共收入十二篇。六十四（一九七五）年九月，由台北學生書局初版。七十三（一九八四）年三版時，又增文兩篇，全書共十四篇。

現代中國學術論衡一書，乃先生繼中國學術通義一書，續撰此編。一遵當前各門新學術，分門別類，加以研討，非謂不當有此各項學問，乃必回就中國以往之舊，主「通」不主「別」。全書分十二目，都二十六篇。民國七十三（一九八四）年，由台北東大圖書公司出版。

學籥一書，乃先生輯其早年所撰有關開示學者以治學之門徑與方法者，凡六篇，於民國四十七（一九五八）年，自印於香港。八十六（一九九七）年重刊此書，乃秉先生原意，將本論語論孔子一篇移入孔子與論語一書，又增入五十（一九六一）年至五十二（一九六三）年，先生爲香港新亞研究所諸生所講，有關治學門徑方法文稿七篇，全書共十二篇。

學術思想遺稿一書，爲講堂記錄稿，共分兩部分。第一部分，爲民國三十五（一九四六）年，先生在昆明五華書院所作「中國思想史」一系列講稿中之最先六講。第二部分，爲先生流亡香港時期，應香港大學校外課程部之邀，所講一系列「中國學術思想史」中三時段之講稿；計爲民國四十八（一九五九）年「明清學術思想」六講，五十（一九六一）年「秦漢學術思想」六講，五十一

（一九六二）年「先秦學術思想」六講。此十八講，因當年有人筆記交新亞書院雙周刊發表，故得留存。

經學大要一書，乃民國六十三（一九七四）年至翌年暑，先生爲中國文化學院研究生所開「經學大要」一課之講堂記錄稿。先生開此課，乃因民國十九（一九三〇）年，先生撰劉向歆父子年譜一文，在燕京學報發表。北平各大學本開設有「經學史」及「經學通論」課，皆主康有爲「今文家」言，遂多於是年秋後停開，迄今未能恢復，先生引爲內疚。先生言：其撰文主旨，本爲看重經學，特指出講經學不能專據今文家言。未料結果竟相反。屢思有所補救，皆因生活不安定，未能如願。晚年自知精力已衰，不可能再寫「經學史」之類專著。思之再三，決定先爲學生開一經學入門之課。第二步再配合講稿內容，引據古人經學專著，加以評論，主要針對皮錫瑞經學歷史及經學通論兩書。爲照顧學生缺乏經學知識之背景，上堂講授力求淺易。開課前，預先指定專人負責錄音及整理講稿。未料負責人未能如期交卷，僅最初數講曾送先生過目，尚未及正式修定。全書在先生去世後，於民國八十五（一九九六）年整編全集本時，編者就錄音帶整理成集。遇錄音有遺漏處，均加注說明；有疑慮處，只刪不增，以免失去先生之原意。

民國八十六（一九九七）年，台北聯經出版公司出版全集本時，除國學概論一書，僅改正原版誤植文字及調整若干標點符號，惟正文改用大字，以期綱舉目張，層次分明，便利讀者誦讀。中國學術通義、現代中國學術論衡、學籥三書，除改正原版若干誤植之錯字，並對原書之標點進行整理，主要爲全書加入私名號、書名號及若干引號，以顯豁文意，方便讀者閱讀。學術思想遺稿及經學大要兩書，爲初版印行，一切規格全按全集版處理。凡該書新增篇文，皆於各冊目錄中加〔＊〕號註明。排編之工作雖力求慎重，然錯誤疏漏之處，在所難免，敬希讀者不吝指正。

中華民國八十九（二〇〇〇）年十二月

素書樓文教基金會

目次

序

欲考較一國家一民族之文化，上層首當注意其「學術」，下層則當注意其「風俗」。學術爲文化導先路。苟非有學術領導，則文化將無向往。非停滯不前，則迷惑失途。風俗爲文化奠深基。苟非能形成爲風俗，則文化理想，僅如空中樓閣，終將煙銷而雲散。

中國文化傳統，緜亘數千年，乃由吾中華民族所獨自創建，自有其獨特性之存在。即就中國社會風俗言，雖數千年來歷時遞變，然亦有其前後相承，一貫不斷之獨特性。即以當前可目睹者言，全球社會，各地風俗，可謂無一相似。風俗然，學術亦然。中國學術，顯亦有其獨特性。苟不然，此社會風俗之獨特性，又由何來。惟風俗易曉，學術難明。其間分別，如是而已。中國與外族文化之接觸，最先爲印度佛教之東來。佛教雖爲一宗教，而其所內涵之學術意義亦特豐。佛教之中國化，則胥由中國學術傳統中所賦有之獨特性之功。南北朝、隋、唐高僧，多兼通內外學，遂使中國學術逐漸滲入於佛教信仰中，而佛教之在中國，乃亦隨之而變。

近代中國，與歐西文化接觸，雙方文化傳統各不同，因此上而學術，下而風俗，雙方亦各不同。近代國人，乃有「國學」一名詞之興起。或疑學術當具世界共同性，何可獨立於世界共同性學術之外，而別標「國學」一名詞。不知同屬人類，斯必具人類之共同性，然亦何害於各人有各人之個性。即就西方言，不論文學、史學、哲學，英、美、法、德諸邦，縱在同一文化系統之下，亦復有其在學術上各自內涵之獨特性之存在。更何論中國與西歐，其相互間，在學術上之不能無相異，事更宜然，理無足怪。

今國人一切以信奉西方爲歸，羣遵西方學術成規，返治中國傳統舊存諸學，精神宗旨既各異趨，道途格局亦不一致。必求以西方作繩律，則中國舊學，乃若不見有是處。抑且欲瞭解中國舊學，亦當從中國舊學本所具有之精神宗旨道途格局尋求瞭解，否則將貌似神非，並亦一無所知。既所不知，又何從而有正確之批判。

或又謂時代變，斯學術亦當隨而變，此固是矣。不僅西方學術，遠自希臘，迄於現代，固已時時有變。即中國學術亦然。自西周以迄先秦，下經兩漢，循至於近代，亦何嘗不隨時有變。如人之自嬰孩而成年而壯而老，豈不亦隨時有變。然而各有生命，各有個性。我不能變而爲彼，彼亦不能變而爲我，此則終有其不可變者。故人貴求自立，謂他人父，而血統終不屬，此亦無奈之何者。

今人又競言復興文化，又必申言其決非復古，斯亦是矣。然復興究與改造有不同。新中國之新文化則仍當從舊中國舊文化中翻新，此始得謂之是復興。若必待徹底毀滅了舊中國舊文化，赤地新建，異軍特起，此又烏得謂之中國與中國文化之復興。故欲復興國家，復興文化，首當復興學術。而新學術則仍當從舊學術中翻新復興。此始爲中國學術文化將來光明一坦途。

推此言之，如欲創造中國新文學，仍當先求瞭解中國舊文學，期能從舊文學中翻新復興，而後乃有合理的中國新文學之産生。若一意模倣抄襲西方文學，決心捨我而從之，此非中國文學之復興，乃屬中國文學之革命，其事易知，不煩深辨。而且以中國人使用中國文字描寫中國社會人生，亦決不能即成爲西方文學。邯鄲學步，非驢非馬，其此之謂矣。

今若謂中國舊文學已死去，則中國社會人生依然存在，中國文字亦依然使用，只把這「的、那、嗎」換去了「之、乎、者、也」，何得云中國文學已死。若僅謂近代中國人已不能讀中國古書，故説中國舊文學已死去，則正貴有志創造新文學者，能從中國古書詩經、楚辭、文選乃及唐宋以下各家詩、文、詞、曲、説部中，熟玩深思，取精用宏，獨具機杼，使其推陳而出新，乃庶有當於文學復興或中國新文學之稱。否則只是西方文學之侵入與替代，斷非中國文學之復興與創造。抑且即在今日，能讀詩經、楚辭、文選古籍者，亦尚有人。又烏得謂舊文學已全死去。縱謂其非社會大衆所知，則豈陽春白雪，亦當不得預於歌唱之林，乃惟下里巴人方得爲音樂之正宗？試問西方，亦豈如是。

要之，中國學術之必有其獨特性，亦如中國傳統文化之有其獨特性，兩者相關，不可分割。非瞭解中國學術之獨特性，即亦將無以瞭解中國文化之獨特性。惟從另一面言之，亦可謂不明中國文化之獨特性，即無以明中國學術之獨特性。今姑舉其最大者言之，中國文化之獨特性，偏重在人文精神一面，中國學術亦然。近人率多認文、史、哲諸科謂是屬於人文方面，其實中國學術之有關此諸科者，其內涵精神亦復有其獨特處。中國傳統，重視其人所爲之學，而更重視爲此學之人。中國傳統，每認爲學屬於人，而非人屬於學。故人之爲學，必能以人爲主而學爲從。當以人爲學之中心，而不以學爲人之中心。故中國學術乃亦尚通不尚專。既貴其學之能專，尤更貴其人之能通。故學問所尚，在能完成人人之德性，而不尚爲學術分門類，使人人獲有其部分之智識。苟其僅見學，不見人，人隱於學，而不能以學顯人，斯即非中國傳統之所貴。

中國自古亦即有所謂專家疇人之學，如天文、曆法、算數、醫藥之類，此皆近代所謂屬於自然科學方面者，此等諸學，每易使人隱於學，而不能以學顯人。故中國古人傳統，每若對此等諸學較近忽視。實非忽視，乃求矯人之專一於此等諸學，各不相通，而易起其他之流弊。即如孔門「六藝」，禮、樂、射、御、書、數，亦何莫不然。一若此諸藝皆獨立在人之外，人乃從而學之，此則學爲主而人爲從，乃爲孔子所深戒。故孔子告子夏則曰：「汝爲君子儒，毋爲小人儒。」又曰：「禮云禮云，玉帛云乎哉？樂云樂云，鐘鼓云乎哉？」若僅知玉帛鐘鼓謂是禮樂之所在，此即謂之「小人儒」。求能超乎玉帛鐘鼓，而知禮樂之中主要在有人，復有人之心之存在，斯乃爲真知禮樂者，如是而後始得謂之「君子儒」。故孔子教人學六藝，乃必曰：「志於道，據於德，依於仁，游於藝。」「藝」與「道」不同。苟徒知「游於藝」以爲學，將使人没於藝，而終必背於道。近代科學發明中有原子彈，然原子彈若果不能召致世界和平，則亦藝而非道。故謂中國學術之獨特性所在，乃在其重人尤過於重學，重内尤過於重外，重道尤過於重藝。能由此思之，亦不難窺見中國傳統學術之甚深獨特性所在矣。

本書取名中國學術通義，亦可簡稱國學通義，乃匯集避赤氛來港、臺近三十年中所爲雜文之有關討論中國傳統學術之獨特性所在者。首篇曰四部概論。中國學術自魏、晉以下，向分經、史、子、集四部。分而論之，合而觀之，四部學之大要，約略可見。次爲中國儒學與文化傳統。儒學尤爲中國學術之中心。四部之學，莫不以儒爲主。亦可謂儒學即是中國文化精神之中心。明於古今儒學之流變，即知中國學術文化古今之變，與夫其爲變之所在矣。第三篇曰朱子學術述評。朱子爲孔子以後儒學之集大成者。其於四部之學皆有關涉。又自魏晉以下，儒、釋、道三家之相爭，乃由朱子而融會歸一。此下八百年，述朱反朱，亦莫不以朱子爲中心。明乎朱子之學，則先秦以下中國學術關鍵，胥莫外於此矣。本書中惟此稿，成在民國三十四年對日抗戰期間，距今適三十年。篇中見解，幸有改進。取材一承舊稿，而闡述微有增易。今不知此所彙集，謬誤又幾何？恐年老更無長進，歉悚何似。又次曰中國文化傳統中之史學。昔人謂「六經皆史」，欲治一民族一國家之文化，主要即在其歷史，昧忽其歷史實迹，則一切皆落於虛談。尤其中國史學，乃更易見我所謂中國學術之獨特性所在。近日國人不治史，不明往昔，而好作譏彈，此皆如無的放矢。又或以西方人眼光治中國史，仍將渺不得國史真相。下有附篇，同明一意。又其次曰中國文化傳統中之文學。清儒章實齋有言，「後世集部，即古代子部之流變」，此論殊寓深義。若如所言，則中國古代有經、子，後世衍出史部與文集，本末一貫。四部之學，可以歸納而爲二。章氏之爲文史通義，即此意也。近代又謂中國以前舊文學皆已死去，不知中國各代文學中皆寓有各代之人生。謂舊文學已死去，即不啻若謂吾中華民族自今以前之舊人生舊文化皆已死去。則當前吾國人，將盡如行尸走肉。提倡新文學，乃欲爲當前國人借魂起尸，其爲狂妄，實莫甚焉。

讀者試綜合上列諸篇，而會通觀之，庶可知中國學術，實自有其獨特性，而非可以專憑西方成見以爲評隲。亦非可以一依西方成規以資研窮。治國學則必先尋究窮治國學之方法與途徑。下附泛論學術與師道，及有關學問之系統等諸篇，皆近通論性質，可資讀者有志進修之借鏡。學術明而後文化明，學術復興而後文化可復興。區區之意，竊在於此。其或語有不擇，見迕當世，知我罪我，所不敢計。是爲序。

中華民國六十四年春上元節錢穆自識於臺北外雙溪之素書樓，時年八十有一。

三版弁言

本書三版時，又增附兩篇。一曰中國學術特性。言通義，即言其特殊性。惟此篇多從學術與人物之相關性言之。又一爲我對於中國文化的展望。乃就現代學風崇洋蔑已者進一言，求能無乖於大道。則所謂西方新學，亦固可有大裨益於我故有傳統之演進也。

中華民國六十九年四月錢穆又識於臺北外雙溪之素書樓，時年八十有六。

本人已刊各書，討論國學大義及研修方法，與本書可相參發者，有國學概論、學籥、中國歷史研究法、中國文學論叢、中國史學發微、朱子學提綱等諸種，略附其目於此，以便參閱。

四部概論

文化不能與學術相分離，欲瞭解中國文化傳統，即不能不瞭解中國之學術傳統。欲研治中國學術，該從中國文化著眼，庶可把捉要點。而研究學術，亦即為瞭解文化之基礎。此篇分經、史、子、集四部，扼要敘述，承學之士，如能同此獲得一門徑，與夫其精神歸宿之所在，則作者所深幸也。

上篇　經學與史學

壹　經學

一

經學向認為是中國學術中最先起而又是最重要的一門學問。但經學只指對於中國古代相傳幾部經書之特有研究而言。

中國古代經籍，最先分爲詩、書、禮、易、春秋五種，謂之五經。其實此五經之結集時代並不早，或當在秦末漢初之際。

漢人又稱六經爲六藝，而漢代並不曾有「樂」之一經，則六經、六藝之名只是虛設。五經之後，又有七經、九經、十三經之彙集。此下中國經書則只限此十三種，並無再有增添。但所謂「經學」，則確然成爲中國各項學問中之最重要者，並可稱爲是中國學問之主要中心。

近代中國人開始和西方學術相接觸，遂對中國傳統中經學一部門發生了懷疑。或認爲經學只是幾部經書之結集，若把近代西方學術分類眼光加以分析，詩經應屬文學，尚書、春秋應屬史學，易經應屬哲學，儀禮是一部記載有關古代社會風俗的書，應屬史學與社會學範圍。把中國古代五經如是分析了，便不該再有所謂經學之獨立存在。

惟就中國已往學術傳統言，我們仍不能否認在中國已往學術史上確有一種經學之存在。我們應本中國已往學術傳統來說明中國經學之實際內容，及發揮其何以在中國學術傳統上有其重要地位之意義所在。至於此後中國學術界是否仍可有此一項經學之存在，此屬另一問題，我們應先能解答了上一問題，乃可繼續討論下一問題。

我認爲，中國傳統學術有幾項特殊的側重點，此乃與中國文化傳統之特殊精神所在，有甚深密之關係，應先指出。

一、中國傳統文化，以「人文精神」爲中心。遠在殷商時代，中國人對天或上帝的信仰，本極重要。此乃中國古代的宗教信仰，與其他民族實無大異。但到周初開國，周公把以前的宗教信仰移轉重心落實到人生實務上來，主要是在政治運用上。周公認爲「天心」只隨「人心」而轉移。而文學最是煥發人心、溝通人心的一個主要工具，因此詩經遂成爲周公治國平天下的一部大經典。周公「制禮作樂」的一切大綱目，都表現在詩經裏。其次乃是尚書西周書中的大部分，都是有關當時實際政治的，尤其在誥令方面，都是有關政治思想與理論方面的。因此經學中詩和書兩種，都保留著周公當時許多在政治和教育上的主張和措施。

孔子最崇拜周公，把周公當時的種種思想和實際措施，加以一番極深密的探討和發揮，而完成了一種純學術性的組織圓密的思想體系，此下纔有所謂中國的儒家。

我們也可以說，周公開始把中國古代的宗教信仰轉移運用到政治場合中來，而周公之政治運用又是極富教育意味的。孔子則把周公的那一套政治和教育思想顛倒過來，想根據「理想的教育」來建立「理想的政治」。但在最後，周公與孔子兩人，大體上仍保留著古代相傳宗教信仰之最高一層即關於天和上帝的信仰。

中國後代人認爲六經始於周公而成於孔子，羣奉六經爲一種主要典籍，認爲六經乃政（政治）教（教育）之本，而六經實應以詩、書爲本，此一源流是如此。故經學精神亦是偏重在人文實務，而古代相傳的宗教信仰則愈後愈薄了。

二、其次中國傳統文化，是注重「歷史精神」的。既是看重了一切人文社會的實際措施，自然必會看重歷史經驗。因社會人文是在歷史演變中完成，又須歷史經驗來作指導。

周公是一個有實際成效的政治家，同時又是一個成功的歷史人物。孔子作春秋，成爲中國第一部最有系統而又寓有甚深哲理的歷史書，此是孔子生平的唯一著作。即此可見中國經學裏歷史一項所占分量之重大。所以中國此下經史之學是密切相通的。

尚書固然保留了當時許多歷史文件，但詩經中所包有的當時許多的歷史情實，更較書經爲豐富。詩經可謂是中國古代一部史詩。因其詩中大部分內容，實即是歷史。至於春秋，則顯然是有意於一種正式的歷史編纂了。儀禮所載，是當時社會一切禮俗，亦得目爲是一部歷史書。惟其成書時代則尚在孔子之後。如此說來，五經中四經全可說其是歷史。只有易經，最早本不爲儒家所傳習，尤其是經中之十傳部分，都完成在孔子之後，更應在戰國晚年，其中融會入許多道家、陰陽家思想，顯然與上四種不同。但中國文化傳統中的人文精神既不反宗教，也不反自然，中國人總想把自然律則和人文措施相融會合，這是中國傳統理想中所謂的「天人合一」。易經一書，尤其是十翼便是古人用來探討自然與人文之相通律則的。因此易經也爲後人重視而被列爲經書之一了。

三、中國傳統文化，是注重「融和合一精神」的。中國古人並不曾把文學、史學、宗教、哲學各別分類獨立起來，無寧是看重其相互關係，及其可相通合一處。因此中國人看學問，常認爲其是一總體，多主張會通各方面而作爲一種綜合性的研求。在中國學者看來，上述諸經書，常不認其是應該各自獨立的。

四、中國傳統文化，是注重「教育精神」的。中國古人看重由學來造成人，更看重過由人來造成學。因此，在中國學術傳統下，看重每一個學者，更甚於其看重每一項學問。中國古語有云：「經師易得，人師難求。」若我們僅把經學當做一種學問來看，此一學者易近於一經師，即爲某一項學問之師。若我們把經學當做一種作育人的學問來看，此一學者易近爲人師。即是可以爲人人之師了。

因此，中國人研究經學，其最高嚮往，實在周公與孔子其人。周公成爲一大政治家，孔子成爲一大教育家。中國人認爲只有會通綜合以上諸經而加以研究，才能瞭解周公、孔子之爲人及其在歷史上之貢獻與影響。

中國傳統文化，注重對人文社會與歷史演進之實際貢獻。中國人愛説「通經致用」，或説「明體達用」。中國人看重經學，認爲經學的偉大，其理想即在此。即由學問來完成一個人，再由此人來貢獻社會。所貢獻的主要事業對象則爲「政治」與「教育」。此等理想人格之最高境界，便是中國自古相傳所謂的「聖人」。

因此，經學在中國，一向看爲是一種「做人」之學，一種「成聖」之學。要做一理想人，要做一聖人，便該在實際人生社會中去做，此便是中國學術傳統中之人文精神。要接受此種人文精神，必該通歷史，又該兼有一種近似宗教的精神，即所謂「天人合一」的信仰。必該博聞多識，對一切自然界人生界的知識能貫通合一，而從此尋求出一套當前可以活用的學問來真實貢獻於社會。此是中國經學所理想追求之大目標。

二

中國經學應自儒家興起後才開始。直到西漢初年，經學傳統始正式成立。西漢的經學家，最先本多兼通五經。到漢宣帝以後，漸漸走上專治一經之路，當時所謂「今文博士」是如此的。東漢古文經學興起，又再回到兼通諸經的路上去。

兩漢經學，主要在求政治上應用。

一、當時的政治理論，不依托在神權或君權上，而別有一套合於人文社會歷史演進的大理論。此套理論，皆從古代經書中推衍出來，即是從周公、孔子的教訓中推衍出來。

二、政治措施不倚重在當朝之法律，或帝王宰相大臣等之私人意見，而必根據在古經書中推衍出來的理論上作決奪。

此在漢代歷史中皆有實例可舉，此乃經學在兩漢時代之大貢獻。中國歷史上文治政府的傳統，即在兩漢時代奠其基。

學經學的當時稱「儒」，史記、兩漢書儒林傳中人物，顯然與貨殖、游俠乃至文苑、獨行等傳中人物不同。儒林人物亦可謂是此下中國學人之標準模範。因此以下中國歷史人物乃及學者，必以儒爲正統，亦以從政爲主要目標。

但兩漢經學主要精神，比較偏重在政治。

當時稱孔子爲「素王」，又稱其「爲漢制法」。此因大一統局面初成立，王權驟張，一輩儒生乃高抬孔子與經學把來壓在新王權之上，漸漸形成此下歷史上一個能接受學術指導的政權，這是漢儒的功績。

東漢班固漢書藝文志，根據西漢劉向、劉歆父子的七略分類，以六藝與諸子分列，而儒家則列在諸子之首，但孔子不列爲儒家。孔子的論語，則附在六藝略，小學階段則讀孝經、論語，大學階段則治五經。此乃由政府規定之學制。可見孔子在當時，乃亦有兩重地位，一則下開儒家，又一則上承周公傳統。六藝乃「王官之學」，儒家則只是「百家之言」。漢儒必把孔子與周公並舉，必把五經尊爲王官學，此是當時人之經學精神。

魏晉南北朝儒學中衰，但此下十三經注疏中之大部分工作，實在此時期完成。

當時上層政治規模，大體還承兩漢，下面門第傳統，也由儒家經學中之禮法來維持。但道家與佛教思想盛行，幾與儒家三分鼎立。經學上義疏之學，也與當時佛教中人解釋佛教經典的工作有關係。

唐代統一，把南北朝時代各家義疏集合起來，勒成五經正義，用作政府考試標準。但唐代考試門類中更受重視的卻是詩賦文學，而當時人對於人生哲理及教訓，則更偏向於佛學。

因此，唐代經學，依然是在衰微時代，並可說更比不上魏晉南北朝。

但唐代政治光昌，則較之南北朝爲遠勝，並可媲美兩漢。討論政治，則必依經學，因此經學在唐代人心目中，仍不失其重要性。

但此時的政治與人生未免漸分成兩途。從事政治事業，在人生理想中只認爲是次要者，若論人生最高嚮往及其終極理想，則不在孔子與五經，而必從佛教經典中去探求。直待宋代，始有「新儒學」興起。

宋代新儒學之主要目標，在於重新發揚古代儒家之人生理想，俾其再與政治理想通會一貫，把孔子教理來排斥釋迦教理。

既有新儒學，因亦要求有「新經學」。

宋儒努力作新經學運動者，在北宋主要有王安石，在南宋主要有朱熹。此兩人可爲宋代從事復興新經學運動之代表。

王安石所努力者，先把唐代政府的考試制度側重詩賦文學方面者，重新挽轉，把重心再移到經學方面來。

王安石又想把六朝以下經學義疏簡單化，他只舉詩、書、周官三經，作爲新注，當時稱三經新義，亦稱王氏新學。

但王氏新經學之內容，並不爲當時一輩新儒家所滿意。因其於古代儒家所揭舉之人生最高真理闡發尚少，如是則仍不能與佛學相爭衡，於是乃有關、洛理學家出現。

但北宋理學家雖能創出一套新的理學來，以與佛學相抗，卻並未能完成一套新的經學來直接先秦與兩漢之舊傳統。直到南宋朱子，才在中國經學史上掀起了絕大波瀾，上接古代傳統，而完成了一套新經學。朱子爲詩與易兩經作新注，更重要的是另定論語、孟子、大學、中庸四書來代替古代五經的地位。

論語一向爲兩漢以下中國社會人人所必讀。但漢代，論語只是一種小學教材，其地位比不上五經。孟子則列在子部儒家，不算是經。唐韓愈始提出孟子，認其直接周公、孔子之傳統，宋人遂把孟子亦列爲經。

唐以前，儒家總把「周公、孔子」並稱。宋以後，始改稱「孔、孟」。這裏面有一極大的轉變。周公、孔子並稱，則孔子之重要性，在政治方面者超過了其在教育方面者。今把孔子、孟子並稱，則孔子之重要性，教育方面的始超過了政治方面的。

單就此一轉變言，不能不說宋儒認識孔子，已在漢、唐儒之上。

至於大學、中庸、只是收載在小戴禮記中的兩篇。小戴禮記在漢代不認其是經，其中所收，大抵是戰國後期作品。大學既非曾子所傳，中庸亦非子思所作，此兩篇均應出在荀子之後。現在把此兩篇和論語、孟子合爲四書，尊奉之爲人人必讀之書，那是朱子所大力提倡的。

朱子化畢生精力，爲四書作新注。朱子死後不到百年，南宋也亡了，但朱子學說卻因此流傳到北方去。

元代蒙古政權統治中國八十年，朱子學說在當時社會上已有了廣徧深厚的基礎，政府亦把朱子四書定爲國家考試的新標準。明代承襲元制，從此直到清末，沒有改變。

佛學來中國，遠在魏、晉，但直到唐代慧能以下，禪宗大行，佛學纔開始深入了中國社會之各階層。這因禪宗能把佛教教義簡化了，易於傳播。朱子四書，也便是中國經學傳統之簡化。朱子推尊大學，奉爲聖學之入門書，人人最先必讀，因大學把「誠意、正心」和「治國、平天下」

連綰在一起。治國平天下是漢、唐以來經學傳統之精神，正心誠意之學，則爲替代佛學之新教義。朱子說，中庸篇中所講，屬於天人性命最高玄理方面，應爲四書中最後始讀之書。如是可見四書內容在探討人生真理方面者，遠較五經爲更深入又是更突出了。

朱子把自己一套說法，從上推溯到北宋周濂溪、張橫渠、程明道、程伊川四人，此又極像禪宗的歷代祖師傳統，用來增強自己學說的地位。

後代因把周、張、程、朱五人並稱爲宋代理學之正宗，近人又稱之爲「新儒家」。實則理學完成爲一種新經學，則是朱子之功。經學、理學出於同一傳統，經學較偏在大羣的政治方面，理學較偏在私人心性修養方面，只此稍有不同而已。

朱子同時有陸九淵，明代有王守仁，稱爲陸、王，與程、朱相爭。陸、王學則更簡化，更接近佛學中之禪宗氣味。

明亡後，學術重心又變。清儒想把兩宋以下的新經學重新回返到兩漢以下的舊經學。換言之，是要把宋以下過分注重的，私人心性修養方面的，仍回到兩漢以下更所注重的政治方面去。這一個新運動的最先代表人應推顧炎武。

但清代由於異族政權之高壓，政治理想無可展布，學者們因厭惡此政權，而厭惡到政府的考試制度，於是轉成爲反宋學，反朱子，而清代經學乃逐漸變成爲只重校勘、訓詁、考據。他們雖自稱爲漢學，其實和兩漢經學精神甚不同。兩漢經學注重政治實績，清代經學則專注心力於書本紙片上之整理工夫。

道、咸以下，清政權逐步墮落，學者又注意到政治，遂有龔定庵、魏默深以下之今文經學之崛興。

晚清康有爲，想推本孔子春秋與公羊大義來鼓動變法，即承這一系統來。

清末廢棄科舉制度，經學亦遂中絕，政治理論乃至人生信仰，多轉入到子學方面去了。

三

根據上面敍述，可見中國經學，在中國學術體系和歷史傳統中，有其重大意義和貢獻的。而且經學，也並非是一成不變的。在目前，經學地位已全不存在，於是政治理論和人生信仰兩方面，失卻了聯繫，失去了重心，而且也沒有了自己文化傳統的歷史基礎。此是現代中國在學術思想上一大難題。有待此下學術界之新努力。

今再綜合一提中國經學之主要精神。

中國文化體系中缺乏宗教，向來中國人則用經學來補償此缺憾。一是「天人合一」的觀念，對於宇宙真理與人生真理兩方面一種最高合一的崇高信仰，在五經中最顯著，最重視，而經學成爲此一信仰之主要淵源。二是「以歷史爲基礎」的人文精神，使學者深切認識人類歷史演進，有其內在一貫的真理，就於歷史過程之繁變中，舉出可資代表此項真理之人物與事業及其教訓，使人有一種尊信與嚮往之心情，此亦在經學中得其淵源。三是一切學術宗旨，應能「創造出人物與時代」「來爲此真理作實證。四是一切學術應在此最高真理下「會通合一」，不應有過分的門户壁壘。此兩項亦在中國經學中演出。

上述四項，可說即是中國儒家的精神與理想所在。此下的問題，是在如何能把此四項精神與理想具體擺出，列舉幾部重要的書，開示學者以研究的門徑和方法，教人從此尋問上去，而各自接觸到此四項精神與理想，這便是中國經學之成立及其不斷變動革新之所在了。

因此，在中國學術史上，是有了儒家而纔有經學的。是有了新儒家而纔有所謂新經學的。若儒家精神漫失了，專來講經學，那也是一種無靈魂的經學，不是真經學。清代經學便有此趨勢。但若我們忽略了一向的經學傳統來講儒家思想，那也是一種無骨骼的儒家，也非真儒家。民國以來講儒家的，便有此傾向。

此下的中國，是否要復興新儒家與新經學，又如何來復興新儒家與新經學？我將暫不在此深入討論。但至少要能瞭解中國已往經學的大傳統，纔能瞭解中國文化與中國學術。本篇的主旨即在此。

貳　史學

一

史學在中國，一向成爲一支盛大光昌的學問，中國人一向看重史學，可謂僅次於經學。在周公時代，已有詩、書之編集。書推爲後代史書之祖。其實詩亦爲史，而且其史的價值，尤應在書之上。

很古時代，中國已有史官之設置。

西周時，有左史「記言」、右史「記事」的分別。

周制天子死後有謚，其治下羣臣得根據其生前言行與政治實績，來加他一個最後的評語，如「成」「康」「幽」「厲」皆是。

因此，中國歷史記載，自始即涵有一種褒貶意義。即價值批判與人格評論之存在。

春秋時代，列國皆有史官。本由周天子中央政府派出，分處列國，職位世襲，其名義不屬於封建諸侯之下。

齊國有權臣崔杼弒君，齊太史即據實記「崔杼弒其君」，崔杼把他殺了。其弟襲職，仍書崔杼弒君，又殺了。又一弟襲職，仍然直書此五字。崔杼無奈何，只得由他。當時有另一史官由齊國南部邊疆聽聞此事，趕來齊都，預備那新史官又被殺，他便據實繼續刊載此事。

晉國有權臣趙盾，和晉君衝突，自己逃了，他手下親信殺了晉君。趙盾再重回來，晉史官董狐便書「趙盾弒其君」。趙盾自辨說：「我身在外，沒有預聞弒君之事。」董狐說：「你是晉國最高位的上卿，你沒有跑出境，便出了此事，你回來了，又不把弒君的人正法，試問弒君之罪，該不該由你負擔？」趙盾沒奈何，只有歎息，讓他如此記下了。

這兩件事都出在孔子之前，這是中國歷史上遠有端緒的一種史官精神。亦可謂是中國文化傳統下一種重視歷史的精神。

那時周王室雖失政，但這一種史官制度與精神，卻無形中仍把自周公以來，西周政府的一種統一精神勉強維持了。

孔子在魯國，曾詳細看到那些記載，他分別那些記載中的曲直虛實，親手整理一遍，寫下了一部包括兩百四十二年的歷史，書名春秋，這是中國第一部有系統的歷史書。

孟子曾說：「詩亡而後春秋作。」因詩有「頌刺」，春秋有「褒貶」，其義相同。只是在詩中所表現的史事，不如春秋更具體更明白而更有系統。孟子又說：「孔子作春秋而亂臣賊子懼」，便是這道理。

孔子自己說過：「春秋，天子之事也。知我者其惟春秋乎！罪我者其惟春秋乎！」因各國國史，本由史官記載，而孔子開始根據魯國國史，來寫一部由私人著作的歷史，在當時是一件自古未有的創舉。

孔子又說：「其文則史，其事則齊桓、晉文，其義則丘竊取之矣。」這是說，他所著春秋的史文，是根據魯史官舊文所寫。但其中史實，則齊桓、晉文之事，其分量遠超過了魯國史。因此春秋雖在文字上依然是一部魯國史，但在內容上，則實是一部當時的國際通史。而所涵的褒貶，則是孔子自己意見了。

但孔子在後世，並不認爲是一個史學家。春秋列爲五經之一，亦並不專當一部歷史書看。可見當時中國還沒有一種獨立的史學觀念，而且後代人說法，認爲「六經皆史」，這是說六經在古代，本都由王官執掌。史官記載，與其他諸經在性質上也並無甚大之區別。

孔子以後，歷史記載益見盛行。墨子曾見過「百國寶書」，便都是當時各國的歷史記載。後來儒家把此許多記載匯合成編，加以整理，便成爲春秋左氏傳，這是把這些歷史文件來證明發揮孔子春秋的。但就歷史價值論，左傳詳密應又高出春秋之上了。

在中國歷史上正式成爲第一個史學家的，應推西漢的司馬遷。他寫下一部太史公書，後人稱之爲史記，他自承爲師法孔子春秋。漢書藝文志把司馬遷史記歸入六藝略春秋類，可見直到東漢初年，史學還是附在經學之中，獨立的史學觀念，還未確立。

司馬遷自稱他寫史記，將以「明天人之際，通古今之變，成一家之言」。這三句話，成爲此後中國史學家著史一種崇高的目標。

要把人文歷史會通到宇宙自然衍變，而明瞭其間之分界所在，此即是「明天人之際」。要把人文歷史來貫通古今，認識人類歷史趨勢與衍變大例，此即是「通古今之變」。要勝任完成此兩大目標，必具備史學家所特有的一種深識獨見。歷史記載雖是根據客觀事實，但亦寓有史家自己主觀的見解，此即所謂「成一家之言」了。

亦可以說，史家任務在會通人事上的古今之變，來瞭解到「天心」和「人事」的分際。如此綜合（通古今之變）與分析（明天人之際），纔能從歷史來推測出天心與人事中所涵蘊的一種最高真理。我們亦可說，從周公、孔子所衍出的經學精神，其大體用意亦如此。

司馬遷在西漢政府中，是一史官，但他的史記並不依照當時政府史官的記載成法。他的書只是一部私家著作，所以說是「一家之言」。這不僅見其有史家之獨特見解，而且又是一種私人的自由創作。這正是承襲了孔子作春秋的精神。

若把司馬遷史記和孔子春秋相比，孔子春秋還是依照當時史官成法而寫的，司馬遷史記完全是一種新創的歷史體裁，可謂較春秋更進步。

說到史記的內容，直從黃帝、堯、舜寫起，下及他當身的漢武帝時代，那是一部直貫古今的通史。而且對當代漢政府，即是依然生存的漢武帝和其當朝大臣，也有許多褒貶。後來西漢亡了，班固截取西漢一代兩百幾十年的經過事實，寫成一部漢書，於是中國始有斷代史。

此下，每一朝代亡了，必由下一朝代的人，搜羅上一朝代治亂興亡種種史迹，來寫一部斷代史，如此直沿襲到清代，先後共有了二十五史。

而且每一朝代的政府均特設史官，隨時記載皇帝言行及朝廷大事，並搜集保藏國內各方面種種史料與檔案，好讓下一代人得以憑此來寫史。唐太宗曾想向他的史官討他們的記錄來一看，但被拒絕了，說史官所記，應留給後代人看，不該讓當事人看。唐太宗也就不再强索。這也可證明中國傳統的所謂史官精神，總還是保藏著。

二

上面說的是中國的史學精神，下面再說中國的史學方法。我所說的史學方法，主要從史書的體裁說起。

中國史書，大別分爲三體。一、編年體。二、列傳體。三、紀事本末體。

「編年體」起始最早，孔子春秋以下如左傳，至宋代司馬光資治通鑑皆是。

編年體之長處，在其逐年逐月隨時把事件記下，較之事後追述，可以更客觀，更易把捉到歷史事件演進之真相。

中國歷史直從西周中葉，共和行政下及宣王中興，那時已開始有史官逐年逐月逐日的記載。此一制度，直到清末，將近三千年。此項記載，大體說來，從無中斷過。

其次是「列傳體」，此體由司馬遷史記創始，經後人沿用，並目為「正史」，二十五史全屬此體。

歷史本是由人創造，列傳體特別以人物為主，正合中國傳統人文主義的文化精神。

中國史書中的列傳體，重在「分人立傳」，此方法亦極易得客觀的真實。某事件裏有某些人物參加，或某些人物在當時表現了某些事件，史家便替他們各人分別立傳。如漢高祖、唐太宗得天下，並不是漢祖、唐宗一人之事，此乃當時一羣人之事。有相隨漢祖、唐宗得天下之人物，有與漢祖、唐宗爭天下之人物，還有不包括在此兩集團以內之人物，只要在當時有表現有影響，不問其人賢奸智愚，成敗得失，全把他們各各分別立傳。此項史書，驟看來，好像頭緒紛繁，一人一人地零碎記著，急切摸不到要領。但仔細看，便可對當時史迹，瞭如指掌，而且比較更客觀更近真。

中國史書列傳人物，也不專限在政治一方面。其他如文學、藝術、宗教、天文、算學、醫藥、工技，乃及其他種種方面，只要其人在當時有成就，知名於時，都獲立傳。甚至隱逸世外，不爲人知的，史官也爲之搜羅表彰。因此中國歷史記載能徧及於社會之各方面，易使人獲得當時整個社會之真面目及其真動力所在。

而且列傳體也極富一種啟示性的教育意義。任何一人物，不問其事業大小，乃及其在歷史影響上是正面或反面的，只要他對歷史有影響，中國史書中關於此種人物，往往爲之分類立傳。在某一時期某一類人物特別活躍，便可爲之立一新類。如史記有游俠傳、貨殖傳，東漢書有文苑傳、獨行傳等。任何一人物，不問其或幸或不幸，或成或敗，此人一生之意義與價值，都和他本人的天賦才智與其德性修養及教育過程有關係。此項真理，在中國歷史記載中充分地透露。

正因中國史家看重人物，使人容易瞭解每一人可能在歷史上發生之意義與影響，每一人能在此下歷史上發生某一種價值。此一真理之顯示，乃中國史學一種最大的教育功能。

歷史中有些是不能分年分人記述的，如有關天文、地理、物產、經濟、社會、禮俗、制度、法律、文藝、美術、學派思想、宗教信仰等，在中國史書中，又別創爲「書」與「志」之一體，好把此等各別事項窮源竟委地分項記載。此一體亦由司馬遷史記創始，後代史家不斷加以變通改進。

不僅在二十五史中多半有志與書，亦有專就此體來各寫專書的，這就成爲各項分類的專史。在中國史書中，此項專史轉被稱爲「通史」，著名的如唐杜佑之通典，宋鄭樵之通志，元馬端臨之文獻通考，後代稱之爲三通。所以此等史體獨稱通史者，因此等史事都貫通各時代而存在，自有其一線相承之條貫與衍變。這因中國文化一體緜延，所以特別有此一項史裁之需要。

中國史中之編年與列傳，可說是記錄了歷史之動態，書和志則比較是記錄了歷史之靜態。所謂靜態者，指其能緜歷較長時期而言。以其所記貫通各代，故對斷代史言，此等體裁乃稱爲「通史」。

司馬遷史記，在人物列傳與各項分類敍述即八書之外，別有「本紀」一體，這是承襲編年體變通而來。

此後正史都沿此體，每一朝代之每一帝王，必爲作一本紀，把此一帝王在位時種種重大事變，扼要先後記載。讀者先看本紀，便知此一朝代種種事變之綱領，然後再在列傳與書與志中去詳細尋求。因此，司馬遷史記一書，實已包括了記年、記人、記典章文物之三要領。所以永爲後人沿用，而成爲中國此下的正史體裁了。

至於分事件來寫歷史的，則稱爲「紀事本末體」。

尚書是最早的這一類的史書，但此下即爲春秋編年與史記列傳兩體所替代，直要到南宋，此體始再有出現。

此體何以發展最晚，而且亦較不受重視，這亦有其理由。據一般言，歷史本該是記載事件的，但歷史事件如水長流，難可割截。究竟某一事件從何處起，到何處止，並不能明確劃分。而且此一事與彼一事，相互間各有關聯，亦很難嚴格分開。一件事儘可分作兩件，兩件事也儘可並作一件。

而且史家既然記載某一事，必爲此事安上一題目，此項題目則多出寫史者之主觀，很難恰當。

如秦始皇焚書，本屬一大事件，但此事件應隸屬在秦朝廷議廢封建與復封建之一大爭論之下，又當隸屬於秦廷博士官制度一項事實之下。今若單標一題目爲「秦始皇焚書」，則讀者對此事真相易滋誤會，反易把與此事有重大相關之其他事項忽略而隱滅了。

又如袁樞的通鑑紀事本末，對秦代史實只標兩題，先爲「秦滅六國」，次爲「豪傑亡秦」。秦代之一興一亡，雖已列出，但秦朝一代措施，其有大影響於此下歷史的，反而不易受人注目了。

因此，把歷史過程分爲若干事件來看，有時反易無當於歷史全體之真過程。又在寫史者之心中，先已認定了這一事，那一事，把來分別突出，則易把另外許多事忽略遺漏。

又在寫史者之心中，因先已認定了某一事之起訖，及其前因後果，心中先存下了此一事之一圖案，於是在敍述時，一切取捨詳略，也易於遵照此圖案來定標準。此等歷史敍述，驟看像既扼要，又明晰，其實是寫史者之主觀成分反掩蓋了當時歷史的真過程。

用此等方法寫歷史，往往僅供一時之需要。時代變了，關於歷史知識之需求亦變了，於是又該另寫新史。但先時史料，因未能仔細保存錄下，遂苦追蹤無從。這一個大損失，終於無可補償。

中國歷史，比較少此病。正因中國歷史，不先憑主觀分立事題，只重分年、分人、分類，把歷史過程中在當時所共認為重要的事項，客觀地一一記載下來，驟看像僅是一堆材料，但其重要價值亦在此。

這因中國文化傳統，注重人文實用，注重歷史經驗，注重會通綜合。中國人的心智，用在此等人事觀察上，極謹嚴，極完密，極明通，極廣泛。其所記錄，更易接近全部歷史真實的過程。

正因為分年、分人、分類，客觀而細密地記錄下此種種材料，保留著已往歷史之比較真實性，便易使此後各時代人，繼續對此等材料，不斷作自由的探討。使此後人，對已往歷史不斷有新鮮活潑之啟悟與發現，易於使人永遠對以往歷史有新體驗。

我們可以說，中國史學之所表現，是頗富於一種清明理智的。主要在其多方面保存史料，及其歷史記錄方法之得體。遂使後代人，更易對已往人事有一種確切的考察，而更易增長其認識的人文社會種種事變所需的清明的理智。如此說來，中國文化之悠久傳統，由於中國史學所貢獻的成分，實是很大。

我們也可以說，分事寫史比較是一種「敘述」，敘述則多寓有敘述者之主觀。而分年分人寫史，則比較是一種「記錄」。記錄與敘述之相異處，則因記錄更近於客觀。中國史學方法之長處，正在其重記錄勝過了重敘述。

正因中國史書注重記錄，故使後代史家可以根據前代史書因時所需，不斷來創寫新史，或不斷來發揚新的史論。新的歷史知識可以層出不窮，而舊的那些歷史記錄，則同時可以永存不廢。此亦中國史學一種特殊的長處。

三

現再繼此作深一層的推論。

寫史若以事件為主，則無意中便把人物附屬於事件。寫史者易於就其個人所認為對此事件之前因後果，刻意搜羅，使成條貫，渲染寫出。使讀者易明瞭，易生興趣，但亦易使讀者另生一觀念，好像歷史事件的本身，自具一種發展的內在規律，而忽略了人物在歷史進程中之主動力量。這就易近於一種「歷史的命定觀」。

又若寫史以事件爲主，此一事與彼一事之間，未必緊相連接，此因使歷史過程像有時會脫節，而且又像歷史上每一事都可以驟然突起，這是另一種的歷史命定觀。前一種命定觀，決定在事件之本身。後一種命定觀，決定在事件之外面。前一種像可預知，後一種像不可預知。要之歷史進程成爲命定，則人物便退處無力。歷史知識在人文社會裏面便成爲無意義、無貢獻。

又若寫史以事件爲主，易使人有意去挑選那些聳動耳目的特出事件，像大戰爭、大革命等。易使人引起兩種不正確的歷史觀。一是「英雄的」，認爲歷史進程常爲幾個傑出人物所激起，所操縱。一是「羣衆的」，認爲歷史進程常爲一羣人一時盲目衝擊所引起，所造成。

又若寫史以事件爲主，易使人發生一種影像，認若事件可以外於人而獨立存在。則歷史如等於自然界，人只生活在歷史中，而歷史失卻了人文精神，好像與人不親切。如近代西方，想把歷史歸入於科學研究，即是此種趨勢所引生之流弊。

中國史中的編年體，易使人瞭解歷史進程乃屬一整體，常此緜延，無間歇，無中斷。中國史中的列傳體，易使人瞭解歷史動力主要在人不在外，整個歷史進程乃由人類共業所造成。其間有少數傑出人才，有多數無名羣衆，但在此兩端之中間，尚有不少人物，雖非傑出人才，但亦不能歸入於一大堆無名的羣衆之內。此等人物在歷史上各有其作用與影響，或大或小，或正或負，相乘相除，纔獲得此總結數。此乃更近於歷史進程之真實性，亦更富於對人之教育性與啟發性。

中國史中的人物列傳，對每一人之生平一線記載下，其文體顯然是人爲主而附見以事，因此易使讀者瞭解歷史上各人物的個性與人格，才智與德行。又易想見由於各色各樣的人來共同參預一事件，乃是人決定了事，而非事決定了人。雖此等人物亦受有當時歷史的影響，但當時的歷史究由此等人物所創出。

歷史上，有時走上了一段黑暗或衰微的時期。在那時，像是無事可述，社會一切像都停滯了，或毀滅了。但每一時代中，必有幾個人物，有人物便有事業。羣體歷史可以無光輝，但各別個人的歷史，其中卻仍然有光輝。分年分人來寫歷史，便使歷史進程成爲一貫的，人永遠有事可做。在整個時代之失敗中，依然可以完成不少的人物。此不少的人物，依然可以完成不少事業。讀中國史，常見在衰微黑暗時期，依然有許多人物之存在。而且正因其時代之黑暗，更易見出此等人物之突出。正因時代之衰微，更易見出此等人物之偉大。所以讀中國史，易使人見到人類歷史永遠有其光明面。又易使人瞭解如何由人力來潛移默運，把歷史頹勢重新挽回。

若以事件爲中心，則許多人物將會被擯於歷史記載之外，而有許多事件，亦將不得被認爲是歷史事件。因歷史進程本屬一整體，今由人的主觀意見在此整體中選擇抽出了一條條直線似的事件來，那就失卻歷史真相。我們只可說，歷史整體只是一大事，每一人，每一活動，都與此一大事有關。亦可說，每一人盡是歷史中的主人，每一活動都是歷史中的成分。今由人挑選出整體歷史中某一部分某一段落的某些活動來，認爲是歷史事件而寫下，歷史遂由一大整體變成爲幾條線，而歷史真相便被遮掩了。中國人的寫史方法，比較能避免此病，比較能接近歷史真相。中國史學上此一特點，應在中國文化傳統之全體系中去認識和瞭解。

四

中國史籍，除上述諸體外，尚有其他諸體，一看清代四庫提要的史書分類，便可略知其梗概。凡此皆是就於各項歷史材料，而斟酌體裁來加以記錄的。茲再摘要略述：一爲「地方志書」，那是分著地域來記載的。此體起源甚古，而發展則遲。自宋以後，此體始發達，直到清代，省有「省志」，府有「府志」，縣有「縣志」，每一行政地域之劃分，則莫不有志。甚至如高山大川，名勝古迹，城市、寺廟、學校、園林，只要在當時被人重視，都有專書記載。此項記載，都用歷史體裁，從頭到尾敍述。自有此體，中國歷史平鋪在各個地面上，到處皆是。正和把歷史分繫在每年每月每日及每個人身上一般，人類歷史的大整體，從此更易顯現。

除方志外，又有「家譜」，專載各一家族的歷史，在歷史學中稱爲氏族譜諜之學。其起源亦甚古，亦成爲後代中國歷史一大支。直到現代，中國每一家庭，只要在社會上稍有地位的，幾乎都有家譜，可從上追溯其遠古由來，及其往後之遷徙流動，分支蔓延，至乎其目前情況爲止。

家譜中最富代表性的便是孔子一家。直從兩千五百年前孔子當身起，到現代，已歷七十七代。每一代父子祖孫都有名字可稽，有事業的則兼載其事業。因此孔子一人之家史，直緜延了兩千五百餘年。

不僅如此，孔子的祖先，還可向上追溯。孔子生在魯國，其遠祖本在宋國，本是宋國國君一分支，由此可追溯到宋國始封。循此再由宋溯殷，直可到商湯開國。再由近代出土的甲骨文材料可以追溯商湯以前，幾乎與夏禹同時。如是則孔子的家族來源，還可向上推溯一千幾百年。因此，孔子一家，直上直下，可稽考的將近四千年。全世界再沒有一部同樣久遠的家史。

至於其他家庭，子孫旺盛，枝葉繁茂，超過孔家的尚多。大概在中國現代，保留有千年以上家譜的，可說遍地皆有。

再由家譜轉說到個人。中國又有「年譜」一體，此乃個人之編年史。在中國，也曾有過長篇大部的個人傳記，但因年譜盛行而長篇傳記絕響了。一則中國史家不喜把個人渲染得太過分。二則分年排列的記載，樸實近真，更客觀，更易得見其人生平經歷之真體相。故此體創始，即爲後人樂用。到現在，凡屬中國史上有名人物，幾乎都有人來替他作年譜。

五

上面經學篇裏曾說過，中國文化傳統特別注重人文精神與歷史經驗。這是史學在中國極爲發達之主要原因。

中國人又認爲人心即是天心，天心即表現在人事上，認識人心與人事，即可認識天心。直要到人的心力使用到達一極度，到達了更無可爲力的邊際，纔是天心不可知處之所在。歷史上種種盛衰治亂興亡，固是人的心力共業所遭致，但其背後亦有不可知的天心在作主宰。司馬遷所謂「明天人之際，通古今之變」，歷史是由認識人事來認識天心之主要途徑，因此中國人的人生哲學，總說「盡其在我」，而歷史知識乃更爲中國傳統文化所重視。

就人事來說，個人乃是一切人事之樞紐。每一人心力所注，都可在人事上發生作用與影響。世亂，個人內心可不亂。世事失敗，個人內心仍可存在。天心若不在大羣中表現，仍可在個人身上表現。每一個人，在人羣中，在天地間，實各自成爲一中心。中國文化傳統重視個人地位，此一信仰亦很明顯地在中國史學上表現了。

至於上述各種體裁，雖若一一有成法可循，但在史學中真負盛名的，像司馬遷、班固、歐陽修、司馬光、杜佑、鄭樵那些人，莫非通才博學，不像以專在歷史一項學問上見長。這一層，尤可爲上面經學篇中所提中國學術傳統一向重視學問之整全體之一例。故中國史學家創寫一部新史書，其內容所包，實決不止於史學之一面，此一層尤當深知。

下篇　子學與文學

叁　子學

一

中國經、史、子、集四部之學，又可分作兩部分。經、史先有，在古代屬於「王官學」。子、集後起，在古代屬於「百家言」。

王官學是一種政府貴族學，百家言是一種社會平民學。

周公在中國古代首先創製了一套王官學。孔子則是中國史上第一個根據古代政府王官職掌的一套學問來在平民社會中自由流播，自由講習，而成爲此下百家言之創興者。故自周公到孔子，這一段學術轉變，即班固漢書藝文志所謂自「王官學流而爲百家言」的最好明證。

「家」字與「官」字對立。官指王官，即政府中各衙門。家指社會中之私人家庭。因其成爲一學派，門徒傳習，歷久弗替，猶如貴族家庭之爵位世襲般，故家字亦兼有家世之義。「子」字則是古代貴族五等爵位之一。此等學者，開創或承襲一學派，受人尊視，故亦以貴族爵位稱之。王官統一於政府，家學分散在社會，故又稱「百家」，而百家亦稱「諸子」。

正因諸子學承王官學而起，他們都帶有看重政治問題的舊傳統。

百家中儒家最先，由孔子創始。墨家繼起，由墨子倡導。儒、墨講學，都喜引據詩、書古經籍，稱道上古，根據歷史經驗，來討論當前種種政治、社會、人生實際問題。

他們都認社會是一個整全體，一切學問則都爲此一整全體發生，亦都歸宿到此一整全體。換言之，學術應依隨人生需要，並非可以脫離實際人生，而自有其各項學術之獨立與分進。

道家承儒、墨而起，應是創始於莊子。其時儒、墨之爭正烈，莊子開始注意到人文歷史範圍以外，從觀察大自然入手，他想把人的知識範圍擴大，來平息儒、墨之爭。

此後墨學衰微，全部中國思想史，成爲儒、道兩家平分江、漢更迭盛衰之局面。

若說儒家是「歷史學派」，道家可說是「自然學派」。但人文歷史銜接自然而起，亦仍是自然現象中之一現象。於是有會通此兩派學說，創出「天人合一」之新理論的，尤著者爲易傳與中庸，是爲戰國晚期之新儒家。

儒、道兩家有同一長處，他們都能以極高的智慧深入透視人類心性之精微。儒家本此建立了中國此下的道德理論，道家本此引發了中國此下的藝術精神。

關於人類心性之觀察與修養，此乃中國傳統學術中一特長。墨家於此比較最短缺。早期墨家，跡近一種嚴肅的宗教信仰，一切歸本於「天志」。結果由提倡「兼愛」反而流於刻薄，不近人情。後期墨家，想從邏輯辯論方面來維護己說，逐漸變爲名家之學。但名家短處，在其立論偏重在文字言說，而不知直探人之內心，其流弊仍是不近人情，足以服人之口，而不足以服人之心。墨、名兩家終於不受歡迎而衰歇了。

儒家又可分兩支，孟子比較重古代，迹近「理想主義」。荀子比較重現代，迹近「經驗主義」。但講現代，仍須探本於古代。講現實，仍須歸宿到理想。此乃荀子之不如孟子處。故後代儒家亦多偏向於孟子。

道家亦可分兩支。莊子注意自然現象之變化，其流弊可變爲「放任主義」者。老子注意從自然變化中尋求其常然必然之軌迹，其流弊則變爲「權術主義」。莊子與孟子略同時，老子書晚出，應與荀子略同時。

由老子、荀子演變出韓非，成爲偏激的法家，把捉住人類心性弱點而專爲統治階層謀利益。另一派有鄒衍，兼採儒、道兩家而自創新說，後世稱之爲陰陽家。此派流弊易入於迷信，但普遍流行於一般社會直到最近。此派於此下學術發展，可說是害多利少，因其是附會與演繹多過了觀察與歸納。

以上所述，是春秋末期到戰國先秦時期中國諸子學分派之大概。

二

下到漢代，中國古代社會上貴族、平民之階級已消除，大一統的文治政府即士人政府逐漸成立，智識分子都有機會預聞政事，在戰國先秦時期百家爭鳴和著書立說的風氣亦逐漸不見了。在當時，漢朝廷把古代經學與孔子儒家言作爲標準，想重新建立起一套新的王官學。儒家思想在當時最佔優勢，但在政府方面亦時時雜用道、法兩家。士人心力，都注重在人生實際事務之應用方面去，也很難有嚴格學術家派之分。

東漢末期，大一統政府中衰，其時則道家思想又起與儒家相抗衡。不久佛教流入，中國思想界乃激起了一番絕大的新波瀾。

佛教來中國，當時中國文化學術積累，至少已達一千年以上，乃能對於外來一套新思想新信仰，全心接受。遇中國社會舊傳統與佛教新義衝突處，當時多能兼容並包，折衷並存。如中國社會一向重視天，祭天爲中國政府一大典禮，佛教教義佛法在諸天之上，但佛教盛行後，中國祭天大禮仍然保存。又如中國人重家庭，重孝道，尤其在東晉、南北朝時，門第大家庭制度確立，此與佛教獎勵出家之教義，絕相反對，但在當時亦能並立不悖。又如佛教講輪迴，傳入中國後，乃轉成為對父母死後作超渡之佛事。中國儒家所提倡之孝道，在信仰佛教後仍然保留。中國社會一向注重人生實務，佛教教義偏向出世，但佛教來中國，卻在中國社會中轉而增添了許多新的人生實務。主要言之，中國傳統文化，本重人文精神，佛教來中國以後，也就逐漸人文主義化了。此可說為佛教之中國化。

佛教中國化中之更重要的，乃為中國僧人在佛教教義中自創新義，成立新宗派。其事開始在隋，極盛在唐。有天台、華嚴、禪三宗。

當時中國人以極虔誠的心情，求法翻經，把佛教所有經典，在三四百年的時間裏，幾乎全部翻譯過來。當時中國僧人在其心底，本只知追求真理，並不想自創新教。但佛教經典中，異說紛紜，宗派各別，究竟誰是佛說真義，逐漸成了一問題。在中國傳統學術中所表現的中國人的智慧，有兩項極可注意的事。一，是中國人的心智常傾向於一種「歷史知識之要求」，總好把一切事象都安排在歷史秩序的演進中，而來察看其前後變化的真實過程。二，是中國人的心智，常傾向於一種「綜合而簡化的要求」，好把一切思想理論異中求同，期能有一更高真理來綜合會通此種種異說而簡化了，終至於只賸下一條最高、最簡單、最易使人人都能瞭解接受的共同大真理。在此兩項心智要求之後面，可以看出中國人對此宇宙有一崇高信仰，即信仰此宇宙乃是一有緜延的整全體。就空間平面來講，種種異相，可以綜合會成一體。就先後時間來講，此一整體，因於演化而成種種之異相。中國僧人把中國傳統中此項心智與信仰運用到佛教教義方面去，乃有「判教」工作之興起。佛教之中國化，中國佛教中新宗派之創建，乃胥由此一判教工作而完成。

所謂判教工作，乃是把佛教經典中種種異說，都用歷史方式來排列先後。就其中，選擇一個在判教者認爲是最能綜合一切的最高真理，作爲佛說之最後一階段。然後就此標準，把判教者認爲接近於此最高真理之分數多寡來排列，來判定釋迦說教之幾個時期與層次。一切佛教經典中種種異說，他們認爲都由釋迦一人所宣說。只是由淺而深，由偏到全，如此般逐步宣揚出釋迦心中所要宣揚的最高真理來。

於是所謂中國化佛學之新宗派遂由此成立。在當時中國僧人心裏，他們創立新宗派，並未違背佛說，甚至也並未創造新宗派，只是把他們所信仰的佛說認識得更清楚，闡述得更圓滿而已。

中國人的傳統心智，在此應該更重提兩要點。一，是中國人的心智特長，在能透視人類心性之內裏深處，而發掘出有關人類文化演進之基本源泉所在。二，是中國人的心智運用與真理追求，總喜歡在人類社會及自己生活實務中有一個當前可見之顯證以及當前可有之享受。把此兩點和上述兩點配合起，乃是當時佛學中國化，即中國僧人在佛學中自創新宗派之主要契機。

天台、華嚴與禪之三宗派，他們之間，亦各有不同。天台、華嚴兩宗，都是綜合著一切佛教經典來做判教工作的，所重在思想之組織上。禪宗則擺脫一切經典，只求自己內心對此最高真理之一種契悟與融化，所重則不在組織。所謂組織，是把一切佛教經典來組織一新系統。所謂融化，則在把一切佛教經典相歧相異處都融化成不存在，而逕自標示出一番新真理。若說禪宗所標示的並非新真理，而依然是佛教中的舊真理，則至少佛教所用以宣揚此真理之一切外在憑藉，即種種言說理論，在禪宗全可不用，而逕憑自己一心之契悟。他們所貴的，是「以心傳心，心心相印」之一法。因此，禪宗在佛教裏面，直可說是一種革命，他們亦自稱爲「教外別傳」。他們把祖師來代替佛菩薩。佛菩薩是佛教原來的舊傳統，祖師則完全是中國禪宗的新傳統。

在偌大一個激烈的宗教革命過程中，未流一滴血，未見有一番真實嚴重的衝突，只是當時那些祖師們，在他們的山門裏嬉笑怒罵，掀拳擎棒，橫說豎說，如演戲般，而把這一番宗教革命的大業輕鬆和平地完成了。

而且他們不但呵佛，抑且進而罵祖（祖師），可見禪宗是當時佛門中徹頭徹尾的一個革命傳統。只是此一革命卻在輕鬆和平中進行，故使人不覺其爲革命。這也是中國人心智一種清明而圓通的實際運用，一件具體可資作證的好例。

三

戰國先秦時代，曾有人做過融會儒、道兩家思想的工作，其主要表現便在中庸和易傳兩書。隋、唐時代的中國僧人，又來融會中國思想和佛教教義，他們的工作成績便是天台、華嚴、禪三宗新佛學之創建。大體說，天台近似中庸，華嚴近似易傳，禪宗則近似佛門中之孟子。

但中國佛學三宗派，只是想把中國思想傳統融會進佛學裏面去，此下宋、明儒興起，又進一步想把佛學融化在中國思想傳統裏面來。

在宋、明儒心裏，也並不在想如此做，他們只想重興儒家傳統來排斥佛教，但實際上，他們卻仍是做了一番融化工作。

宋、明儒的優越成績，表現在他們的「心性之學」上。他們關於此一方面之成績，除從上闡述孔、孟、易、庸外，亦多得之於上述佛學新興之三宗派。

儒、道兩家思想之會通，主要在把人文歷史和自然現象會通合一，思想的對象會通了，思想的內容亦自然得會通。

現在要把佛教教義和中國傳統思想作會通，主要在把佛家要求出世的心情和中國傳統思想注重入世淑世的心情相會通。作為思想主要起因的一番心情態度會通了，思想態度自亦容易得會通。我們今天要瞭解當時宋、明儒所講義理之學之精微處，首先得瞭解他們所講「心性之學」之內容。

要求瞭解宋、明儒的心性之學，更該注意他們所用的「心性工夫」，其重要遠過於他們所講關於心性的理論方面。

宋、明儒關於心性方面之主要工夫，重在求日常此心永遠在「自明」與「自主」的境界中。若援用近代西方心理學家佛洛伊德一派之所講，人類心理有許多在不自知的狀態中。又如巴夫洛夫一派之所講，人類心理又有許多在不自主的狀態中。宋、明儒正要運用一套特有的工夫，來克服此種日常心理之不自知與不自主的成分，而走上「吾心竟體通明」又能「時時自主」的境界。禪宗正亦同樣在這方面用工夫，所不同者，在他們到達了此種心理境界之後，如何再來應用於社會人生實際事務方面。

禪宗只要吾心到達此種境界了即是「佛」。所謂「立地成佛」，「即心即佛」，皆是此義。在宋、明儒，亦說只要吾心到達此種境界了即是「聖人」，但中間有一大不同處。因佛不求染著人間事，而聖人則要運用此心來齊家、治國、平天下，那是宋、明儒與禪宗理想追求不同之所在。

人類日常心理夾雜許多不自知不自主的成分，宋、明儒稱之爲「氣質之性」，又稱之爲「人欲」或「人心」。那種竟體通明，時時能自由自主，再不夾雜絲毫不自知不自主的成分的心，宋、明儒稱之爲「天地之性」，又稱之爲「天理」或「道心」。

宋、明儒認爲齊家、治國、平天下種種人生實務，應從人類自明、自主的心坎深處自然流出。若失了此心，即在此心中夾雜了許多不自明、不自主的成分，則人的一切思慮作爲，全將流爲權謀、功利與霸道。換言之，乃是人欲、人心在作主，不是天理、道心在作主。

如何使我此心全是天理，不雜人欲，宋、明儒中有兩派意見不同。一派是程頤與朱熹，另一派是陸九淵與王守仁。

程、朱似乎偏重在「求知」方面，要人在事事物物上隨時隨地明辨此心之是非，孰爲天理，孰爲人欲，著力用「存天理」而「去人欲」的自主工夫。積久後，自然天理流行，人欲消融，漸達此心自知的境界。此派恰如禪宗之有北派，比較主張「漸修」。陸、王偏重在「立行」方面，要人當下時時保住此心，凡遇吾心能自知的，便徑直前行，能自知便能自主。當下這一剎那的心理境界，便是所要到達的終極境界。這一派，恰如禪宗之有南派，比較主張「頓悟」。

宋、明儒的主要理想，是要回復到先秦儒家，來爲人生社會實際事務、政治教育作根本。但他們並不能一步跨越幾百年來，在中國社會普遍盛行的佛學，尤其是禪宗的理論，置之不問不聞，而徑自邁向儒家孔子的路上去。所以在他們的思想系統裏面，實已染上了許多佛家禪宗的色彩，但其終極目標則顯然與佛家禪宗不同。又且禪宗祖師們，只指點人在山寺中成佛。宋、明理學則要人在此世做治平事業。在此不同上，故程、朱較之陸、王，更應得人重視與信從。

四

現在再把先秦諸子，隋、唐新佛學，和宋、明儒的理學，用一種綜合會通的方法，來看他們之間的思想方法和求知態度之相通合一處。這可以看出中國人心智之特點，和中國文化傳統之內在血脈，及其統一精神之所在。

一、孔子曾說：「知之爲知之，不知爲不知，是知也。」這一態度，可說是此後中國知識分子共同抱有的態度。他們都求能安於所可知，不向不可知處去勉强求知。

「天」是最後一個不可知。中國古人信有天，天有可知、有不可知。我知此天之有可知與有不可知，而合稱之曰「知天命」。儒、道兩家在這一點上是可以會通的。

佛法來中國，其所說之「法」，地位高出於天，佛法尚在諸天之上，佛亦向諸天說法，佛法之終極境界是「涅槃」。但從中國人的心智看來，涅槃境界亦終於不可知，因此中國僧人不免要漸從追求此不可知的涅槃境界中退出。如天台講「一心三觀」，即空、即假、即中，如華嚴講「理事無礙法界」，到「事事無礙法界」心與理則都可知，自與涅槃不同。

宋儒朱熹說「天即理」，天有不可知，理則該可知。格物窮理終有「一旦豁然貫通」之一境。陸、王更主「心即理」，自己的心，更應該是親切易知。

可見中國人智慧，在求知態度上，常把此一可知、不可知的界線，警惕在心，不願輕易邁進此不可知的境域中去。

二、中國人對外面事物，常喜劃分一可知與不可知的界線，但中國人對此實際世界與實際人生，則總抱一堅定信仰。

他們總認宇宙是一個整全體，受同一主宰，此主宰古人謂之「天」。在後人謂之「理」。人生即是宇宙中一部分，同受此主宰，同稟此原理。在某一方面言，部分即可代表全體，人生即可代表宇宙。儒家謂之「天人合一」，佛家華嚴宗謂之「理事無礙，事事無礙」。每一人亦可代表全人類，儒家則主張「聖人與我同類，人人皆得爲堯、舜」。佛家則主張「人皆具佛性，人人得成佛」。聖與佛不僅可以代表全人類理想之最高可能，而且亦可以代表天與理，即全宇宙之主宰與原理，即在聖與佛之身上表現了。

因此中國思想，常求在易簡處見繁賾，常求於無限中覓具足。

三、由於上述見解，中國人看宇宙，常看成爲渾然之一體。所謂「渾然」，乃謂此一體並非由各不同之部分組織而成。所謂「一體」，則只是一體，不要再在此一體中增分別。一切現象，只是此一體之動與化，並非在動與化之外或動與化之後，復有一動不化之體存在著。因此，中國人常認爲形而上與形而下亦只在一體中。理即從事上見，道即從器上見，天即從人上見。換言之，天即在人之中，理即在事之中，道即在器之中。

因此，中國思想常不易信有另一世界，即「本體界」之存在。於是不易信及在另一世界中有一上帝，又不易發展出如其他民族之宗教信仰，又如在西方哲學中所謂「形而上學」的那一套。

四、中國人既認此渾然一體之宇宙，是變動不居的。所以一切真理不僅在「思辨」中見，更要在「行動」中見。思辨常附隨而襄助著行動，若要求知真理，思辨最多只算是半個工具，另外半個工具則是行。中國人多不主張離開行，單獨於思辨中求知。

中國人常認為宇宙真理即在宇宙事象之變化中見，人生真理即在人生實際行為中見，而人生真理又可代表著宇宙真理之一部分或其較高部分。因此在中國，科學思想比較不發展。中國社會上所重視的聖人、賢人、有道之士及高僧等，此等人，不像西方的哲學家，各有他們一套出於純思辨的哲學體系。也不宜稱他們為思想家，因他們並不專在思想上做工夫。但他們對於宇宙自然現象，與夫人生社會歷史演進，都有一套沉深的看法。我很想稱他們為「人文科學家」。因其思想方法與求知態度，卻有些很近西方所運用於自然科學方面的精神。因其講求人生真理，都從實行實驗中來。或許更像一宗教徒。因他們都是忠於一信念，即由我的親證實踐可以到達宇宙最高真理之一信念。

因此亦可謂中國人所認為的真理，都由觀察和踐行得來。中國人表達其認為真理之方法，亦僅是報導式的，只敍述他自己的「親證實踐」而止。很少用純思辨的組織，來發揮一套純想像的真理。比較只有天台、華嚴兩宗，大體上還是依循印度佛學之思想規模，所以尚具嚴密的組織性與深邃的推測性。禪宗則下開宋儒語錄，也可說上承語、孟記言，正是中國的舊傳統，不見在思想上有嚴密的組織。他們的說話，比較多是活潑而真切。

五、更有一點值得提起的，中國傳統思想中對於「體用」觀念之明白提出，雖已在魏、晉以下，但可說中國思想中很早便有此一觀念之存在，只未明白揭出而已。所謂體用，便是認爲宇宙間一切事物現象有體必有用，反過來說，亦即是有用必有體。體不可見，因此也不可知，而由體所表現的用，則可見可知。亦可說中國思想中「用」的觀念，乃由「象」的觀念轉出。所謂宇宙與人生，其本體均屬不可知，但有現象可知。人只能由現象來推知其本體。「現象」之一觀念，後遂轉爲「作用」之一觀念。由其現象間之相互關係，及其先後遞變之中，即若有某種作用存在，則必有作用背後之本體。

宋儒有云：「體用一源，顯微無間。」「微」是不可見的，即是體。「顯」可見，即是用。「體用一源」，即是說並不由體來產出用，因此說「顯微無間」。即顯與微兩端，並無時間先後及空間距離。這即是說體由用見，離用即無處覓體，體即在用之內。因此明儒有「即流行、即本體」，「即工夫、即本體」之說。流行是象，即是用。工夫是用，亦即是象。即是說離卻心行即不可見心體，離卻天道即不可見天之眞實存在。此一觀念，在中國傳統思想中極關重要。故中國思想，常是在事象行動一切實際的用上，來探究其形上的本體。

六、中國人又好言「全體大用」。此「全體」可以即指宇宙，但也可以指全人類，甚至即指一個人。此「大用」可以即指表現在宇宙全整體中之一切事象變化，或人文歷史中一切演進過程。但亦可以指其表現在個人內心的自知和自主的作用。如此便把中國古人所想像追求的「天人合一」與後代學者所想像追求的「心與理一」，雙方融合在一個理論體系之內。只是中國古人，尤其是漢、唐儒，比較重視外面，多講治國、平天下的大道理。後代人尤其如宋、明儒，則比較重視各個人之內心精微，從事於正心、誠意的本源工夫。這一轉變，不可不說佛學傳入有其很大的影響。

七、但中國人又常認「用由體來」。若無此體，何來此用？體即由用而見，並不能捨用求體。認爲體由用見，是其「知識」。認爲用由體來，則可謂是其「信仰」。中國人對此宇宙整全體，自始即抱有一種樂觀的可信任的信仰。

因人由天來，故有如孟子之性善論，以及佛家之深信人皆具佛性等觀念。因事由理生，故中國人對一切自然界與人生界，均抱一終極合理之大信仰。因此中國人所信守奉行的許多行道修心工夫，似乎有些偏在消極方面，認爲只要解除了一些害道的、害心的，則道自會流行，事自會合理，心自會向善。因此，中國文化傳統所表現，對外面一切事象，無論自然界、人生界，常抱持一種同情、寬大，能容忍、和平緩進的姿態，而似乎缺少一種向外衝擊的強力。中國人對一切智識，亦總盼自己放開心胸，讓外面事象能自然流入心中來，則我心自然能有一種明悟，這是極富於一種藝術情調的。但卻不易創造出一套對外面事物深入刺探的方法與精神。

五

上面把中國先秦儒、道兩家，隋、唐時代之中國佛學，及宋、明理學，總括敘述其中的幾項共同態度，從這裏可以看出中國人之性情及其智慧之偏向處，同時亦見中國人之內心信仰所在。而中國文化之長處及短處，亦即於此而見。

下及清代，在學術上，是一段子學衰微的時代，沒有新開展。直要到近代，另一套新的文化傳統與思想體系，從西歐傳入，中國智識界總又激起了一種新變動。

此一番新傳入，較之以前佛教東來，還爲豐富複雜，又兼帶一種強力衝擊，使中國人無法不接受，但又無法從容咀嚼消化，來作一番清明的、理智的調和與綜合。遂使中國思想界，走進一個前所未有的混亂情況中，而急切澄清穩定不下。

但就中國人以往的智慧來看，此下的中國思想界，應能運用他們以前那一套綜合的、融和的心情與方法，來自找出路。只要待以時日，中國人對於此項工作，應該是仍可樂觀的。

肆　文學

一

中國集部之學，普通稱之爲文學。但論其內容，有些並不是文學，而與子部相近。若就文學的廣義論，在中國，四部書中都有在文學上極高的作品，惟專注重文學的集部之出現，則在四部中比較屬最遲。

講到中國文學，必溯源於詩經。就集部論，詩經亦可稱是一部「總集」。總集是以作品爲主而編集的。總集之後有別集，「別集」是以作家爲主而編集的。

被稱爲文學家的，在中國歷史上出生甚遲。被稱爲專門文學家的，興起更遲。可證獨立的文學觀念，在中國是興起很遲的。但中國人對文學之愛好與重視，則很早在歷史上有明證。從這上面，我們可以獲得，關於中國文學之內在特質及文學史發展之特有過程，一種最佳的啟示。

其實周公便該算是中國古代第一個傑出的文學家。詩經中許多作品，相傳係周公作。至少周公是首先懂得文學在人生中的價值，而首先把文學功能來運用到政治場合中的。詩經三百首的作者，無法一一詳考。但雅、頌兩部分，全使用在政治場合，無疑是由當時政府中人握筆。十五國風中，應有不少社會作品，但亦經政府中加以採集改製，仍可說由當時政府中人來完成。因此，詩經之結集，最先當始於周公。而中國第一部文學書詩經，其實由上層政府產生，在當時是一種王官學，在後代則目爲一部經書。

中國文學的第二部總集是楚辭，楚辭的主要作者是屈原。屈原可稱爲中國第一個被公認的文學家。但實際屈原仍是一位政治家，他的政治事業遭到失敗，一番忠君愛國之忱，鬱積胸中，無可發泄，纔始有離騷之創作，成爲中國古代一篇最有名的文學作品。但在屈原內心，並不曾想把創造文學來自成一家，屈原仍與周公同樣，是由「政治」事業中引生出「文學」來。這正是中國文學之最先淵源，這是中國文學史發展的一條特殊路徑，可資說明此下中國文學史上一項特殊精神的。

其次說到詩經的作法，有賦、比、興三體。「賦」體直敘其事，不見得是中國文學技巧上之特質。中國文學技巧上的特質在「比」與「興」。比是引物爲比，興是托物興辭。所以孔子說：「小子何莫學夫詩，詩可以興，可以觀，可以羣，可以怨，可以多識鳥獸草木之名。」中國文學常從天地間一切自然現象，與夫鳥獸草木種種事態，來抒寫作者個人一己的內心靈感。這一種文學抒寫法，即稱比與興。比興的抒寫方法，不僅在韻文中普遍主要地運用，即在散文中亦然。如莊子，便多用比興方法來表達他的哲理。亦可說，莊子的哲理，是由他對天地間一切自然現象，運用他甚深智慧之精微觀察而悟得。孔子所說，「詩可以興，可以觀」，即是說詩人的心靈與智慧，能對天地間一切自然現象，有一套精好的觀察與其興發啟悟。即如屈原離騷，亦多半說的是美人香草，也是運用比興方法來抒寫他內心蘊蓄的。在這一點上，可以說，中國人的內心智慧，自始即含有一套後來儒家所說的「萬物一體」與「天人合一」的看法與想法。這一套看法與想法，自始即表現在中國古人的心靈中，而在文學技巧上充分地流露表達了。在這裏，可說中國人的詩情與哲理，是常相會通的。

我們暫稱此種看法與想法，爲「詩意的」的看法與想法。若把此項看法與想法，運用到對人羣、社會，對歷史傳統，便成爲孔、孟儒家。若把此項看法與想法，運用到對自然界，便成爲莊、老道家的自然哲學。

因此中國傳統思想中，偏重人文精神的儒家，大體都帶有文學性，即都帶有詩的情調。其對人羣社會，常富一種深厚的透視和同情。常認社會與他之間，可以相通相合，成爲一體。孔子思想中特地提出的「仁」字，即是那種心情。屈原離騷所以被認爲中國文學中最高上乘的作品，正因在其作品中，寓有甚深的忠君愛國之忱。忠愛之心，即是孔子所謂「仁」之一種流露。因此中國文學，自始即甚富於道德的情味。

莊子的自然主義，要把個人融化進大自然。此種想法和儒家思想融結，便成爲中庸與易傳。此種天人合一、萬物一體的心情與智慧，也可說其極富於藝術情調。此下中國純文學之發展，受道家影響也特別多。此下中國文學中，所含有的道家自然主義的人生哲學，亦可說是一種人生藝術修養的也特別多。

由上看來，中國文學最先表現在政治上層方面，隋後始移轉到社會全部人生方面來。而作爲文學之內在骨幹，或稱爲文學主要內容的，卻是儒、道兩家。所以「文學」與「人生」合一，是中國文學一條大主流。

二

漢賦大體說來，只是一種宮廷文學，漢賦作者自說他們是上承詩經雅、頌，但其內在精神實不同。漢賦徒然在諛頌王室，初無作者之內心表現，決不是中國文學之正宗。

中國歷史上文學觀念之獨立覺醒，以及純文學作品之創出，此事直到東漢晚年纔開始。那時始有五言詩，同時又把此種文學內心表露在散文各體上，遂成中國文學史上所謂的「建安時代」。到那時，中國始有專稱的文學家，始有文學家之專集。但那些作家，大多數仍與政治有緣，仍都由政治人物來擔當文學家的任務。那時又是莊、老道家思想復興，適與新文學之創始如雙軌並進，這也可見中國道家與中國文學之有緊密關係了。

此下中國文學有一大趨勢，即是愈在作品中，能表現出作者個人的內心情思，及其日常生活的，愈被認爲文學之上乘作品。中國文學上此種趨勢，仍如古代由王官學轉成爲百家言，由貴族學轉成爲平民學般，相互間有一種同一相似的趨勢，只是表現在文學方面的時代更遲一些而已。

中國文學既是側重表現人生，又側重在作者自我人生之抒寫，則作者個人之內心修養及其人格鍛鍊，必然成爲中國文學主要評價之中心。魏、晉以下，中國文學家最爲後人推重的首推陶淵明，陶淵明正是兼有儒家理想中崇高修養與道家理想中的沖淡生活的。

此下，到唐代，乃是中國社會文學風氣最旺盛的時代。在當時，我們可舉兩大詩家爲代表。一是李白，一是杜甫。李白偏近道家，杜甫偏近儒家。因此後人稱李白爲「詩仙」，杜甫爲「詩聖」。可見中國文學作品中，被稱爲最上乘的，必其作品與作家自身的人生融凝合一。換言之，中國文學中之最上乘作品，必然多以作家個人之內心情思及其日常生活爲題材，即以作家之真實人生融入其作品中，而始得稱爲最上乘。

中國文學一向分爲兩大支，一韻文，一散文。散文中之上乘作品，在先並不是純文學的。因散文皆有一種特定的使用，或記事，或論政，或說理，此等皆可歸入經、史、子三部中。到唐代，韓愈、柳宗元，開始於散文體中創出純文學作品，此即當時及以下所謂的「古文」。古文家中有韓、柳，正猶詩中有李、杜。韓愈代表著儒家正統，柳宗元則夾有道家、佛家的氣味。

宋代詩、古文，都上承唐代，而詞之一體則屬新創。詞起於唐末、五代而盛於宋。論其品格，在中國文學傳統觀念中，終不能與詩、古文相比。因詞雖亦以抒寫個人情思及日常人生爲題材，但詞體中所抒寫的，都偏在細膩幽暗一面，在人生中比較不重要的一角落。若在文學中缺少了此一角落，雖是一缺憾，但此一角落之抒寫，在整個人生中終不佔重要地位。中國文學之主要精神，不能從詞體中表達，因此說詞的品格比較纖小了。

元以後，有戲曲、傳奇及小說等，此各體在中國傳統文學中，一向不認爲正宗。遠從中國文學源頭處看來，中國文學創始在上面政治階層，並不從社會民間興起。如詩經中十五國風，雖有許多作品像來自民間，但已經過了官府一番沙濾與改造工作而完成。若在中國古代要認真找尋一些民間文學，是很難的一件事。

屈原、宋玉，仍都是政治人物。漢賦作者，都近於戰國時代之游士，其作品多半爲王室宮廷而寫，也多流行在宮廷與官府中。即如漢代之樂府，雖採自民間，也經過政府一番沙濾改造工作而保留。

魏晉南北朝時代，文學轉移到世家大門第，即當時所謂「士族」的手裏，嚴格說來，仍不是民間的。唐代因有考試制度，而世族大門第漸趨衰落。下到宋代，中國社會上不再有大門第。因此，唐、宋時代的文學，操在一輩進士考生們手裏，那輩人亦仍與上面政治階層有頗爲緊密的聯繫。比較在宋代，一般文人學士更富接近平民社會的風趣，他們的內心情調比較更沖淡，更輕鬆，文學中詞體之盛行，也透露了此中一些消息。

到元代，中國社會上文人學士的地位有了急激的變動，傳統上與上層政治有緊密聯繫的士人身分失去了。當時的士人，隱淪是當然的，顯貴是偶然的。這一種情勢，反映到當時士人的內心，他們覺得個人的私生活，並不與政治盛衰，社會治亂，大羣禍福，有多大直接的關係。他們改換心情向外看，他們的人生情調，更與一般平民社會相接近，在文學題材上亦發生了大轉向。從前以「自我人生」爲題材中心，現在則以外面「社會人生」爲主要對象。這一轉變，當然還有歷史上其他種種因緣湊合，而文學作家之內心轉變，無疑是主要的。

這一轉變，彌補了中國文學發展史上在此方面之缺陷。但就中國文化傳統歷史傳統言，則顯見有脱節處。明代社會恢復唐、宋舊軌，一般文學心情亦逐漸想走回原路。但明代詩、詞、古文方面的成績，都比不上唐、宋。而傳奇小説方面，依然仍循元代人路子向前，蔚然成爲文學的新枝。

清代社會，繼續獲得二百年以上長期的治安，一輩文人學士的內心，仍然繼續著明代趨勢。詩、古文傳統逐漸復盛。而傳奇小説方面則逐漸衰退，似乎比不上元、明。直到西化東漸，中國社會又起了一番更深廣的變動，最敏感的反映仍在文學上。最近一百年來，中國文學正邁向一種前所未有的大轉變，此刻還無法指出將來中國新文學之具體新貌相。

三

讓我們再把中國傳統的詩、古文學和元、明以下新起的戲曲、傳奇小說等，作一番較深的對比。

中國傳統的詩、古文學，如上述，乃以抒寫作者自我人生爲主要題材。因此，在文學創造過程上，無寧可說應該先有了此一作家，而纔始產生出他的作品的。但後代新起的戲曲、傳奇小說諸體，則似可說因其有了此作品，而纔始成其爲一作家的。此因前一類的文學，須把作者自身投入其作品中，而融凝爲一。後一類文學，則作者自身避在一旁，只向外面找題材來抒寫。作者個人人生，在其作品中，可以找不到一些痕迹。因此，若不瞭解李、杜、韓、柳其人，便無法瞭解他們作品之精義所在。至少讀李、杜、韓、柳作品，必然同時要能憑其作品而進一步瞭解作者之爲人，與其當時之處境。如讀西廂記、水滸傳、紅樓夢，其文學價值，即在其作品中，可不必定要瞭解此作家。即使求得了此作家之生平身世詳細行歷，仍於瞭解其作品，不發生甚大之關係。

若就文學即人生這一立場論。後一類文學所描繪的，乃是外面一般的人生。前一類文學所抒寫的則是作者自我內在的人生。外在的人生，「共相」多於「別相」。內在的人生，則「別相」多於「共相」。因此外在的變化較少，內在的差異更多。

但就另一意義看，抒寫自我人生，必然要既具現實又帶理想，而此項理想，則確乎已在作者之人生現實中，具體表現而真實存在了。確然已是理想人生與現實人生之融凝合一。在中國人的傳統信仰中，個人人生可以標露出一理想，而爲大羣體作示範。

我上面說過，中國文學富有「人生的道德」與「人生的藝術」之兩項重要性。人生道德必經真實踐履，人生藝術必經真實表現，而始成其爲道德與藝術。因此在文學作品中，若要求有人生道德與人生藝術之兩種內在性，則必將要求此項道德與藝術之先經真實的經驗。此經驗者，自然再沒有適當可貴於即在此作者之自身。否則文學作品，將僅是一種幻想與虛擬，在人生中實際並不存在。再不然，則文學僅是描寫現實人生求其能具體逼真而止。此種文學，將不見有甚深的人生道德與人生藝術之啟示。如是則只是描繪了人生共同之軀殼，而遺忘或沒失了人生各別之靈魂，究不算是文學最高理想的境界。

又若文學專注意在描寫外面事象，外面事象時時在變動中，於是文學遂變成只是一種空間性的。在文學中所被描寫的花樣，可以愈來愈多，層出無窮。而就文學發展之通體過程來看，終不免缺乏了深度。即是說，在此等文學中，除卻文學技巧外，將不見有一種緜延持續可以悠久存在的文學內在價值。惟有在文學作品內，涵有一項經由作者個人所真實經驗過的人生道德與人生藝術，而此項道德與藝術則在人生中具有時間性的永存價值，可以緜延持續，時間變而此項道德與藝術之永久價值則不變，而後此項文學之內涵亦隨之具有時間性，具有文學之內在深度與其永久價值。此即中國人理想中「文學不朽」一項理論的深邃根據。

若要完成此理想，即文學即人生，而又可以永傳不朽，則關於作家個人之內心修養，即其關於人生道德與人生藝術方面之修養，無疑其重要性將遠超過其對於文學技巧的修養。因此，在中國人的傳統觀念中，文學家不僅是一個文學家，不僅在文學技巧上見長。所謂文學作品，只是此作者在其內心所涵之永久價值中之一時流露而已。否則其文學成就也決不會有甚大的價值。

中國人的傳統觀念，一向看重某一人勝過於其人所表現之某一項學術與其思想。又一向看重通人更勝於專家。在文學園地上亦如此。中國人認爲一切學術的共同對象是人類社會與人生實際，所以應該是人爲主而學爲從。成就一個人，更重要過成就一項學問。而一切學問則必當相通，必當在同一大對象之同一認識下，各就人之才性所近來完成他自己的專門。一個理想的文學家，首該瞭解此人類社會之整全體。此整全體即爲人生道德與人生藝術之根源所在。而人的社會又是包涵沉浸在天地大自然之中，有其悠久的歷史傳統而始得有今日此一社會之存在。要瞭解此社會，又必要瞭解此社會之外圍，即天地大自然，與此社會之從來，即其悠久之歷史傳統。而一理想的文學家，又必須在其自身生活中，能密切與此整個社會相聯繫，必期使此社會種種變故與事相，均能在此文學家之心情與智慧中，有其明晰而懇切的反映。而此種反映，又必能把握到人心所同然，這始是理想文學作品之真來源。

中國人向來推尊杜詩，稱之爲「詩史」，因杜甫詩不僅是杜甫一人私生活過程之全部寫照，而且在其私生活過程中，反映出當時歷史過程的全部。杜甫成爲當時此一全部歷史過程中之一中心。杜甫在此歷史過程中，所表現的他私人內心的道德精神與藝術修養，時時處處與此歷史過程有不可分割之緊密關係。杜甫一人之心，即可表現出當時人人所同具之心。所以杜甫詩可稱爲當時之「時代心聲」。後人把杜甫詩分年編排，杜甫一生自幼到老的生活行歷、家庭、親族、交游，以至當時種種政治動態，社會情況，無不躍然如在目前。而杜甫個人之心靈深處，其所受文化傳統之陶冶而形成其人格之偉大，及其人生理想之崇高真切處，亦莫不隨時隨地，觸境透露。故在杜甫當時所刻意經營者，雖若僅是一首一首詩篇之寫作，而其實際所完成者，乃杜甫個人一生之自傳，及其當代之歷史寫照，乃及中國文化傳統在其內心深處一種活潑鮮明的反射。若求在文學中能有此表現與成就，則在文學技巧之外，必更大有事在。所以說「流落人間者，泰山一毫芒」。泰山是此作者，其所成之詩，則如在泰山之一毫芒。比之作者個人本身價值來，則是渺不足道了。

中國每遇具有甚高地位的詩文集，必有人爲之編年作註。杜甫外，尤其如韓愈、蘇軾等人的詩文集，若我們從頭依注讀下，自見其詩文即是作者之自傳，此作者亦即是當時歷史一中心。文學作品與作者當時歷史之交融合一，此正是中國文化傳統精神所在。

亦有較近隱退一類的人物，如陶淵明、如陸游其人，在當時政治上較少關係，似乎其人只是遠站在歷史的邊沿上。但其作品，則必然亦成爲一時代之心聲。其作品中所表現的人生道德與人生藝術，則必然當明白得作者之身世，即其當時之歷史實況，而後能把握其意義與價值之所在。

或疑用此標準來衡量一文學家，豈不懸格太高，使人難於企及。但在中國文化傳統理想下，一切學術，都應以人文社會之理想爲對象，都應具有政治與教育之兩項價值與作用。文學本兼創作欣賞兩方面。文學創作，在中國傳統理想下，必先能植根於六經，必先泛覽於諸史百家，必先通貫社會一切人情世故，必先在文化傳統中鍛鍊得自己這一個人成爲此文化傳統中一合理想之人，然後發而爲文，將見無往而不宜。而後代欣賞此等作品者，即可從其作品接觸到此作家偉大的人格，與夫此時代之大背景，人生各方面歡樂愁苦、可歌可泣之種種真情感，乃及傳統文化理想主要精神所在。由於文學感人之深，乃可直扣心弦，不待言辨而使讀者獲得一種甚深妙之解悟與啟發。因此，中國文學雖在四部中發展最遲，而後來一枝獨秀，其在社會流行之盛況，較之經、史、子三部，皆爲有過而無不及。

四

上面已提到遠從詩經以來，中國文學中所運用的比興方法。中國古人說：「詩言志。」用現代語來說，詩的主要作用，應側重在抒情。詩人筆下所運用到的自然界，只把來作比興之用而已。推廣言之，在詩文中一切題材，種種記述與描寫，其背後必寄寓有作者之一番作意。即如孔子、司馬遷寫春秋與史記。即如孟子著書發揮哲理，其背後亦必有作者個人之活的人格之表現。中國人又說：「言爲心聲。」一切語言文字，主要在表現此化爲言語、作爲文字者之活的作者之一顆心。因此必先有此「作者」，而後始能完成此「作品」。非因有此作品，而始完成此作者。一切學問與著作之後面，必先有此一人之存在。非可脫離了此人，而懸空有此學問與著作之出現與成就。不是以人來依附於一切學問與著作，乃是一切學問與著作必依附在人，而以人爲中心。此乃中國文化大理想所在。

因此中國文學的抒寫對象，竟可說主要在內不要外，在作者一己之內心而並不在外面事物。外面一切物變與事象引生出作者之一番內心情志，再由作者此一番情志來描寫外面事象與物變，則外面一切事象物變都已經由作者內在之情志化，而與作者其人，成爲一種內外合一。此在文學創作過程中，是一種交互的內外相融合一。不是專傾在外，也不是專傾在內。而必然以作者之

「內」爲主，而以作者所描寫之「外」爲附。

因此，中國文學之所描寫，常只注意在攝取外面事象物變之共相，而不太過分注重其別相。共相隨處可遇，別相則只此一瞥。中國文學中所特別重視的別相，則在此作者之情志抒寫。一是在當下剎那間所立刻興起的作者之真情感，一是畢生涵蘊的此作者之真意志。中國文學之能深具一種人文精神與教育意義者乃在此。

若我們專一注意在外面事象物變之描寫，而力求其如實逼真，則此種文學自會偏向到外面事象物變之別相方面去。但外面的事象物變頃刻萬狀，剎那剎那相異。每一事象物變，同是可一不可二，獨特不相似。太過注意於此，反而會失卻外面事物之真，易使人有外境遷流，撲向空虛的一種迷惘之感。

但若我們專一注意在內面情志抒敘，認爲必先把外面一切事象物變排除了，纔能真實來抒敘自己的內心情志，則此項情志亦將不會真切。無著落，無寄寓。一如鏡花水月般，同爲不可捉摸。故敘情志必求當境，所謂觸景生情，因物見志。情志抒敘，必貴其能「情景交融，內外合一」。把此心中情志，安放在外面宇宙一切事象物變之上，始見是真情志。

說到此處，可見中國文學之內心追求，顯然與中國文化傳統之全體系，有其不可分解之統一精神之存在。

中國人既認外面宇宙是渾然一體的，因此向外描寫，不願太過分析，不太注重其別相之各不同方面，不願忘失其渾然之一體而專來把捉其各別之相異。中國人又認此渾然一體常是變動不居，而此種變動不居，最真實、最深切的表現卻在自己之內心。須得從自己內心深處來感通外面一切事象物變，總始能真實體悟到此變動不居之後面，仍屬渾然一體。此如一部詩文集，雖若其所描寫，不勝繁變，但其背後作爲中心的，則只是作者之一人。

此種體悟，貴在各人自己人格上求修證。人格完成之最主要基點，建築在剎那間的當前直感。如何把捉此剎那剎那間的當前直感，來融凝成一堅定鮮明的人格，中國人認爲即此便是人生最高理想所在。只有憑此人生最高理想，纔能體悟到外面宇宙的最高真理。如是描寫，始成爲一種最高文學。在此方面，中國人理想中之文學修養，則必然具備有一種崇高的信仰以及一種深靜的智慧，而後始能到達。

我在上面子學篇，已把中國思想傳統，分別提出先秦儒、道兩家，隋、唐時代之中國佛學，及宋、明理學之三大時期，而扼要舉出其在思想方法與求知態度上，幾許共通點。已提出中國人對宇宙真理與人生真理之抱有一種共通的最高信仰之所在。此篇講中國文學，種種闡述，多與上篇子學篇意旨相通。換辭言之，子部之學實與集部之學相通。每一理想的文學家，同時即是一思想家，特其表達之方式有不同。中國第一流的文學家及其文學作品，乃無一而非於此信仰與智慧中透出，因此，子部與集部亦同樣可以代表著中國傳統文化主要精神所在之一面。

此下中國新文學興起，無疑仍會曲折走上此一路，特其具體的形態之變新，則無法預知。

（民國五十六年九、十月人生雜誌三十二卷五、六期）

中國儒學與文化傳統

一

講到中國文化，便會聯想到儒家學術。儒學爲中國文化主要骨幹，誰也承認。但現有兩個問題須討論：其一、爲儒學之內容，即儒家學術究竟是些甚麼？其二、爲儒家在中國文化中其地位之比重究如何？吾人對此二問題當以客觀的歷史事實作說明。因此本講範圍乃係有關中國文化史中之中國學術史部分，而又專就儒學史爲本講之題材者。惟如此，已嫌範圍過寬。又且中國儒學史一題，在國內學人中，似尚未有人對此作過系統之研尋。本講題僅可謂對此問題作一開頭，自有許多觀點，在此講演中，難作定論。只是提出此許多觀點，以待此後有人繼續就此綱要而探討，或可因此有一部比較完整的中國儒學史出現，這卻是一項饒有意義與價值的事。

要講儒學內容，必須講到儒學史，即中國儒學之演變歷程。歷史上任何事物，傳遞久遠的，必有一番演變歷程。儒學自孔子迄今，已逾兩千五百年，自然有許多演變歷程可講。要講演變歷程，必先劃分時期。此下將儒學演變，姑試劃分爲六時期。

二

首先講儒學之「創始期」。此在先秦時代，自孔子下及孟子、荀子以及其他同時代儒者皆屬之。此一時期，百家爭鳴，儒家不僅最先起，且亦最盛行。韓非顯學篇說：「今之顯學，儒、墨也。」又說：「儒分爲八，墨分爲三。」可見當時儒學之盛，亦見在中國學術史上，儒學一開始，便就與衆不同，巍然獨出了。

接著講第二期，此爲兩漢儒學。我姑名之爲儒學之「奠定期」。也可說，儒學自先秦創始，到兩漢而確立，奠定了此下基礎。有人說，先秦學術至漢代已中斷。或說自漢武帝表彰六經，罷黜百家，而儒學始定於一尊。此兩說均有非是。其實儒家在晚周及漢初一段時間內，已將先秦各家學說吸收融會，共冶一爐，組成一新系統。故說先秦各家學說到秦代統一已中斷，並對此後歷史無影響、無作用，實是一種無據臆說。至謂漢後學術定於一尊，此說之非，待後再提。

今講兩漢儒學，亦可說此時代之儒學實即是經學。只讀史記、漢書兩書中之儒林傳，便見其時凡屬儒林，都是些經學家。而凡屬經生，也都入儒林傳。此下二十四史中，凡有儒林傳莫非如此。故說「經學即儒學」，此說乃根據歷史，無可否認，而在兩漢時爲尤顯。我們也可說，中國儒家必通經學，不通經學，便不得爲儒家。如此說之，亦決不爲過。

現在試問爲何儒家必通經學？此即就先秦儒家言，如孔子、孟、荀諸人所講，即多是詩、書、禮、樂，屬於後世所謂經學範圍。兩漢以下承繼孔、孟此一傳統，自然經學即成儒學了。

其次論到兩漢儒學對當時之貢獻與作用。我們當說兩漢時代一切政治制度、社會風尚、教育宗旨及私人修養種種大綱節，無一非根據經學而來，故可說兩漢經學實對此下中國文化傳統有鉅大之影響，此層亦屬無可懷疑。至涉及經學內容，以非本講範圍，今姑不論。

三

茲再說及儒學之第三期，此指魏晉南北朝時代言。我姑將名之爲儒學之「擴大期」。有人或將覺得此說奇怪，因大家習知魏晉南北朝人崇尚清談，莊、老玄學盛行，同時佛學傳入，儒學在此時期，特見衰微，何以反說爲儒學之擴大？然我此說，亦以歷史事實作根據。其實此一時代之儒學，並不能說必不如佛學、玄學之盛，而較之兩漢，亦非全無演進可言。

首先，且說此下的十三經注疏，此爲中國經學上一大結集。而十三經注成於此一時代人之手者，卻已佔了一半。如：易爲魏王弼注，論語爲魏何晏集解，左傳爲晉杜預集解，穀梁爲晉范寧集解，爾雅爲晉郭璞注，至於尚書孔安國傳，至今稱之爲僞孔傳，實非出於西漢時之孔安國，而係魏、晉時人所僞托。其作僞者，或說是王肅，無論其是否，尚書僞孔傳成於此一時代人之手，則無疑義。故全部十三經注，由魏、晉人作者已占其六。且尚書有僞古文，在此下學術史上影響亦大，乃亦爲魏、晉時人之僞作。則此一時代人之經學，較之漢儒，得失如何暫不論，而對此下儒學之影響，則斷不該輕視可知。

並在此一時代之經學中，又特創有義疏之學。惜至今此等著作皆不傳，僅有皇侃論語義疏一部，此書在中國亡佚已久，清代始由日本得回，我們略可窺見此一時代人所謂義疏之學之一斑。而唐初孔穎達、賈公彥等作五經正義，即是根據此一時代人之材料而遞禪作成者。故一部十三經注疏，關於注的部分，此一時代人所作已占其一半。而疏的部分，卻占了十之八九。又如陸德明經典釋文，其書創始於陳代，成書在未入隋之前，其所運用之材料，亦多出此一時代人之功績。根據上述，可見此一時代人致力經學的，實不在少數。而且影響後代者亦大。我們若有意再研經學，仍須先透過此一時代人之業績，亦至明顯。然則又何能謂此一時代乃無經學或儒學可言。

我們且試一翻隋書經籍志，就其所載此一時代人對六經有關著作之部數與卷數作一統計如下：

經籍名稱	現存著作部數	現存著作卷數	連亡佚者在內之部數	連亡佚者在內之卷數
易	六十九	五百五十一	九十四	八百二十九
尚書	三十二	二百四十七	四十一	二百九十六

詩	三十九	四百四十二	七十六	六百八十三
禮	一百三十六	一千六百二十二	二百十一	二千一百八十六
樂	四十二	一百四十二	四十六	二百六十三
春秋	九十七	九百八十三	一百三十	一千一百九十

上表所載現存云云，乃指在作隋書經籍志時所存者。此等著作，在今言之，亦已大部亡佚，所存無幾。然觀上表，可見此一時期之經學，即論其著作數量，亦已驚人。今若以著作數量之多寡，來作爲衡量當時人對經學中某一部門之重視與否之標記，則知此時代人在經學中最重禮，次爲春秋，易居第三位，詩、書占第四、第五位。此一簡單之統計，實可揭發當時人對經學分別輕重之重大意義所在。又朱子謂「五經疏周禮最佳，詩與禮記次之，書、易爲下」，亦足證明魏晉南北朝人對此諸經用力深淺之一斑。

尤其在南北朝時，經學亦分爲南北，所重各不同。北人研究主要尤重周官。周官雖是一部戰國晚年人作品，然其書提出一種理想的政治制度，尤其摻進了戰國晚年突飛猛晉的新的經濟問題，此乃中國古代的一部烏托邦。由於北方政治不上軌道，故一輩經生，尤其集中鑽研此書，俾能據以改進當時政治上之種種實際措施。在北周、有蘇綽、盧辯兩人，相交甚篤，同有志於周官研究。其後蘇綽上了政治舞臺，西魏、北周新的政制規模皆其所創建，直至隋、唐仍因襲此一傳統，遂以重開中國歷史上之光昌盛運。盧辯則始終在野，爲一純粹學者，彼曾作周官注，與蘇綽同受當時及後世之推重。又如北齊有熊安生，亦當時北方經學大師。北周滅北齊，熊氏知周君必來訪，命童僕灑掃户庭以待，翌晨果如所言。西方拿破侖征德國，哥德以在路旁一覩拿翁風采爲榮。較之中國熊氏故事，豈可同日而語。正因熊安生乃當時周官學之權威，而周官乃當時北方經學所重，北周即憑周官建制，故熊氏亦知北周君必來相訪。我們單憑此一則軼事，便可想知當時北方政府之重視經學，與經學對當時政治上之實際貢獻了。

南人所重，尤在「喪服」一門。宋初雷次宗爲當時喪服大師，乃與鄭玄同名，一時有雷、鄭之稱。此因當時南方門第制度鼎盛，而此一時代之門第，亦實爲當時文化命脈所寄。其所賴以維護此門第者，禮中之喪服占有重要地位。唐後門第制度漸壞，此一門學問，遂漸不爲人所重。然唐代則門第制度尚在，故杜佑通典中所載魏晉南北朝人所講喪服要點尚甚多。

由於上述，可見此時代人所講經學，對當時貢獻亦甚大，實與兩漢儒生之通經致用，事無二致。雖此時期中，甚多人講究出世之佛學或講莊、老玄學，但論中國文化存亡絕續之命脈所繫，則主要仍在此輩儒生手中。若果如一般人所想像，魏晉南北朝四百年來只談莊、老玄學，只談佛學出世，試問如何能繼續中國文化遺緒以下開隋、唐之盛？故知此一時代中，儒學基礎實未破壞，而斡旋世運能自貞下而起元，亦端賴於有此。

四

然我今天所以說魏晉南北朝爲儒學之擴大期者，其重點尚不在此。我認爲此一時期人講儒學，已不專囿於經學一門，而又能擴及到史學方面來。

史學本爲經學之一部分，如尚書、春秋、左傳均當屬史學範圍。唐劉知幾作史通，分疏史書體例，即分尚書、左傳兩大派說下。我們若更進一步言之，亦可謂孔子之學本即是史學。孔子嘗曰：「甚矣，吾衰也！久矣，吾不復夢見周公。」又曰：「吾非生而知之著，好古敏以求之者也。」又曰：「周監於二代，郁郁乎文哉！吾從周。」論語上如此一類話尚多，可見孔子所學，也即是在孔子當時的歷史。孔門由於其所講習之詩、書、禮、樂，而獲得其所從來之演變得失之全部知識，其與歷史實無嚴格界限。故後人謂「六經皆史」，此說實難否認。下到漢武帝時，董仲舒提出「復古更化」之主張，其意即主不再近效秦代，而須上溯六經，復興三代之盛運。更可見漢儒治經，亦求通史。若不治經，試問更何從而知三代？故謂漢儒之提倡經學，無異即是提倡史學，亦可不辨自明。

其次，再論到當時經學上所有今古文之爭。劉歆提出的古文諸經，如左傳、周官、逸禮、毛詩四者，更見其偏重在史實方面。左傳不必論，周官在當時目之爲周公致太平之書，書中所載一切政治制度，當時人認爲是古代眞實的歷史。毛詩因各詩之首有序，自較之三家詩更見有歷史價值。以今傳韓詩外傳相比，豈不見毛詩更重歷史性。故在漢代，由今文經學擴及古文經學，實是經學中之歷史性愈趨濃重之證。其趨勢至東漢而益顯，即是在經學中根據古代史實的趨勢，益勝過了憑空闡發義理的趨勢之上。鄭玄括囊大典，偏重早已在此方面。而王肅繼起，顯然更近於是一史學家。杜預作春秋左氏集解，顯然亦偏重在史學。故可說「經學即史學，史學亦即經學。」二者間本難作嚴格分別。亦可說自經學中分出一支而成爲史學，史學乃經學之旁支。如史記太史公自序，自稱即以孔子作春秋之精神而寫史記，亦即是沿襲經學而發展出史學之一極好例證。班固漢書藝文志，亦將史記列入六藝略中之春秋門。可見在當時人觀念中，經學即包有史學，亦可說當時尚無史學獨立觀念。故班固作漢書，批評司馬遷史記未能完全一本儒家立說。此項批評，當否且勿論，然可知班氏作漢書，其所自負，仍爲一本於儒學。則馬、班史學淵源，皆從儒學經學來，事無可疑。

自馬、班以後，史學特受重視。新史籍接踵繁興。下至晉時，荀勗將古今著作分成甲、乙、丙、丁四部。經學列甲部，子學爲乙部，歷史則爲丙部，至是史學已成一獨立部門。更下至隋書經籍志，經學仍列甲部，而史學改列乙部。斯其益受重視可知。其時著名之史籍，如宋范曄之東漢書及晉陳壽之三國志，與馬、班史、漢齊稱爲四史。其他知名的史學家與史書不勝枚舉，其中如漢荀悅前漢紀及晉袁宏後漢紀，更爲有名。又如宋書、南齊書、魏書等正史，亦均爲此一時期人所撰。

隋書經籍志史學部門所收共分了十三類，今再統計其所收經、史兩部書籍之部數卷數作一比較。計經書有六百二十七部，五千三百七十一卷。連亡佚則爲九百五十部，七千二百九十卷。史書共八百十七部，一萬三千二百六十四卷。連亡佚共有八百七十四部，一萬六千五百五十八卷。史學著作之卷帙總數已超過經學卷帙一倍以上。而上述經學著述中，其承襲兩漢前人所遺下者爲數尚鉅，史書則多爲東漢、魏、晉以下人新撰。即此可知當時在史學方面一種突飛猛進之成績。而史學實即儒學，此因經學即儒學，而史學又即經學也。

在此尤值得提起者，則爲隋末大儒文中子王通，此人雖已在南北朝之後，然在此不妨兼述。他曾有意續經，如取漢以下人奏議詔令之佳者編爲尚書之續，稱續書。又取漢以下人之詩賦擇其有關時代與足資教訓者集爲續詩。後人或譏其狂妄。其實六經皆史，清儒章學誠曾抉發其精義，可謂已成定論。反言之，則史即是經。經、史既難嚴格劃分，則王通觀點，殊亦無可厚非。只由國人尊重經籍之心理淪浹已深，牢不可拔，而王通徑用「續經」之名，故爲後人所不滿。今欲闡明經、史同源之義，則王通見解正可用來作證。而王通河、汾講學，對此下隋、唐盛運重開之影響，亦屬盡人皆知，不煩多及了。

今再就史學內容言，儒學主要本在「修、齊、治、平」人事實務方面。而史學所講，主要亦不出「治道隆污」與「人物賢奸」之兩途。前者即屬治平之道，後者則爲修齊之學。若史學家除卻治道隆污、人物賢奸不辨，此外，更有何事可講？又如依先秦道、墨、法諸家意見，試問如何能演變出後世史學來？其中惟墨家立論尚時引古史作證，莊、老、申、韓立論，即全不重視史實。只取此諸家書與論語、孟、荀並看，便知其間異同。故謂「史學即儒學」，其說至明顯。我們若把司馬遷、班固、范曄、陳壽、荀悅、袁宏諸人，依照先秦學派，把他們分別歸入，則大體上自當歸屬儒學無疑。而且此一時代之史學家，幾乎都同時在經學方面有著作，此亦可以證我前說。最多我們只可說在他們中有的尚不得爲醇儒，最多也只可說他們在儒學中地位不高，只是游、夏文學一途。然游、夏文學亦顯在孔門四科之內。而且我們也決不能說左傳、史、漢之價值，便不如公羊、穀梁。至於此一時期之史學書，甚多經亂亡失，也不能因此便謂其無價值。即如兩漢十四博士各經章句豈非全部亡失了嗎？但我們並不能因此說兩漢經學不值重視。何況魏晉南北朝史學書籍之流傳，還遠多過兩漢諸經之章句。因此我們說魏晉南北朝爲儒學之擴大期，正因於經學外，又增進了史學。從此以後，常是經史並稱，並有了「經史之學」一新名目。此後歷代大儒，則罕不兼通經史。即此一節言，魏晉南北朝時代，儒學依然極盛，其貢獻於當時及後世者亦極大，可不再多論。

五

下面述及儒學之第四期，即唐代儒學。我姑亦再爲特起一名稱，謂之爲儒學之「轉進期」。唐代經史之學，均盛在初唐，乃係承受魏晉南北朝人遺產而來。我們也可說，隋唐盛運，早在南北朝晚期培育，學術也不例外。經學上最著者，如陸德明經典釋文，孔穎達等之五經正義。而後者尤爲經學上一大結集，後來絡續增成爲十三經注疏。但一則盛極難繼，二則五經正義作爲此下科舉制藝之準繩，功令所限，更使此下唐人在經學上少有新創。至論史學著述，如晉書、梁書、陳書、北齊、北周書、南史、北史、隋書等，亦皆爲唐初人所撰。主要亦多是承襲魏晉南北朝人之遺緒。惟以前人寫史，自馬、班以來，多係一人獨撰，唐後開始有集體編撰之例。然此不即是史學一進步，無寧可說是不如前人了。而且史學亦如經學，中唐以後，即不見有初唐之盛況。

但唐代儒學，於經史之學以外，卻另有一番轉進。我此所謂轉進，與前時期之所謂擴大稍別。據我所見，唐代儒學之新貢獻，卻在其能把「儒學」與「文學」匯合，從此於經史之學之外，儒學範圍內又包進了「文學」一門，這是一件值得特別闡發之事。

本來經學中，原有文學成分，如詩經便是。且羣經諸史，不能不說它都有絕高絕大的文學價值。但就古代人觀念言，則似乎並無文學獨立的一觀念。而且文學之與儒學，開始亦並無一種密切相關之聯繫。即如楚辭作者屈原，本非一儒家，只其所作楚辭離騷之內容卻有與儒家暗合處，故為後來儒家所推崇，但在當時則斷不能說楚辭即是一種儒家文學。下逮漢人，以賦名者如司馬相如、揚雄之徒，明明與儒家經生不同，故班氏藝文志六藝略之外別有辭賦略，顯然不能以司馬遷史記列入「春秋家」為例。揚雄早年本效相如作賦，有意欲為一辭賦家。但晚而悔之，乃謂辭賦只是雕蟲小技，壯夫不為。彼云：「詩人之賦麗以則，辭人之賦麗以淫。如孔氏之門用賦，則賈誼升堂，相如入室矣。但如其不用何！」則揚子雲亦已明明指出文學與儒學分道揚鑣，不走同一軌轍了。故當其轉變思想以後，遂改從文學轉入儒學，模倣論語作法言，模倣易經撰太玄。從此一例，可見西漢人心中惟經學始是儒學，而辭賦家言則另是一套，與儒學不相涉。故范曄東漢書，於儒林傳之外，又增設文苑傳，亦證文苑與儒林有別，即在范曄當時，儒學中仍未包涵有文學。

首先提出文學之獨立價值者，應自漢末建安時代開始。魏文帝曹丕典論論文有云：「文章，經國之大業，不朽之盛事。年歲有時而盡，榮樂止乎其身，二者必至之常期，未若文章之無窮。」純文學之獨立價值之提出，當推始於此。然曹氏父子及建安諸子，亦均非儒家。此後梁昭明太子之文選，仍循建安路線，提倡純文學，力求與經史分途。其時如陶淵明詩，亦如屈原楚辭離騷之例，只可謂其與儒家有暗合，卻非有意把文學來納入儒學中。根據上述，故說文學與儒學本非一途，專從儒學中亦推衍不出文學來。至以文學匯通於儒學者，此一工作，乃自唐代人開始。

韓昌黎詩云：「國朝盛文章，子昂始高蹈。」唐詩人自陳子昂之後有李太白，此兩人皆有意上本詩經來開唐代文學之新運。但此兩人在唐代之復古運動，或開新運動中仍未能達到明朗化，或說確切化。即所謂匯通儒學與文學之運動，即納文學於儒學中之運動，其事須到杜甫，而始臻完成。杜詩稱爲「詩史」，其人亦被稱爲「詩聖」。杜詩之表現，同時亦即是一種儒學之表現。故說直到杜甫，才能真將儒學、文學匯納歸一。換言之，即是把儒學來作文學之靈魂。此一運動，到韓愈又進一步。韓愈之「古文運動」，其實乃是將儒學與散體文學之合一化。韓愈散體文之真價值，一面能將魏、晉以下之純文學觀念融入，一面又能將孔、孟儒學融入。此是韓愈在文學史上一大貢獻，亦是在儒學史上一大貢獻。故韓氏自述其作文工夫，謂當「行之乎仁義之途，游之乎詩、書之源」。又謂其「好古之文，乃由好古之道」。後人稱其「約六經以爲文，約風、騷以成詩」。若明白闡述，即是把文學與儒學挽歸一途。論其文之內容，則實莫非是儒家言，其集中如原道、諫迎佛骨表等諸文固可不論，即隨手就韓集中拈其任何一篇，固可謂無不根據儒學而立言，亦可謂無一非融攝孔、孟之道以立言者。故自唐代起，自杜詩、韓文始，儒學復進入了文學之新園地。自此以後，必須灌入儒家思想才始得成爲大文章。此一新觀點，實爲以前所未有。必至此後，經學、史學與文學，均成爲寄託儒學、發揮儒學之工具。於是四部中之集部，亦遂爲儒學所包容。我特稱唐代爲儒學之轉進期，意即在此。

六

以下再講到儒學之第五期，即宋、元、明時代，我將稱之爲儒學之「綜匯期與別出期」。此當分兩面言：一說其綜匯，乃指其綜合匯通兩漢、魏晉南北朝下迄隋、唐之經、史、文學以爲儒學之發揮之一方面而言。此方面之代表人物，可舉歐陽修爲例。歐文宗昌黎，亦是粹然儒家言。但永叔除文學外，在史學、經學方面，造詣俱深，著述並富。我們固可說歐陽氏乃一文學家，同時亦可說其是一史學家與經學家。但歐陽氏乃一大儒，則無可異議。

北宋諸儒，大體全如此，他們都能在經、史、文學三方面兼通匯合，創造出宋儒一套新面目。其間所有差別，則不過於三者間，有畸重畸輕、偏長偏短。如王荊公偏重在經學，司馬溫公偏重在史學。荊公可說是儒家中之「理想派」，主要在講六經三代，崇奉上古史。溫公可說是儒家中之「經驗派」，主要在講漢、唐中古史。北宋新舊黨爭，就儒家立場言，亦可謂是一種經學、史學之爭。故新黨執政時，太學諸生便羣趨於研究經學。迨舊黨得勢，太學諸生又轉而注重史學。此一種學風動盪，直到南宋尚受波及。其次再說到二程洛學，他們較近於經學派。蘇東坡蜀學，則較近於史學派。但嚴格言之，蘇氏父子在當時及後代，均不目爲純儒。即就他們的文章看，其中頗多雜有縱橫家、莊、老道家言。在司馬溫公以後之洛、蜀、朔三黨分歧，若我們純從學術立場上來看，大體當如我上之所指。因此三派間，學術立場本有不同；並不即就地區分黨分派。

以上是說了北宋諸儒在綜匯經、史、文學而成其爲儒學之一面。但在另一面，則別有一種新儒家出現，我姑稱之爲「別出儒」，以別於上述之「綜匯儒」。如周濂溪、張橫渠、程明道、伊川諸儒皆是。他們與綜匯儒之所異：一則他們都不大喜歡作詩文，似乎於文學頗輕視，另則他們亦似乎不大注意談史學。即在經學方面，對兩漢以下諸儒治經功績，彼輩皆不甚重視。故他們之所學所創，後人又別稱之爲「理學」。我今乃就兩漢以下儒學大傳統言，故說宋代理學諸儒，乃係儒學中之別出派。

亦可說宋代理學諸儒與兩漢以下儒學傳統不同處即在此。然亦不宜過分作嚴格之劃分。即如：周濂溪通書，與其太極圖說，則根據於易經而兼融之以中庸。橫渠之學，亦以易爲宗，以中庸爲體，而於六經中禮之一部分尤其所特重。其所作西銘，二程取以與大學同時開示學者。程子嘗言西銘此文：「我雖有此意，惜無此筆力。」可見別出諸儒，未嘗不注意到文章之重要。但卻不能說他們亦有一種文學觀。明道在荆公行新法時，曾有上神宗皇帝陳治法十事疏，可見明道亦未嘗不注意歷史往事與治平實績。二程言義理，尤皆溯源六經，所謂「反求於六經然後得之」，決非是一種門面語。而伊川尤窮其一生精力，著爲易傳。可見宋儒中別出一派，未嘗不於儒學舊傳統中所重之經、史、文學同時注意。惟彼等更注意在與當時之方外道、釋爭衡，換言之，則是更注重在思想義理方面，故對兩漢以來儒學舊傳統，比較不如其對此下儒學開新方面之更受重視。彼等意見，認爲超乎此傳統的經、史、文學之上，當另有一番甚深義理須闡發，因此遂成爲「理學」，亦稱「道學」，今人則稱之爲「義理之學」。元人修宋史，特爲立道學傳，以示別於從來之儒林傳，此事頗滋後人非議。其實在當時人觀念中，經學諸儒與理學新儒，確乎有一種分別存在，元史爲之別立一傳，其事未可厚非。只是必要尊道學而卑儒林，則落入門户之見，未得爲平允而已。

自二程下傳至南宋，有李延平，爲朱子師，朱子於其師李延平之爲學爲人，描述甚備。我們即舉李侗爲例，便可想見我上面所謂理學別出之儒與經、史、文學綜匯之儒之不同所在。但朱子雖出李氏門下，其學術門徑又有一大變。朱子乃中國儒學史中一傑出之博通大儒，至今讀其全書，便可窺見其學術路徑之宏通博大，及其詩文辭章之淵雅典懿。朱子在此方面，可謂實是承續北宋歐陽一派綜匯之儒之學脈而來。但朱子之特所宗主欽奉者，則在濂溪、横渠、二程，所謂別出之儒之一支。於二程，尤所推尊。其所著伊洛淵源錄一書，即以孔、孟道統直歸二程。朱子之學，可謂是欲以綜匯之功而完成其別出之大業者。因此其對經學傳統，亦予以甚大之改變，彼將小戴禮中大學、中庸兩篇抽出，合論語、孟子而定爲四書。又另定五經讀本。於易有本義，於詩有集傳，書經集傳則囑付其弟子蔡沈爲之。史學方面，則承襲司馬溫公路向，認爲司馬氏之資治通鑑，即猶孔子當時之春秋，而特爲加以綱目，此實遠承王通續經之意見者。後人於王通則加輕視，於朱子則加推尊，此亦未爲公允。於禮則有儀禮經傳通解，以十七篇爲主，取大、小戴及他書傳所載繫於禮者附之，又自爲家禮一書，以當時可通行者私定之。於文學，則有韓文考異、楚辭集注，所下功夫亦甚精湛。在經、史、文學三方面，皆有極深遠之貢獻，所影響於後來儒學者，可謂已遠超北宋歐陽一派綜匯諸儒之上。而觀其伊洛淵源錄一書，則知朱子所特別尊奉，乃在二程、周、張別出之一支。

七

朱子學之大概如上述。然在朱子當時，即有與朱子極相反對之兩學派出現。一派自朱子好友呂東萊之史學，下傳而成浙東永嘉學派，如葉水心、陳龍川等。朱、呂兩人曾合編近思錄，朱子又特命其子從學於東萊。然朱、呂二人究自有分別。一偏經，一偏史，門户劃然，不啻如王安石之與司馬光。而葉、陳二人則明白反對朱子，他們所提出之意見亦極有力量。水心反對朱子所定四書，否認孔、曾、思、孟一線單傳之觀點。龍川則反對朱子伊洛淵源錄之傳統，認為漢、唐儒學亦各有其地位，不得謂惟有宋代伊、洛一派始為孔、孟傳人。此兩種意見實有使朱子難於自圓其說之處。

而當時反對朱子者，除浙東史學一派外，尚有江西心學一派，主要者為陸象山。象山亦朱子好友，論學貴於簡易直截。嘗有問其學術傳統者，象山答云：「我讀孟子而自得之於心。」細觀象山此語，所重實尚不在讀孟子，而更重在「自得於心」之一語。故象山又曰：「學苟有本，六經皆我注腳，堯、舜以前曾讀何書來？」又曰：「即不識一字，亦將還我堂堂地做一個人。」儒學發展到了可以不讀一書，甚至不識一字，可以自得於心，直接先聖真傳，此誠可謂別出中之尤別出者。朱子欲令人先從事於泛觀博覽而後歸之約。象山則欲先發明人之本心，而後再及於博覽，所謂「先立乎其大」。故象山以朱子教人為支離，其貽詩有云：「易簡工夫終久大，支離事業竟浮沉。」兩人之相異，於此可見。然象山對明道、濂溪仍極佩服。尤所佩服者，在明道。故曰：「二程見周茂叔後吟風弄月而歸，有『吾與點也』之意，後來明道此意卻存。」故若謂濂溪、橫渠、二程為儒學之別出，則象山實當為此別出派中之尤別出者。但此後儒學，終是朱子一派得勢。抑且朱子後學，終是於經、史、文學即朱子之兼采於北宋綜匯之儒之一派，即象山所譏為「支離」者，實為最有成績。其著者，如金履祥、黃震、王應麟下及胡三省、馬端臨諸人皆是。他們都是兼通經史，亦不鄙視文學，雖承朱子上接伊、洛，卻與北宋綜匯儒一派未見隔絕，抑且甚相近似。此一趨勢，觀通志堂經解，即可知其梗概。即陸學傳人，到底也仍會歸到這一條路上來。

以下講到元代。近代國人講學，似對兩個時代有所偏忽：一爲忽視了魏晉南北朝。此一時代人在經史儒學方面之貢獻，已在上提過。另一爲忽視了元代人之學問。元儒講經史之學，多流衍自朱子，其成就亦可觀。其所爲詩文亦皆卓有淵源，有傳緒可尋。明代開國規模，如政治制度、經濟措施、社會改革、教育設計諸要項，實全有賴於元代人之學業遺績。即如明初金華諸儒宋濂、劉基等，都在元代時孕育成材。此一情形，恰如隋、唐盛運之有賴於南北朝時代之學術餘緒，事同一律。中國儒學最大精神，正因其在衰亂之世而仍能守先待後，以開創下一時代，而顯現其大用。此乃中國文化與中國儒學之特殊偉大處，吾人應鄭重認取。

明初卻有許多與唐初相似處。明人有五經、四書大全，正如唐初之有五經正義。此乃根據元代朱學傳衍，而此後即懸爲功令。一次大結集之後，即不能急速再有新創闢，因此明代經學不見蓬勃，亦如唐代。史學則元儒本不曾在此方面有大貢獻，如馬端臨、胡三省等，皆偏重在舊史整頓，而於新史撰述則極少概見，遠不能與魏晉南北朝相比，因此明代史學更見不振。而且另有一點爲唐、明兩代之相似處。唐代自臻盛治，即輕視了南北朝。明人亦然，一入治平之境，也即輕視元人。唐、明兩代人之興趣與心力，多著眼到現實功業上面去，因此對前一代人之學術傳統轉多忽過。

以下再略論明代之文學，主要爲前後七子所倡導之「文必秦、漢，詩必盛唐」之擬古主義。但他們没有把握到唐代杜甫、韓愈以儒學納入詩文中之一種絕大主要精神。即是說他們没有體會到韓、歐因文見道，以文歸儒之新傳統。因此前後七子提倡文學，只知模擬古人之軀殼與聲貌，卻未得古人之神髓。這一運動尚不如建安，雖無靈魂，卻能自見性情。他們所開創之新文學，縱不與儒學合流，但仍還有在文學上自己的立場。前後七子之模古，較之杜、韓以下之復古運動，實是貌是神非，到頭只落得一場大失敗。迨嘉靖間，唐順之起，始走回北宋歐、曾通順之文體，以矯當時之俗弊。而唐順之亦是一儒家，其學得自陽明門下之王龍谿，自謂對龍谿只少一拜，故到他手裏，又能窺見了因文見道、以文歸儒之大統緒。他撰有文編，所選大體依於儒家之準繩。較前有真德秀選古文正宗，則太偏重在義理，而較忽略於辭章，重理不重文。荊川文、理兩重，實爲有勝藍之功。接起有茅坤、歸有光。茅鹿門始著有唐宋八大家文鈔，實遞承於唐順之之文編而專選唐、宋人之文，八家之名於焉乃定。歸有光亦是一儒家，兼通經史，沿續唐、茅一路，仍走上文學納入儒學之新路向，下開清代之桐城派。然上述諸人，均起在嘉靖後，以下又未能有繼起之人，故明代文學，實無足稱，遠難與唐、宋相比。

論及明代之理學，自必提到王陽明。陽明推尊象山，主「心即理」，並提出「良知」之說，後人合稱為陸、王。陸、王之學為理學中之別出，而陽明則可謂乃別出儒中之最是登峯造極者。因別出之儒，多喜憑一本或兩本書，或憑一句或兩句話作為宗主，或學的。如二程常以大學、西銘開示學者。象山則專舉孟子，又特提「先得乎其大者」一語。而陽明則專拈孟子「良知」二字，後來又會通之於大學而提出「致良知」三字，作為學者之入門，同時亦是學者之止境，徹始徹終只此三字。後來王門大致全如此，只拈一字或一句來教人。直到明末劉蕺山又改提「誠意」二字。總之是如此，所謂「終久大」之「易簡工夫」，已走到無可再易再簡，故可謂之是登峯造極。然既已登峯造極，同時也是前面無路。至於陽明在文學方面之成就，則王門各派都已擺棄，遠不逮二程後有朱子，更可謂是王門別出儒中一大缺點。現在我們再總說明儒路子，可謂其只有別出儒，而無綜匯儒。而到晚明，則又爆出大反動。

八

現在說到儒學之第六期，即清代儒學，我仍將名之為儒學之「綜匯期與別出期」。雖取名與第五期相同，但論其內容則甚不同。最先如晚明三大儒顧亭林、黃梨洲、王船山，他們都又走上經、史、文學兼通並重即北宋綜匯儒之一路，而都成為一代博通之大儒。此三人中，顧亭林大體一本程、朱，還是朱子學之路向。船山在理學方面雖有許多不同意程、朱而一尊橫渠之處，但其爲學路向，則仍還是朱子遺統。此三人中，最可注意者，乃是黃梨洲。梨洲學宗陽明，但他的學術路向實與亭林、船山相仿佛，亦主張多讀書，亦博通經史，注重於文學，實亦極像北宋綜匯儒一路。故他說：「讀書不博，無以證斯理之變化。博而不求於心，是謂俗學。」此兩句中更重要者乃在上一句，因下一句乃當時別出儒之舊統緒，而上一句則另開了新方面，即是由別出重歸到綜匯，則和朱子學風實已無大分別。他的一部明儒學案，乃是一部極好的明代學術史，或說思想史。在他著此書前，他所須誦讀之書，何止數百千卷。而且此書雖宗奉陽明，依然羅列各家，細大不捐。此一路向，顯然與陸、王當時意味有了甚大不同。我們正須在此等處看出學術之變化來。本來宋、明講學之風，主要是別出儒，尤其是陸、王一派所重，而梨洲特稱之爲「講堂錮習」，可想當時學術路向轉變之急劇了。

黃梨洲之後有李穆堂，他崇奉象山，但他讀書之多，也堪驚人。穆堂同時友生有全謝山，上接梨洲父子有志未竟之稿而作宋元學案，此書之主要內容自在所謂別出儒理學之一面。但謝山此書，顯然更是綜匯儒之規轍，故他說：「此書以濂、洛之統，而綜合諸家，如橫渠之禮教，東萊之文獻，艮齋、止齋之經制，水心之文章，莫不旁推而交通，聯珠而合璧。」此種學風，與濂溪、二程以下理學精神顯有歧出。而與朱子之崇奉伊、洛而兼走綜匯諸儒之路，有其極大的相似。

梨洲、謝山以後有章實齋，亦承黃、全學風，那時已是清代乾、嘉盛時，他分析並時學派，謂梨洲以下爲浙東之學，屬史學；亭林以下爲浙西之學，屬經學。又謂浙東淵源陽明，浙西淵源朱子。此一分別，在彼亦謂是根據史實。惟此處須再指出者，厥爲當時學風之轉向。亭林嘗言：「古今安得別有所謂理學哉？經學即理學也。」我們若套用亭林此語來替實齋說話，亦可謂「古今安得別有所謂心學哉？史學即心學也。」由陸、王一派之心學，轉出梨洲、謝山、實齊之史學來，此事大堪注意。故我謂清初諸儒之學，雖一面承接宋儒理學傳統，而其實已由別出儒重回到綜匯儒。而最可注意者，則正是由梨洲至實齋這一派所謂的浙東史學。而同時他們亦都注重文學。他們自稱承接陸、王，而學風之變如此，則浙西亭林一派淵源朱子的自可不問而知。

近人又常說清代史學不振，此亦未必全是。清人只於近代史方面以多所避忌，而少發展。但清儒在史學上仍有大貢獻。即就浙東黃、全一派言，其最大貢獻有兩方面：一則爲學術史與人物史方面，試讀清人之碑傳集，此實爲一種創闢之新文體，不僅唐、宋古文家昌黎、永叔無此造詣，即史、漢以下各代正史列傳亦不能範圍其所成就。此一新文體實淵源於梨洲學案，迄於謝山鮚埼亭集中所爲之新碑傳而棟宇大啟，規模始立。此爲清儒在史學上一大貢獻。清儒史學之又一貢獻，則爲章實齋所提倡之方志學，此爲歷史中之方域史或社會史，其淵源乃自謝山表彰鄉土人物遞禪而出。若更遠溯之，則東漢及魏、晉諸儒已開了此史學之兩面，實已遠有端緒。惟全、章新有創闢之功，也不該抹殺。

現在我們再轉到清代經學方面。自亭林下至乾、嘉盛時之戴東原，恰與實齋同時，經學之盛，如日中天。但最先是由儒學而治經學，其後則漸漸離於儒學而經學成爲別出，又其後則漸漸離於經學而考據成爲別出，此爲清儒經學之三大變。最先經學尚未脫離儒學之一時期，如閻百詩之辨古文尚書，胡朏明之辨易圖與考禹貢，顧棟高之治春秋左傳，如此之例，莫非經史兼通，綜匯包舉，不失爲一種有體有用之學。越後則經學脫離了儒學，他們說：「訓詁明而後義理明」，於是只講訓詁，而把義理轉擱一旁。他們又要追溯兩漢博士家法，專爲兩漢博士重立門户，於是變成經學獨立，漸與儒學無關。又後則更不是經學了，而僅見爲是一種考據之學。考據獨立成爲一種學問，經學亦僅視爲一堆材料。他們把同樣的目光來治史，史亦成爲一堆材料。材料無盡，斯考據工作亦無盡。此後清儒論學，乃若惟有考據一途始可上接先聖真傳，此實可謂「考據學之別出」。又於考據學中別出了一種訓詁學，此即所謂「小學」。故清人乾、嘉以下論學，乃若孔、孟以下，特足重視者，惟有許叔重、鄭康成兩人。其後又超越了許、鄭而特別重視漢博士中公羊一家，於是儒學傳統中，只賸了董仲舒與何休。我無以名之，則只有仍名之爲是一種別出之學，即宋儒別出之學之又一變相，而不免每下愈況了。宋代別出諸儒只尊孟子，此下即直接伊、洛。清代別出之儒只尊六經，許、鄭以下即直接清儒。下至晚清今文學公羊一派，此猶宋代理學中有陸、王，可謂亦已登峯造極，於六經中只尊春秋，於三傳中只尊公羊，則又是別出中之別出了。

在此須連帶提及清代之桐城文派，此派承續明代歸有光，上接唐、宋八家，主張因文見道，以文歸儒這一路。其中心人物姚鼐，與同時經學大師戴震，均倡義理、考據、辭章三者不可偏廢之說，應可說其均是綜匯之儒之主張。可惜當時經學諸儒興趣已太集中在考據、訓詁方面，而桐城文派中亦少有大氣魄人，真能從義理、考據、辭章三面用力。他們只在修辭方面，遵守宋儒義理，如不虛飾、不誇大、不失儒家榘矱。而論其文章內容，則頗嫌單薄，甚至空洞無物。直要到曾國藩湘鄉派，由姚氏古文辭類纂擴大而爲經史百家雜鈔，又主於義理、考據、辭章以外，再增「經濟」一目，可謂求於文學立基而加進綜匯功夫，可以上承北宋歐陽遺緒。而經學家中自阮元下逮陳澧，亦漸有主張經史兼通、漢、宋兼采之趨勢，雙方漸相接近。而陳澧亦極重韓文，但此雙方之力量，依然抵不住後起今文學家之掩脅，而終於別出一派單獨主持了一時的風尚。

九

此刻要談到中國後半部儒學史中之所謂「道統」問題。因凡屬別出之儒，則莫不以道統所歸自負。此一觀念，實由昌黎韓氏首先提出。原道云：「堯以是傳之舜，舜以是傳之禹、湯、文、武、周公，文、武、周公傳之孔子，孔子傳之孟子，孟子之死，而不得其傳。」韓氏則隱然以此道統自負。此一觀念，顯然自當時之禪宗來，蓋惟禪宗才有此種一線單傳之說法。而到儒家手裏，所言道統，似乎尚不如禪宗之完美。因禪宗尚是一線相繼，繩繩不絕。而儒家的道統則變成斬然中斷，隔絕了千年以上，乃始有獲得此不傳之秘的人物突然出現。這樣說來，總是不大好。因此宋儒雖承受昌黎此觀念，但覺自孟子到昌黎，中間罅縫太大，遂爲補進董仲舒、揚雄、王通數人。但仍還是數百年得一傳人，中間忽斷忽續，前後相望，寥若晨星，即求如千鈞一髮不絕如縷的情形而亦不可得。下至程伊川，又謂須至其兄明道始是直繼孟子真傳，中間更無別人插入。以此較之崇拜昌黎的一般說法，意態更嚴肅，而門户則更狹窄了。朱子始在二程同時又補進了濂溪與橫渠。但以前那一段大罅縫，終是無可填補。那豈不是孟子死後，道統之傳，已成一大秘密，而此世界，亦成一大黑暗！抑且孔、孟之間亦早有一段脱節，於是朱子再根據二程意見，特爲補進曾子、子思，於是總算自孔子起一線單傳了四代，但亦總覺得太孤伶太蕭索了。當時葉水心即根本反對此說，認爲孔子之學並非只傳了曾子一人。即連孟子，也未必可說由他一人盡獲得了孔子之真傳。陳龍川則謂漢、唐諸儒，也不能說他們全不得孔子之傳。這中間一段長時期，也不能說全是黑暗，無絲毫光明。但到陸象山又要抛開濂溪、二程，把他自己來直接孟子。此後雖像程、朱傳統較占了上風，而到明代王陽明，又是尊陸抑朱。此等爭持，也絕似禪宗之有南能、北秀，究是誰得了道統真傳，其實並無證據，則爭辯自可永無了局。此實又不如禪宗，一面尚還有衣鉢信物作證，而曹溪以下不再把衣鉢傳人，則更爲一項絕頂聰明之辦法。此下禪學大盛，也可說六祖之摒棄衣鉢亦是一大因緣。惜乎宋、明道學諸公卻不瞭解得此中意味。

關於宋、明兩代所爭持之道統，我們此刻則只可稱之爲是一種主觀的道統，或說是一種一線單傳的道統。此種道統是截斷衆流，甚爲孤立的。又是甚爲脆弱，極易中斷的。我們又可說它是一種易斷的道統。此種主觀的、單傳孤立的、易斷的道統觀，其實紕繆甚多。若真道統則須從歷史文化大傳統言，當知此一整個文化大傳統即是道統。如此說來，則比較客觀，而且亦決不能只是一線單傳，亦不能說它老有中斷之虞。韓昌黎所謂：「孔子之道大而能博，門弟子學焉而皆得其性之所近，其後源遠而末益分。」此說可謂近於情實。故自孔、孟以至今日，孔、孟之道其實則何嘗中斷！亦可謂：「孔、孟之道未墜於地，在人，賢者識其大，不賢者識其小，何莫非有孔、孟之道！」如此說來，好似把講孔、孟者的地位抑低些，但卻把孔、孟之道的地位更抬高了。若定要抬高自己身分，認爲只有他乃始獲得孔、孟真傳，如此則把孔、孟之道反而抑低了。又且如宋儒，一面既是盛推曾點與漆雕開，像是別具隻眼。其實如照此等說法推演，難道孔子復生，反不把荀卿、董仲舒、王通、韓愈諸人也當作他傳人，而定要擯之門牆之外嗎？故就歷史文化大統言，宋儒此種道統論，實無是處。黃梨洲弟子萬斯同，曾作儒林宗派一書，此書雖亦儘多可議，然把儒學門户廣大開放，較之宋儒主觀的、一線單傳的、孤立的、易斷的道統觀，則確已開明多了。

此下清儒立意反宋學，卻想不到又來高抬漢學，嚴立門户，似乎孔、孟之學，到宋儒手裏，反又中斷了。不僅如此，即宋儒以前如十三經注疏等，清儒也看不起，就中只看重了鄭康成一人。後來連鄭康成也不信任，定要推到西漢董仲舒，但又不得不牽上了東漢之何休。這直可謂進退失據，而末流推衍所及，出來一個康有爲，自認只有他，才能再接上此一統緒。試問此種説法，豈不荒唐可笑！但推原其始作俑者，則不得不仍回到宋儒道學諸公的身上。固然，宋、明道學諸儒在中國儒學傳統裏有其甚大之成就與貢獻，但此一狹窄的「道統觀」，卻不能不説由他們創始。至於清代諸儒，存心要反對宋儒理學一路，而不知自己仍陷在理學家的道統圈裏，依著別人家的牆壁，來建造自己的門户，那就更可笑了。

一〇

以上分著六時期大體敘述中國的儒學演進史，到此已粗可完畢。若我們真要對中國文化傳統有一真認識，關於上面所講六時期之儒學演進，決不能擱置不理。若此後中國文化傳統又能重獲新生，則此一儒學演進必然會又有新途徑出現。但此下的新儒學究該向那一路前進？我想此一問題，只一回顧前面歷史陳蹟，也可讓我們獲得多少的啟示。不煩我們再來作一番具體的預言，或甚至高唱一家一派式的強力指導。如韓愈所謂：「開其爲此，禁其爲彼」，總不是一好辦法。韓愈尚所不爲，我們自可不走此絕路。昔邵雍臨終，伊川與之永訣，雍舉兩手示伊川，曰：「面前路徑須令寬，路窄則自無著身處，況能使人行？」我們今天來講中國文化，也就不該只講一儒家。又況在儒家中，標舉出只此一家、別無分出的一項嚴肅的、充滿主觀意見的，又是孤立易斷的道統來。這是我這一番講演最終微意所在，盼在座諸君體取此意，各自努力去。

（民國五十年十月新亞書院講演新亞生活四卷十期）

朱子學術述評

朱子學說，規模極闊大，其思想頭緒又極繁複，自來號爲難究。竊謂欲治朱子思想，當分數要端。首在詳密排比其思想先後之演變，此項工作，固須精嚴考訂，然尤要在能有哲理的眼光。否則謹賴考訂，猶不足以勝任而愉快，如清代王懋竑朱子年譜是也。其次在研究朱子對於並世諸家之批評意見，而加以一種綜合觀。學者多知朱、陸異同，然朱子不僅與陸異，並世諸家如張南軒、呂東萊、陳止齋、薛艮齋、陳龍川、葉水心等，朱子皆有往復評騭。必通觀此諸異同，而後朱子一家思想之地位乃始躍然呈露。然朱子在中國學術思想史上貢獻最大而最宜注意者，厥爲其對儒學新道統之組成。道統觀念，似乎孟子已言之，但亦可謂其本由釋氏。隋、唐間台、賢、禪諸家皆有其傳統，不獨禪宗一家爲然。韓愈原道，始明爲儒家創傳統，由堯、舜以及於孟子。下及北宋初期，言儒學傳統，大率舉孔子、孟、荀以下及於董仲舒、揚雄、王通、韓愈。惟第二期宋學，即所謂理學諸儒，則頗已超越董、揚、王、韓，並於荀卿亦多不滿。朱子承之，始確然擺脫荀卿、董、揚以下，而以周、張、二程直接孟子。第二期宋學，即所謂理學者，亦始確然占得新儒學中之正統地位。此爲朱子之第一大貢獻。

關於此方面之著作，最著者爲近思錄。其次朱子又於孔、孟之間增進曾子、子思兩傳，而有孔、曾、思、孟四書之匯集，此即論語、大學、中庸、孟子是也。論、孟自來爲儒學所尊，中庸之書，當起於秦代。其書融匯儒道思想，與易繫辭傳相先後，實已爲先秦時期一種新儒學，與孟、荀有異。南北朝時代釋道思想盛行，中庸、易繫亦爲當時所重。唐李翺復性書，遠開宋代新儒學之先河，其篇中理論即據中庸。釋氏如天台宗等治中庸者亦盛。北宋初期諸儒，皆極重視此書。張橫渠初謁范文正，范即勸其讀中庸。大學則由二程始特推尊，故曰程門專以大學、西銘開示學者。至朱子遂彙學、庸、論、孟成一系統，並以畢生精力爲論、孟作集注，爲學、庸作章句。元、明以下迄於清末七百年朝廷取士，大體以朱注四書爲圭臬，學者論學亦以朱注四書爲準繩。朱子注四書，正猶孔子修六經。孔子修六經，未必有其事，而朱注四書則其影響之大，無與倫比。此爲其第二大貢獻。後人又常兼稱程、朱，其實朱子上承周、張、二程，惟治儒學則必尊論、孟、學、庸之四書。周、張多治易、庸，遂不如二程之更重論、孟，乃得有程、朱之稱。

朱子第三大貢獻，在其對經學地位之新估定。先秦儒學雖原本詩、書、禮、樂，後人稱之曰經學，但儒學與經學畢竟有不同。西漢博士，始以經學替代了儒學。此一風氣，直到唐人未能改。宋儒始漸漸從經學中擺脱出來復興儒學，朱子乃此一績業之完成者。他對諸經有許多極精警的見解。他說：

又說：

易非學者急務也，某平生也費了些精神理會易與詩，然得力則未若語、孟之多也。易與詩中，所得似鷄肋焉。（語類一〇四）

又說：

詩是隔一重兩重說，易與春秋是隔三重四重說。春秋義例，易爻象，雖是聖人立下，今說者用之各信己見。……但未知曾得聖人當初本意否？且不如讓渠如此說。……今欲直得聖人本意不差，未須理會經，先須於語、孟中專意看他。

又說：

書中可疑諸篇，若一齊不信，恐倒了六經。（語類七九）

朱子此種見解，黃東發日鈔裏曾有一段批評說：

朱子謂易本卜筮，謂詩非美刺，謂春秋初不以一字爲褒貶，皆曠世未聞之高論，而實皆追復古始之正說。乍見駭然，熟輒心靡。卓識雄辨，萬古莫儔。（日鈔卷三八）

此真說出了朱子治經學的真貢獻。他的周易本義，說易爲卜筮書，較之王輔嗣、程伊川注易，更多開朗。他的詩集傳，全用後代文學集部眼光來解說詩經，更爲脫淨前人窠臼。他對尚書，早已疑及今古文之不同，遠開後來清儒門路。他亦認尚書爲一部古史，其間有關上古天文、曆法、地理、制度以及種種名物，全需專家知識整理，所以他把書集傳的工作讓他門人蔡沈去完成。朱子對於孔子春秋也只認爲是一部通史之首祖，史學應該注重近代。在孔子時修史，自然該偏重春秋時代，在後世則不應仍只是看重春秋。因此朱子極重視司馬光通鑑，而自己有意來寫一部綱目。把司馬光通鑑當作左傳，而他自己的綱目則是一部新春秋。這又是一種極大膽而極開朗的見解。他對於禮的一部份，也認爲古禮不能行於後代，而制禮作樂則不屬社會私人事業，故他只有意寫一部家禮。而他晚年的儀禮經傳通解則意存考古，借以通今。這樣，在他手裏，把自漢歷唐，對古代經學的尊嚴性與神秘性全剝奪了，而重新還他們以在後代所應有之地位。後來如明儒王陽明「六經皆史」的理論，其實在朱子早已透切發揮了。從此以下，四子書占踞上風，五經退居下風，儒學重新從經學中脱出，這是朱子第三大貢獻。

以上三點，都從學術史上著眼。若說到朱子自己的思想，則他的最大貢獻，尚不重在他自己個人的創闢，而更重在其能把他自己理想中的儒學傳統，上自五經、四書，下及宋代周、張、二程，完全融成一氣，互相發明，歸之條貫。照朱子的見解，真是「先聖後聖，其揆一也」。他在中國思想史裏，獨尊儒家。在儒家中，又爲製成一系統，把在他系統裏的各時代各家派，一切異說，棄短用長，融會貫通，調和一致。此非朱子氣魄大，胸襟寬，條理細密，而又局度開張，不能有此成就。孟子稱孔子爲「集大成」，此層在後代已無可細說。至如朱子則確是集孔子以下儒學之大成，這是朱子第四大貢獻。

故論朱子思想，似乎多承襲，少開創。其實朱子所開創，都已融化在承襲中，而不見其痕迹，這是朱子思想最偉大之所在。後人都謂朱子沿襲伊川，最顯著者莫如他的大學格物補傳，似乎即承用伊川「集義致知」的見解而來。大學本是程門一部新經典，朱子大學章句首引：

> 子程子曰：「大學孔氏之遺書，而初學入德之門也。於今可見古人爲學次第者，獨賴此篇之存，而論、孟次之。學者必由是而學焉，則庶乎其不差矣。」

大學既如此重要，而程、朱相傳皆認古本大學有錯簡，有脫文。最重要者在大學八條目的開始第一步工夫，即所謂「致知在格物」者，亦不幸有脫文，而其義已失，朱子乃特爲之作補傳。其文曰：

> 右傳之五章，蓋釋格物致知之義而今亡矣。間嘗竊取程子之意以補之。曰：「所謂致知在格物者，言欲致吾之知，在即物而窮其理也。蓋人心之靈，莫不有知，而天下之物，莫不有理。惟於理有未窮，故其知有不盡也。是以大學始教，必使學者即凡天下之物，莫不因其已知之理而益窮之，以求致乎其極。至用力之久，而一旦豁然貫通焉，則衆物之表裏精粗無不到，而吾心之全體大用無不明矣。此謂物格，此謂知之至也。」

此即有名的所謂朱子格物補傳。夫既學者入德必由大學，而大學始教又在格物，則豈非格物便成了學者爲學第一步最基本的工夫。但古人格物義已亡失，今朱子卻云推本程子意補之，此無異俗云偷天換日，使後世學者自以爲是遵循孔門，而實際乃依照程、朱。而朱子卻決不認他自己特有創見，其尊奉大學，爲格物作補傳，乃云只照程子意爲之。但在朱子，亦非有意作僞或假託，四書集註乃其畢生精力所萃，直至七十二歲臨終那日還修改了大學章句裏的誠意章。在朱子心裏，彼實深見其理之當然，亦深信自己立說，乃一本二程，僅加闡發，未敢自出己見，標新立異。在朱子之學問精神裏，實已深蘊有一種所謂近於宗教的信仰。此等境界，卻不當用後代考據家意見來責備。

朱子格物補傳裏最重要的意見，由後人看來，乃是一種心、理兩分說。所謂「理」者，有時是指的「事理」。朱子注大學格物說：

格，至也。物，猶事也。窮至事物之理，欲其極處無不到也。

此顯然明說是事理，但有時亦指「物理」，所謂「一草一木亦皆有理，都須格」是也。今若謂物理、吾心非一是二，此固常情所同是認，但若謂事理、吾心判爲兩事，則頗覺於義理上難成立。但朱子寧於此不知。朱子意，事亦在心外，不能全屬心內。既在心外，則不能謂心即事，則事理亦仍需此心去格。朱子的心、理兩分說，其實還是根據程子心、性分別的見解而來。玉山講義，乃朱子晚年意見，他說：

大凡天之生物，各付一性。性非有物，只是一箇道理之在我者耳。故性之所以爲體，只是

仁、義、禮、智、信五字。天下道理無不出於此。後世之言性者多雜佛、老，所以將性字

作知覺心意看了，非聖賢所說性字本指也。（文集卷七四）

此處朱子將心、性分開說，似乎與孟子論性原旨有些處違異。孟子說「惻隱之心，仁之端也」，只說從惻隱之心推擴出去便是仁，故惻隱之心，便是仁之端。言「端」者猶其云「火之始然，泉之始達」。惻隱之心便是仁道之開端。如此便見性善。則所謂性善，只是人道中之善端其本由於人性而已。今朱子卻說：

謂之端者，猶有物在中而不可見，必因其端緒發見於外，然後可得而尋。（玉山講義）

如此則成爲仁（即性）居人心中，但不可見，因惻隱之端緒發見在外而後可見。如此則由仁之性發出惻隱之心來，性是內在之本，心只是外顯之末。便不免要教人由外在的端緒（心）向內尋索，而識其內在之性，而若輕忽了教人由內心的端緒向外推擴，而達於人道之仁，豈不與孟子原意若有相背？此處似乎因朱子依然遵守伊川「性中只有仁義，那有孝弟來」的意見，遂不得不把孟子文義曲解。

又孟子：「盡其心者知其性也，知其性則知天矣。」這明明是說盡心始可知性，知性始可知天，但朱子集注又倒說了。他說：

心者，人之神明，所以具衆理而應萬事者也。性則心之所具之理，而天又理之所從以出者

也。人有是心，莫非全體，然不窮理，則有所蔽，而無以盡乎此心之量。故能極其心之全體而無不盡者，必其能窮天理而無不知者也。既知其理，則其所從出亦不外是矣。以大學之序言之，知性則物格之謂，盡心則知至之謂也。

根據朱子此節注文，依然是主窮理乃可以盡心，乃謂孟子此章與大學格物補傳，意義一致。但孟子此章之原意，似乎要人把自己此心惻隱羞惡諸端向外推擴盡致，則自然可以知性。並非說知性了乃始可盡心。更不曾說窮理即是知性工夫。可見朱子此處說法與孟子有異。論其下工夫處，一內一外，正相倒置。關於此節，明道所解似不甚誤。明道云：

心也性也天也，一理也。自理而言謂之天，自稟受而言謂之性，自存諸人而言謂之心。

明道此處，似乎有主張「心即理」的傾向，故言之甚渾括。但伊川則力主「性即理」，由此來看心，則只是一個知覺靈明，此處便見明道、伊川之相歧處。而朱子則承伊川意發揮，此亦有其用意所在。朱子曾說：

釋氏專以作用爲性，在目曰見，在耳曰聞，在鼻齅香，在口談論，在手執捉，在足運奔。且如手執捉，若執刀胡亂殺人，亦可爲性乎？龜山舉龐居士云，神通妙用，運水搬柴，以比徐行後長，亦生此病。不知徐行後長，乃謂之弟，如曰運水搬柴即是妙用，則徐行疾行，皆可謂之弟耶？（語類三六）

又說：

知覺之理，是性所以當如此者，釋氏不知，他但知知覺，沒這理。

又引上蔡云：

佛氏所謂性，正聖人所謂心。

朱子這一番辨論極關重要，正如後人所謂「儒釋疆界」，這是宋儒所力求異於釋氏處。最其吃緊者仍在一「理」字。朱子又云：

吾以心與理爲一，彼以心與理爲二。彼見得心空而無理，此見得心雖空而萬物咸備也。

（文集五六答鄭子上）

釋氏既主心空無理，所以只要認得此心便夠。今既主心具衆理，則不得不於此衆理上下工夫。這是朱子意見。

佛學在宋代還極流行，即程門高弟，如謝上蔡、游定夫、楊龜山後梢皆入禪去（此亦朱子語）。伊川本云：「善觀者卻於喜怒哀樂已發之時觀之」，但楊龜山一傳爲羅仲素，再傳爲李愿中，卻教人看喜怒哀樂未發之謂中，未發時作何氣象。此豈非與師門宗旨顯相違背，這明明受了禪學影響。朱子親受學於李愿中，但朱子自始便懷疑李先生的教法。他說：

李先生爲默坐澄心之學，只爲李先生不出仕，做得此工夫。若是仕宦，須出來理會事。

（語類一一三）

釋氏在山門裏學作佛，儒學則須在社會上擔任治平大業。默坐澄心，宜於求悟，不宜於致知。朱子從實際生活上來反對默坐澄心，這便是反對了楊龜山以下程門相傳的爲學入門工夫，便是反對了他師門嫡傳宗旨。朱子此種精神，實在是大可佩服。

朱子又有觀心說，在純粹理論上反對此種默坐澄心的工夫。他說：

佛者有觀心說，夫心一而不二者也，爲主而不爲客者也。命物而不命於物者也。故以觀物。則物之理得。今復有物以反觀乎心，則是此心之外復有一心而能管乎此心也。此亦不待辨而審其言之謬矣。（文集卷六七）

朱子反對佛家的觀心工夫，其實也即是反對當時程門相傳看喜怒哀樂未發以前氣象的工夫，亦即是反對他老師李愿中的默坐澄心之學。這裏有一大問題。禪家宗旨本來無一物。不思善，不思惡，便是此心本來面目。只要能無所住而生其心。一悟到此，便是即心即佛。心外無事，便即是心外無理。但儒家則不然。須出來理會事，便須理會事事中之理。但又不是說，理在心外。朱子既說心具衆理。伊川亦說：「沖漠無朕，萬象森然。」則程門之所以要默坐澄心，看喜怒哀樂未發以前氣象者，正是要從沖漠無朕中看出萬象森然來。所謂反觀吾心，也不是說此心之外復有一心，亦只是就此刻之心來反觀前一刻之心。人當默坐澄心時，若能善自反觀，自可見到伊川所謂沖漠無朕的境界。而在此沖漠無朕中，卻是萬象森然。以後陽明良知之學，所謂「見父自然知孝，見兄自然知弟」，正爲心具衆理，故主張其能因物而現。若日常此心爲物欲錮蔽，則良心汨沒，便不能見父知孝，見兄知弟，故陽明在前亦教人姑自默坐澄心。此說雖原本於釋氏，但實爲宋、明儒共同重視的一項工夫。明道提出居敬工夫，意亦在此。但默坐澄心，最多亦只在物欲錮蔽上有作用，在窮格物理上仍須另有工夫。若只靠一邊，便滋病痛。故朱子既說「心具衆理」，又教人「以心觀物則物之理得」，粗看似乎在主張理在物不在心，其實乃是心與物合乃見理。此間有大不同。心與理，可以分言，亦可合言，此乃朱子立說之圓活而細密處。

照孟子意見，似謂天地間一切道理，本由人心展衍而出。如人有惻隱之心，推擴出去便成仁的道理。人有羞惡之心，推擴出去便成義的道理。人生界一切道理，推求本源，全由此心，故曰「萬物皆備於我」。這是說人生行爲的標準，皆備在人心中。又說「盡心知性，盡性知天」。可見性亦只在心內，不是心外別有性。人心不僅有作用，亦有其同然常然而一定的傾向。如惻隱羞惡，不盡是作用而已，即在惻隱羞惡中便見人心對外物之同然常然的態度與傾向，即此傾向或趨勢上便見性。只說心，似屬僅在人，各自私有。說性，則明見爲自然與天賦，並見人有同然。故盡心可以知性知天。但到程、朱，因受當時禪宗說心過了分，又沒有說到儒學相傳之性字，於是倒轉來說，在性字上比較孟子說得重了些。他們說：因人心中有仁，故能發出惻隱心來。因人心中有義，故能發出羞惡心來。這些仁義的道理在心中便叫性，故說性即理。此雖與孟子稍有異，但心不即是性，性亦不即是心，其間必有別。則程、朱與孟子還無二致。故程、朱不肯說心即理。心只是一個虛靈不昧之體，可以照察理，而非即是理。如此說來，程、朱所說之心，卻正如釋家之說心，僅止於知覺與作用，但究有其不同處。禪家言明心見性，性只是一涅槃佛性，只是第一義空。而程、朱則謂性即理，又說性即在心中，故曰「心具衆理」。但亦可說在心外，因物各有理，而物則明在心外。若就理而言，則可說物我一體。若就心而言，則該窮理致知，始能明白知得何物何事該惻隱，該羞惡。因知惻隱、知羞惡之能屬心，而該惻隱、該羞惡之理則在事在物。而此理又屬在心，這即是性。孟子主張理由心而發，程、朱則主張理即物而在。因其時禪學方張，若亦主理由心而發，即易陷於即心即理、即心即佛之窠臼。因此程、朱立說，似乎較之孟子，迹近牽向外去，然內外合一，與孟子原義並無大相歧。故程、朱雖認心只是一個虛明靈覺，若與禪學無殊，但於虛明靈覺之外，或說虛明靈覺之內，有一理之存在，此則與禪學之大異處。故程、朱學派只言心即性，不言心即理。心固是虛明靈覺，但兼包有情感，有傾向，有他自己的嚮往、趨勢和要求。若抹殺人心自己的嚮往趨勢和要求，而只從其虛明靈覺處看，心則便成爲性空。孟、荀皆兼言心性，但一主性善，一主性惡，正相違反。大學言心不言性。中庸又只言性，不言心。心性之辨，先秦儒似未到達發展成熟之階段，而佛家禪宗，又只言心之虛明靈覺，而認性爲空。故心性的新說，不得不待有宋理學諸儒來完成。

朱子言心性，上承二程。但另一方面，則把濂溪、橫渠的思想來彌縫二程之所缺。朱子思想，可分爲「心性論」與「理氣論」之兩部分。朱子說：

先有個天理了卻有氣，氣積爲質，而性具焉。（語類一）

又說：

理氣本無先後之可言，然必欲推其所從來，則須說先有是理。然理又非別有一物，即存乎氣之中。無是氣，則是理亦無掛搭處。

又說：

無此氣，則此理如何頓放。

又說：

不可說今日有是理，明日卻有是氣，也須有先後。且如萬一山河大地都陷了，畢竟理卻在這裏。

又說：

所謂理與氣，此決是二物。但在物上看，則二物渾渾，不可分開各在一處。然不害二物之各爲一物也。若在理上看，則雖未有物，而已有物之理。然亦但有其理而已，未嘗實有其

物也。（文集卷四六答劉叔文）

朱子此種理氣論，亦可謂深受佛家賢首宗影響。或人問萬物各具一理，而萬物同出一源，朱子曰：

釋氏云：「一月普現一切水，一切水月一月攝。」這是那釋氏也窺見這些道理，濂溪通書只是說這一事。（語類一八）

這是朱子自己明白說釋氏理論亦有同於儒義處。惟釋家涅槃佛性，乃是第一義空，是本體寂滅，而朱子之說「理」，則雖非別是一物而是一「實在」，理是「生」與「有」之所以然。便理雖是一實在，而既非別是一物，則必掛搭於氣，不能獨立自存。又且雖為生與有之所以然，但他並無力量，並無作用，只能主宰氣，不能推動氣。所以說：

氣則能凝結造作，理卻無情意，無計度，無造作，只此氣凝聚處，理便在其中。（語類一）

又說：

理只是箇淨潔空闊底世界，無形迹，他卻不曾造作，氣則能醞釀凝聚生物也。但有此氣，則理便在其中。（同上）

明儒曹月川非之，謂：

觀語錄，謂太極不自會動靜，乘陰陽之動靜而動靜耳，遂謂理之乘氣，猶人之乘馬，馬之一出一入而人亦與之一出一入，以喻氣之一動一靜而理亦與之一動一靜。若然，則人爲死人，而不足以爲萬物之靈。理爲死理，而不足以爲萬物之原。理何足尚，而人何足貴哉？

（明儒學案卷四四）

月川之駁朱子，若甚是，實非是。人乘在馬上，一出一入者是馬，但主宰此馬者，乃此乘在馬上之人。人不離馬自步，然馬之一出一入，則固乘此馬者主之，何得以死人爲喻，而謂其何足貴乎？

大體說之，朱子「氣」的觀念，全近道家。道家亦認一氣運行之中有自然條理，人須符合此自然條理，則必當刳心去智，無作無爲。朱子亦認理非別爲一物，只說他是箇「淨潔空闊底世界」。但又說：「山河大地都陷了，理畢竟卻在。」則朱子說理，既不近於佛氏之涅槃佛性，而與道家自然之理復不同。蓋朱子思想，不僅綜合會通了二程與周、張，並亦綜合會通了道家與釋氏。而能不爲道釋、不爲周、張、二程之所縛，而調和折衷，別成一套，此見朱子思想之卓然不可及之集大成處。

明白了朱子的理氣論，便更易明白朱子的心性論，此在朱子思想中本是一脈貫通。朱子說：

天下無無性之物，蓋有此物則有此性，無此物則無此性。（語類四）

此處物即屬氣，性即屬理。性之在物，即猶理之在氣。不能謂天地只有一氣，更無理。亦猶如不能謂物只是物，更無性。朱子四書集注孟子告子篇有云：

性者，人之所得於天理也。生者，人之所得於天之氣也。性，形而上者也。氣，形而下者也。人物之生，莫不有是性，亦莫不有是氣。然以氣言之，則知覺運動，人與物若不異。以理言之，則仁義禮智之稟，豈物之得而全哉。

此處性、氣兩分，正亦猶大學格物補傳之心、理兩分，實爲朱子思想之中心主幹。朱子常說理掛搭在氣上。又說，性是一物在心中。性即理，心即氣，性在心中，即猶是理附於氣。朱子看理既是一個没氣力的理，因而朱子看性，亦是一個無生命的性。同樣不能自動的發出行爲與變化來。明儒王浚川謂「性即是理，則無感無動無應，一死局耳」。又曰「理安能動」。（明儒學案卷五〇）如此等語，若說中了朱子毛病。其實是朱子思想之極精卓處。因若性與理都能自主自動，則盈宇宙間，莫非有性有理，即將自成一至善無虧之宇宙。則人物之生宇宙間者，豈不將真成爲死人與死物乎！儒學傳統，遠自孔、孟以來，顯屬以人文精神爲主幹。朱子采進了道家自然義來釋宇宙，但仍保持儒家傳統之人文精神於不搖不拔。不能會通以觀，細密以求，便即失之。

朱子說：

心便是官人，性便是合當做的職事，氣質便是官人所習尚，或寬或猛，情便是當廳處斷事。

此處朱子明說作主者是此官人，一切責任，全在此官人身上。惟此官人，在其當廳處斷事時應知有他合當之職。而他之當廳斷事，主要者又在情不在性。故朱子又說：

性者心之理，動者是情，主宰是心。（語類五）

人之性既不能作主，又不能推動，必待其人之情。否則將是一靜定的死局。性屬天，情則降落到人的層次上來。若一任其性，則有天無人，此將成道家之自然義。今將性轉到情，則人的地位與意義方顯。朱子又說：

人多說性方說心，看來當先說心。

此尤顯然把性轉落到心。心則顯然更屬人的層次中。朱子又說：

天地若無心，則須牛生出馬，桃樹上發李花，……心便是他個主宰處。

如此則說成天地也有心。性本是宇宙間一主宰，而朱子乃把此主宰轉移到心上來，此是朱子思想之極卓越處，非細闡不易瞭解其苦心。朱子又說：

天下之物，至微至細者亦皆有心，只是有無知覺處爾。且如一草一木，向陽處便生，向陰處便憔悴，他有個好惡在那裏。

朱子此等處講心，似乎正是孟子、中庸書中之所謂性，而性之中則必有情，此處又說成其有心。宇宙間萬物，只要他有一定的傾向與趨勢，這便是天地間萬理之所從出，如此則宇宙總是一合理的宇宙。但自然之理與人文之理究自有別。人不能只在自然之理中生活，應有其自創的一番人文之理，此即人類歷史文化之所由來。人文之理，固不能違背了自然之理，但自然之理中，仍可自孕有人文之理。今若說性爲自然之理之主，則心應爲人文之理之主。朱子因此而論心與性、氣與理之別，而有時亦遂頗有主張「心即理」說之傾向。

或問：「理是道理，心是主宰底意否？」朱子說：

心固是主宰底意，然所謂主宰者即是理也。不是心外別有個理，理外別有個心。

如此豈不是明明說成了心即理。但從朱子思想之大體看，則朱子只肯明白說「性即理」，又說性是一物在心中，卻不肯多說心即理。因朱子的「理」字觀念中，實包有「自然理」與「人文理」之一分別。天是宇宙間一主宰，人亦是宇宙間一主宰。但人之主宰此宇宙，又不能違背了天。朱子說：「天即理也。」換言之，人之主宰此宇宙，究也不能違背了理。但在理之主宰之下，人也還是有他一分自由，可以自作主宰。朱子思想在此等處，誠可謂既圓通，又卓越，有待吾人再來闡揚。

到此我們可以繼續講到朱子的格物窮理論。朱子雖主張萬物同出一源，但又說：

道理散在事物上，卻無總在一處的。（語類一二〇）

所以說：

天下豈有一理通，便能萬理皆通，也須積累將去。（語類一八）積累多，自當脫然有貫通處，乃是零零碎碎的湊合將來。

零零碎碎的湊合，這是朱子格物窮理精神。所以說：

大體只是合衆小理會成，今不窮理，如何便理會大體。（語類二五）

朱子不主張徑去理會大體，只教人從衆多小理處窮究。若只理會一大體，則有了天便沒有人。如道家言自然，釋氏言涅槃，都是此病。

故朱子又說：

萬理雖只是一理，學者且要去萬理中千頭萬緒都理會，四面湊合來，自見得是一理。（語類一一七）

朱子教人從「萬個道理四面湊合來」，卻不許你缺一個。他又說：

大而天地陰陽，細而昆蟲草木，皆當理會。一物不理會，這裏便缺此一物之理。

此是朱子說的自然理。朱子又說：

天下無書不是合讀底，無事不是合做底。若一本書不讀，這裏便缺此一書之理。一件事不做，這裏便缺一事之理。

此是朱子偏重說了人文理。

上引各節，應與大學格物補傳合看。朱子雖在格物補傳上說有豁然貫通之一日，然並非說貫通以後即不再要做窮理工夫。當知宇宙物變無窮，人文事變無窮，儘管此心已貫通明達，但依然還要隨事隨物去窮格。少窮一物，便少知一物之理。如此說來，始見萬物之在宇宙間，乃各自有其獨立存在之地位與價值。物如此，人更然。在此朱子有他更緊要的說明。他說：

論萬物之一原，則理同而氣異。觀萬物之異體，則氣猶相近而理絕不同。（文集卷四六答黃商伯書）

萬物一原而理絕不同，乃是朱子極警闢的創論。可見朱子所重，乃不僅在理的大本一原處，而更在理的絕不相同處。此是朱子格物窮理論之更要精神。

朱子論理如此，論性亦然。他說：

性如日光，人物取受之不同，如隙竅之受光有大小也。

從來說性與理皆從同處說，朱子更從其異處說，此是朱子思想之迥不猶人處。朱子又說：

人物性本同，只氣稟異，如水傾放白椀中是一般色，放黑椀中又是一般色。

又說：

如一江水，你將杓去取，只得一杓。將椀去取，只得一椀。至於一桶一缸，各自隨器量不同，故理亦隨異。

根據上述，可見朱子心中之人性，亦非全是一樣，此即張橫渠所謂之「氣質之性」，「理一分殊」。朱子既注重在其分殊上，於是他的思想乃於孟子外又兼融及於荀卿。朱子主張憑藉各自的虛明靈覺之心來向外窮理，此一層極近荀子。但朱子在此上又添一曲折。他說「心具衆理」。

此心虛明，萬理具足。外面理會得者，即裏面本來有底。

此說一本孟子，乃非荀子所有。釋家亦云：「山河大地盡是妙明心中物。」但朱子把理、氣分說，並不主張萬物在我心中，而認萬理在我心中，此則是朱子與釋家相異處。但既認萬理在我心中，而又要向外尋求，因理非氣則無可安放，理既安放在氣上，故窮理必須格物。物相異，則理亦有異。物無窮，斯理亦無窮。但卻又全在你心裏，試問無心又何以見物，何以窮理。而且既是性即理，性不在心外，則理亦不在心外。此是朱子思想極圓通，極細密，而亦極費分疏處，主要全該從「性即理」的一語上去理會。此所謂性與理，內面在人心中，外面又在天地萬物。天與人，既分亦合，既合亦分。而重要則要分辨理不外於心而心不即是理。

心不即是理。而理則即在心中，可以爲心所覺見，此處有一番工夫，則曰「主敬」。或曰「居敬」。故朱子於格物窮理之外還要補上此一番居敬工夫。他說：

敬則萬理具在。

此處有一條件，若心不敬，即不能萬理具在。敬是此心之凝聚。若不凝聚，先放散在外物上面去，則將見有物無心，更何能萬理具在。此云萬理具在，亦並不是說萬理具現。此是說：人能居敬，而後可以窮理，並非即可以居敬來代替窮理。朱子說：

凡學須要先明得一箇心，然後方可學。譬如燒火相似，必先吹發了火然後加薪，則火明矣。若先加薪而後吹火，則火滅矣。（語類一二）

此處言心的工夫，又頗似荀子，但畢竟仍與荀子異。朱子在此上又轉到中庸「已發、未發」的問題上去。朱子說：

今於日用間空閑時，收得此心在這裏，截然，這便是喜怒哀樂未發之中，便是渾然天理。事物之來，隨其是非便自見得分曉。便如執權衡以度物。

其實中庸本係荀子以後之書，本可受荀子影響。中庸「未發之中」的理論，頗亦似從荀子書中脫胎。但此處有一辨。如云「執權衡以度物」，此只是心氣中平沒有偏向，如所謂水靜則見鬚眉也。但朱子又云「渾然天理」，則又別是一義。似謂因心中有是理，故能格外面的理。若此心不敬，則外面理便不明。心中雖萬理具足，卻爲此不敬瞞住了。此心渾然天理，即是萬理具足，乃所謂未發之中，此仍即伊川之所謂「沖漠無朕而萬象森然」。欲求達此境界，則須有居敬工夫。

故必居敬而後可以格物窮理，此一義則實非荀子所有，但亦與大程子所謂「誠敬存之、更有何事」之意義仍有相違。荀子是教人把此心來窮外面理。大程子則似說存此心而理自明。荀子所重在外，大程子所重在內。都易使人忽略了理之一原之內外合一處。禪宗教人「看父母未生以前本來面目」，此乃要人悟到「萬法皆空」的境界，所謂「三界惟心，萬法惟識」，全歸到心與識上，而到底則只是一空。今朱子則要從人心未發之中來教人看到渾然天理與萬理皆具。故說：「吾儒以性爲實，釋氏以性爲空。」亦可說，朱子看心，實與釋家無大分別，但只在心之外或說心之內另安放一性或理，亦可說在人文之內另安放一自然，或說是在自然之內另安放一人文。乃庶使天與人即自然與人文之內外合一，此始是朱子的理想境界。

朱子別一處又說：

> 釋氏雖自謂惟明一心，然實不識心體。雖云心生萬法，而實心外有法。故無以立天下之本，而內外之道不備。然爲其說者，尤如左右迷藏，曲爲隱諱，終不肯言一心之外別有大本也。若聖門所謂心，則天序、天秩、天命、天討、惻隱、羞惡、是非、辭讓，莫不該備，而無心外之法。故孟子曰：「盡其心者知其性也，知其性則知天矣。存其心，養其性，所以事天也。」是則天人性命豈有二理哉。（文集卷三二答張欽夫）

朱子此文，顯見他的思想乃竭力要從佛學再一轉手的痕迹。他說釋氏心外有法，即指涅槃性空言。他亦未嘗不如禪師般，主張唯明一心，心外無法，但其所識之心，則與禪師們所識之心大異不同。以前孔孟只就人生圈子內立論，謂人類百行衆德，皆由人心自然傾向中展衍而來。今朱子則於人生以外又添上一個陰陽五行的氣世界，要說物各一理。以人而言，則必人與天合，心與物合，內外合一，乃見此理。因此朱子思想，乃從孔孟之人文界，又融進了道、釋之宇宙自然界。若從理學言，則從二程又融進了周、張。此是朱子格物窮理之最爲博大宏通處。亦可謂朱子之所謂「理」，早已非孟子之所謂「義理」。孟子義理專指人文界一切人事言，朱子之所謂理，則牽涉到宇宙物理上面去。但外於人心，則此宇宙物理，亦將無所安放，無所發現。要之一切理則全在人心中安放發現。故說：「此心渾然天理，衆理具備。」又說：「佛家雖云心生萬法而實心外有法，無以立天下之大本。」所謂心外有法者，即指涅槃性空言。既不認此宇宙萬物之存在，則何從立天下之大本。道家言自然，認此宇宙萬物之存在，但又要人剗心去知，而不知心之可以生萬法，而一惟以自然爲法，斯亦失之。朱子之說，則求心天合一，人文與自然合一，兼采道、釋之長，而自成爲新儒之一家言。若只云心即理，則又是有人無天，亦朱子所不許也。

現在再說到未發已發的問題，朱子在此上亦曾極費研尋。他最先說：

心未嘗不發。

人自有生即有知識，事物交來，應接不暇，念念遷革，以至於死，其間初無頃刻停息，舉

世皆然。（文集卷三〇與張欽夫。宋元學案卷四十八中和說一）

那是他主張程子「未發之前更如何求」，「善觀者卻於已發之際觀之」的見解。但稍後他變了。他說：

日間但覺爲大化所驅，如在洪濤巨浪之中，不容稍頃停泊，蓋其所見一向如是，以故應事接物處但覺粗厲勇果增倍於前，而寬裕雍容之氣略無毫髮。（文集卷三二答張欽夫。宋元學案中和說二）

又云：

手忙足亂，無著身處。（同上）

這是說若認人心只有已發，便會有此境界，便使人生儘是不安。於是朱子又回頭轉到未發的存養方面來。他說：

人之一身，知覺運用，莫非心之所爲，則心者固所以主於身而無動靜語默之間者也。然方其靜也，事物未至，思慮未萌，而一心渾然，道義全具。其所謂中，是乃心之所以爲體而寂然不動者也。及其動也，事物交至，思慮萌焉，則七情迭用，各有攸主，其所謂和，是乃心之所以爲用，感而遂通者也。然性之靜也而不能不動，情之動也而必有節焉，是心之所以寂然感通，周流貫澈，而體用未始相離者也。蓋心主乎一身而無動靜語默之間，是以君子之於敬，亦無動靜語默而不用其力焉。未發之前，是敬也，固已主乎存養之實。已發之際，是敬也，又常行於省察之間。……君子之所以致中和而天地位萬物育者，在此而已

（文集卷三二答張欽夫。又學案中和說三）

這裏朱子明明認性爲未發，情則已發，又用橫渠「心統性情」之說，謂心貫徹乎動靜。動時省察，靜時存養，即是程門「敬」字工夫，如此則已發、未發面面兼到。這裏的問題，主要在性、情的分析上。性未發，管攝不到情之已發，須要把心來做主。增強此心作主力的便是敬。敬裏面又分靜存動察。格物窮理只偏在動察一邊，若非有靜時存養工夫，則動時省察便易失錯。這就造成朱子居敬、窮理兩面用功的理論。此即伊川「涵養須用敬，進學則在致知」之說。但到朱子手裏，卻開展得精微多了。而朱子有時在此兩邊又有稍微偏重靜存一面的意向。他說：

未發之前不可尋覓，已發之後不容安排，但平日莊敬涵養之功至而無人欲之私以亂之，則其未發也鏡明水止，而其發也無不中節矣。……向來講論思索，直以心爲已發，而日用工夫亦止以察識端倪爲最初下手處，以故闕卻平日涵養一段工夫。使人胸中擾擾，無深潛純一之味，而其發之言語事爲之間，亦常急近浮露，無復雍容深厚之風。蓋所見一差，其害乃至於此，不可以不審也。（文集卷六四與湖南諸公論中和第一書。又學案中和說四）

從此遂產生後來陽明一派朱子晚年定論之爭訟。總之，朱子在此方面確曾下過一番深工夫，他最

先頗像要擺脱當時偏向內心用功的舊習，轉換到向外事物方面去。但後來依然折回到老路上，而把此兩面牽綰合一。一方面和會舊説，一方面開闢新趨，這是朱子之大氣魄處，亦是朱子學説之所以爲集大成處。

要之，朱子學術，先重分析。如其言心，則先從分別其未發已發，動與靜，體與用下手，而後更加以綜合工夫。其合動靜、合體用，正猶其論宇宙人生，先從分析理氣心性入手，而繼之以綜合，合心物、合內外，合天人，而無不歸之以條貫。於一之中求見其多，於多之中又求見其一。於同之中求見其異，於異之中又求見其同。中庸云「尊德性而道問學，致廣大而盡精微，極高明而道中庸。」兩面逼入，得其大中。惟朱子學可以得其精旨。

清儒常以朱子、鄭玄相擬，其實康成斷非晦翁之儔。以整個中國學術史觀之，孔子集上古之大成，朱子集中古之大成。其包孕豐富，組織圓密處，朱子乃可謂極似孔子。孔子每好以相反相成之兩面來表達一觀念或一境界，如言仁則必言智，或言仁則必言禮，又言禮則必言樂之類。朱子亦常如此，如言理則必及氣，言心則必及性，言窮理必及居敬之類。但孔子在先都只就人心人事立論，令人當下有一入手處，而其圓密處，則面面俱到，或是面面兼顧。孔子以下，先是百家爭鳴，幸有孟、荀兩家，從兩面來發揚孔子。魏、晉、隋、唐，道釋競興，乃有周、張、二程，對孔子儒學續作發揚，而朱子集其大成。其論學，乃把宇宙人生兩界融合一起，他的思想遂似乎相互間的依待條件更多了，更繁複，更重叠。言理則必依待著氣，必以氣爲條件。而言氣亦必依待著理，必以理爲條件。同樣言心必依待著性，必以性爲條件。言性亦必依待著心，必以心爲條件。天、人、心、物；內、外、動、靜，亦復面面俱到，面面兼顧。決不專靠在一面。於是研究朱子思想者，常使人覺其氣魄大而苦難下手，若圓密而又嫌其瑣碎。陸象山譏其支離者正在此。但朱子亦非不自知，於其圓密之體系中常力求教人以方便。如言窮理，即教人姑以讀書來代替，如是漸漸變成爲研窮字義，又漸漸從讀書轉到章句與訓詁上，元儒、清儒即都不免此流弊，但明儒則又太脫空了。至清儒以朱子與鄭玄相擬並視，此已爲重視朱子者所說，但到底不能說朱學精神只在讀書，其讀書乃只在章句與訓詁。陸、王一派，主張心即理，不免太簡易，太直捷。清儒訓詁考據，又不免太瑣碎，太支離。注意了尊德性，不免忽略了道問學。注意了道問學，又不免忽略了尊德性。太精微了，遂不免失去了廣大一面。太廣大了，又不免失去了精微一面。太高明而不知道中庸，太中庸又不能極高明。中國學術史上，中晚時期，只有朱子一人，綜合了經、史、子、集四部之學。一面加以分析，一面加以綜合。分之則極其圓，無一處不到。合之則極其通，無一處不達。批評各家短處，而無不兼采其長。酌取各家長處，而無不避免其短。真所謂即物而格，而無不到其極處，而又能豁然貫通了。後人尊之以爲孔子之後之唯一集大成者，朱子誠可當之而無媿。

（原載民國三十六年九月思想與時代四十七期。後經作者增訂，收入中國學術思想史論叢第五冊中。讀者其互參之。）

中國文化傳統中之史學

一

文化即是人生，歷史乃是人生之記載。故可說，文化即歷史，歷史即文化。文化不同，歷史亦不同。文化變，歷史亦隨而變。文化墮落，歷史亦中斷。近人討論文化，多從哲學著眼，但哲學亦待歷史作解釋批評。真要具體認識文化，莫如根據歷史。忽略了歷史，文化真面目無從認識，而哲學亦成一番空論。

歷史是一積累，近代則好言開新。當秦始皇帝吞滅六國，天下一統，開了中國歷史三千年來未有之新局面，他自認是創造此新局面之第一人，已凌駕於古代三皇、五帝之上，乃中國歷史上從古未有的偉大統治者。所以自稱始皇帝，此下二世三世，乃至萬世皇帝，皆當承接此局面。當時始皇帝心下，他已自認站在歷史之頂端，他兩眼向前，只看將來，更不回頭。以爲過去的歷史，前人的腳步，現在早已超越，更無留戀縈慮之必要。

但秦代的統治權，不二十年而崩潰。始皇帝一片美夢，到二世皇帝時已驚醒。下面來了漢高祖，以平民爲天子，此亦是中國已往歷史所無。但漢人並不爲此沾沾自喜，他們卻肯回頭想：周代爲何有天下八百年，秦代爲何二十年即亡？這是一歷史問題，正可爲當前人作教訓。漢代初年人心情，不像秦始皇帝般勇往直前。他們肯長慮卻顧，把以前歷史往事掛在心頭。司馬遷史記，即在漢代武帝之全盛時期完成。一路到清末，兩千年來，有了二十五史。每一朝代完了，即寫一部歷史好作下一朝代人教訓。中國民族，可算是最看重歷史的民族。中國文化，亦可說是最看重歷史的文化。換言之，中國民族與文化重視過去，重視積累，更勝過了其重視未來與開新。

長江後浪推前浪，人生新人換舊人。一浪成不了一流。人生也不是百年短暫轉瞬即逝。中國古人以三十年爲一世，當其壯年入世做事時，上有父母，下有子女，同時已有了三世。此與其自已生命緊密相繫，不可分割。人生根本是由世代積累而成，抽離了世代積累，便不能有人生。青年初離家庭撫養，易生獨立爲人之想。此如雛鳥離巢，即獨立爲一鳥。然人生究有空間的羣體即社會，有時間的羣體即歷史，不能專以獨立自由，開創局面爲事。

古今中外人類歷史，當其開創新局面，抱與秦始皇帝同樣心情者，亦大有人。如哥倫布發現新大陸，一時西班牙、葡萄牙人，尋金心熱，跑遍世界。那時他們心裏，自然也是只有將來，不問過去。只想向何處跑，更不念從何處來。他們把全地球劃一界線，一半屬西，一半屬葡，作爲他們將來的擴展範圍。曾幾何時，荷蘭、英、法繼起，西、葡海外尋金美夢，亦只曇花一現。

當前的美國人，遠從英倫移殖，一面殲滅了大羣印第安紅番，一面蓄養了大羣黑奴。又不斷吸納了大羣歐西意、法猶太移民。定下門羅主義，在世界那一邊生息茁長。自經兩次世界大戰，一躍高踞全球羣雄之首座，掌握列强會盟之牛耳，舉世瞻其容光，仰其鼻息。較之其前面大英帝國之盛況，尤遠過無不及。誠可謂在世界人類歷史上又展開了一新頁。猶非秦始皇帝統一中國，與夫哥倫布發現新大陸後西、葡海上競雄之可比。但就其歷史言，移民初來，最遠不到四百年。獨立建國，最近恰足兩百年。再經西部開發，而擴大成爲今天的美國，其事還在後。統觀全部美國史，殊無煊赫輝煌之事功。除卻華盛頓、林肯幾位人物，可資後代追憶外，亦乏驚風駭浪之波折。因緣時會，平步青雲，真可謂是天之驕子。因此，美國人心理，亦不免忽視歷史，偏重將來。求新求變，似乎可以漫無止境般向前。

若以歷史譬之水流，溝澮之水，易盈易涸；長江大河，蜿蜒千里，永不枯竭。不有上流之浩大，何來下游之深廣。中國以農立國，爲求灌溉，深識水性。四川灌縣都江堰，建自秦代時之李冰，迄今兩千年規模不變。相傳「淺築堰、深淘灘」六字，作爲治水要訣。淘灘求其善導，築堰求其善防。宜深宜淺，皆因水性而定。人性亦猶水性，治人亦猶治水，須善防善導，使能融凝團結成一大民族。積累悠久，流衍不斷。此必有一番精密偉大工程，時築時淘，而後可以納水流於正軌，並使其流量日大，弗涸弗溢。此是人類文化，此是人類歷史。或有如山洪暴發，或有如斷港絶潢，或有如一潭死水，或有如縈紆細流，同是一水，卻與長江大河不同。正該從各式各樣的歷史情態，來看其背後各式各樣的文化本質。

總之，只向前，不顧後，一味求變求新，求速求快，本源易竭，則下流易湮，此有各民族歷史前例，尋證不難。只有中國，成爲一源遠流長、積厚流光的大民族。因其尊重歷史，勝過其企懸將來，本末先後，作一體看。有此過去，纔有此將來。所謂「只問耕耘，不問收獲」，又說「前人種樹，後人乘蔭」。乃近百年來，如在眼前忽爲外面一道强力異光閃耀，視線驟黑，看物不真。在外的盡可欣羡，自己的全該輕視。過去一段五千年的長歷史，比爲肩背上一個重包袱，急切丢不掉，轉生厭恨。推翻、打倒，成爲時代新名辭。但歷史只如一影子，並無實形可擊。於是轉回頭打擊現實。共産黨興起，即從此一種心理來。但總不免有一歷史影子附隨在身，一切打擊全成撲空，遂造成了當前時代之悲劇。

西方人似乎較不重歷史，希臘亡了，羅馬興起，種族地域皆不同，羅馬人自不會太過重視希臘史。羅馬亡了，北方蠻族興起，種族地域又不同，歐洲中古時期之北方人，自不會太過重視羅馬史。現代國家興起，緜歷了一段稍長時期，才各自注重到他們各自的歷史。然而，又是種族地域各不同。在歷史上相互間固不能無牽涉，但終如秦、越人相視，饑飽肥瘠不相關。美國人從歐洲遷去，他們讀歐洲史，更覺如秦、越人相視。因此，西方人讀歷史，多出於一種好奇心，求知心，與其研究自然科學之興趣無大異。

但中國人讀中國史，則附隨著一番對於其自己民族生命之甚深情感。歷史積累愈深，民族情感愈厚。此本每一民族無不皆然。只其他民族，歷史範圍既狹小，緜歷時間又短暫，則此番民族之親切感，亦不免比例遞減。只有中國歷史，廣大悠久，舉世無匹。三千年前之西周書，創制於周公。兩千五百年前之春秋，著作於孔子。周公、孔子，乃中國古代兩位大聖人，爲此下中國人所共同崇敬，而西周書與春秋，乃爲此下中國史書之典型。中國人重視歷史，在其文化傳統中有極深極厚之文化淵源。故在中國人心中，無不抱有一番深厚的歷史情感，常喜回顧以前，或可說是一種守舊心理，但亦可說是要把新舊融成一體，把前後古今滙成一貫。非不求變求新，乃是要從舊中變出新，非是要破棄了舊來另創新。如唐、虞、三代、秦、漢、隋、唐、宋、元、明、清，時代新了，民族依然是舊。不如西方希臘、羅馬以至近代、英、法、德、意，一番新的換去了一番舊的。雙方歷史不同，心理觀念自會不同，而在其背後，則有更深意義之文化不同。

春秋時代魯國叔孫豹，在孔子以前，已提出了立德、立功、立言之「三不朽」。此是一種人生觀，亦是一種歷史觀。不啻如說舊可永存於新之內。亦可說「積舊乃成新」。若非前人立德、立功、立言，何來有後起之新人生，新歷史。而後起的新人生，新歷史，亦不會遠離了前人所立的德、功、言。若使後起的全可推翻打倒先前的，則更何有立德、立功、立言之不朽。而當前人生，則惟從物質自然科學中來爭取。人生無不朽，乃把不朽寄放在人死以後之靈魂信仰上。

中國此一種歷史人生之不朽觀，亦可說是中國傳統文化中一項基本觀念，與西方宗教科學觀念均不同。宗教觀念把人生歸宿到靈魂與天堂，乃是一種非人生或是超人生的出世觀。物質自然科學把人生與自然萬物混同一視，注重現實物質人生，只在空間求開拓，但忽視乃至漫失了心靈人生，不向時間求緜延。眼前人生勝過了其歷史人生。亦可說，只重時代現實，不重歷史積累。叔孫豹之三不朽說，乃把個人人生緜延為歷史人生。肉體毀滅，依然有生命存在。而其存在又是只在人間，不在人間以外之天堂。人生即是歷史。由個人生命開展出歷史生命。在歷史生命中，涵存有個人生命。短暫的個人物質肉體人生，可以轉成為長時期緜延積累的歷史精神人生。每一人總喜歡回顧以前，要知我之所由來。每一人亦總喜歡想望將來，要知我之所當去。在中國人觀念中，人生不僅生在當時此一社會之內，同時亦是生在上下古今那一歷史緜延之內。中國人父子祖孫世世相傳的家族觀，亦即是一種歷史觀。中國人此項歷史觀，即是中國人之人生觀，亦即是中國傳統文化主要精神命脈之所在。

二

歷史記載人生，人生中必有事，惟人幹的事，與幹事的人，二者當有分別。事由人幹，人換了，所幹的事亦必變。中國古人云：「人存政擧，人亡政息。」不僅政治，一切事皆然。中國古人以三十年爲一世，在普通情況下，三十生子，六十抱孫。一家歷六十年，前後可得三世。人生由此大體可分三階段：三十以前是青少年預備期。三十以後至六十，乃人生中之强立幹濟期，人生一切重大活動，主要在此三十年。六十以後，漸入衰老，漸從社會中抽身退出，可稱爲人生之完成期。

孔子自稱：「十有五而志於學，三十而立。」十五以前，主要賴父兄培養。十五以後，能自立志向學。至於三十而獨立成人，此是人生第一期，雖孔子大聖，亦無大異。「四十而不惑，五十而知天命」，此自三十而下之二十年，投身人事複雜之社會中，能自樹立，有所幹濟，遭遇外面種種搖撼刺激，其內心亦隋之逐步展開，惟聖人能達於「知我者天，所立卓爾」之一境，此爲人生之第二期。「六十而耳順，七十而從心所欲不踰矩」，此乃大聖人生活達於最後之一境。耳順是由外入內，外界種種接觸，一言一語，他人的心聲，不論是非邪正，進入我心，於我心皆知其所以然，他心亦猶如我心般，不感有違逆。從心所欲不踰矩，是由內達外，我心所欲，一任其自由，不煩照管，而皆合乎規矩，即是我心一一合乎人心，皆不見有違逆。此心一內一外，交互貫通，由向上知天命轉到向下在人羣中平實達到羣己天人融合一體之最高境界。此固是大聖人生活始得有此，但終亦轉入了衰老境，與而立、不惑、知天命時精神有不同。六十以前，確然有一我在，確是一種頂天立地自強不息之氣象。六十以後則臻化境，不見人，不見我，混然一體。從肉體人生論，誠是進到了衰老期。從精神人生論，乃是由成熟而進入了新生期。如此人格，誠可以爲萬世之師。而在其當時，亦已像是超越了人事現實而到達於人生之理想期，或說歸宿期。孔子周游衛、宋、陳、蔡。返魯爲國老，那時的孔子，實際上已退出了人生漩渦，不再有奮鬥，可以在大羣中安然自成爲一我，同時亦安然不感有一我，故曰「化境」。自然人身之衰老，雖大聖人亦不免。然其人格光輝之永遠照映於後代，尤其在老境中之最高成就，則惟聖人有之。若在普通人，不能有此一境，則惟有把中年幹濟期延長，如曾子所謂之「任重道遠，死而後已」，亦已不失爲一大賢人。

再以周易乾卦六爻爲說。初九「潛龍勿用。」亦猶人生之預備期。九二「見龍在田，利見大人。」此是投身社會，出潛離隱，爲轉入人生幹濟期的第一步。利見大人者，九二尚在下，雖已具大人之德，尚未登大人之位，同聲相應，同氣相求，水流濕，火就燥，雲從龍，風從虎，利見在上位之大人與之相應。人文社會中，後進必賴先進之提拔護掖，一氣呼應，始得成事，此乃自古皆然。九三「君子終日乾乾，夕惕若，厲無咎。」九四「或躍在淵，无咎。」此兩爻，在人生幹濟期中必有奮鬥，其不寧於心，不安於位之情形，躍然如在紙上。九五「飛龍在天，利見大人。」此是幹濟人生奮鬥歷程中之最高階段，能以美利天下之最高可能。利見大人者，在上位之大人，亦盼得在下位之大人，即有德無位之大人與爲相應。若純就教育事業言，孔子乃飛龍之在天，顏淵以下，則見龍之在田也。上九「亢龍有悔。」自然人生必有一衰老期，人文人生，亦有一終極階段。昧者知進不知退，知存不知亡，知得不知喪，知有幹濟奮鬥而不知有窮而藏之一階段，終成爲亢龍之有悔。亢者位已高，當求退。自然人生過六十、七十，亦當求退。此是人生之退藏期。又言「用九，見羣龍無首，吉。」凡潛龍，見在田之龍，躍在淵之龍，飛在天之龍，其爲龍則同，貴乎各因其時位而各全其龍德。人在人文社會中，各有活動，皆當具備一副奮鬥自強之幹濟精神。在上位，則利見在下之大人。在下位，則利見在上之大人。凡具龍德，皆大人也。聲應氣求，而貴乎能互不爲首。有了一首，其餘便不成爲龍。沒有了羣龍，一龍亦無可能爲，只有潛藏。故曰潛龍勿用，亢龍則有悔。在人文人生中隨其時位而潛伏，而飛躍、而退藏，亦與在自然人生中，隨其自然年齡而亦有潛伏與飛躍與退藏之三時期。全部人文歷史亦如此。所貴善辨者，則在其有後與無後，可繼與不可繼。

歷史上人物之活動年齡，大體亦不出三十年上下。三十年前在某一事業上活動之人物，三十年後往往已絡續退出，則此一事業亦必隨之有變無疑。如漢高祖、唐太宗開國規模，下到漢景帝、武帝，唐中宗、武后時，人物全體變了，事業規模那有不變。但變有大小。如西洋史上希臘亡了來羅馬，羅馬亡了來北方蠻族，此是大變。如中國史上秦後有漢，隋後有唐，此是小變，並世各民族，只有中國歷史爲變最小。故能擁有範圍廣大，緜延悠久，繼繼繩繩，不絕不斷，五千年一線直下的一部中國史。此事實大值闡究。要言之則由人生來決定了歷史。

再進言之，歷史只是一種人事記載，事由人主，人由心主，人心則有所同然。把握此人類同然之心，心心相印相傳，即是中國人之所謂「道統」。即人文大道之統，亦將使人文界訢合於自然界而達於「天人合一」之境地。古今相禪，於變中而得其所不變，故中國古人謂「天不變，道亦不變」，中國人自古相傳之歷史觀念即具此意。

西周書召誥篇召公有曰：「古先王有夏，今時既墜厥命。今相有殷，今時既墜厥命。我不可不監于有夏，亦不可不監于有殷。今王嗣受厥命，我亦惟茲二國命。」立政篇周公有曰：「文子文孫，以覲文王之耿光，以揚武王之大烈。繼自今後王立政，其惟克用常人。」可見中國古人論事，必上念古人，下念後人，不專著眼在目前之當事人。因此好言命，好言常。命在天，最若無常。常在人，乃可以人事天，以常保命。梓材篇又曰：「皇天既付中國民越厥疆土于先王，肆王惟德用，和懌先後迷民，用懌先王受命，惟曰欲至于萬年，惟王子子孫孫永保民。」在當時，前念古人，則有夏有殷，上踰千載。下念後人，則子子孫孫，下踰萬年。即觀以前，由夏、殷而至於我，便知天命之無常。然同時又念以後，子子孫孫要永保此常。何以得之？周、召二公之意，謂於無常天命中得保其常者惟人之「德」。所謂「德」，即人心之同然，天賦所固有。若能人同一心，斯即於天之多變中可得一常。此即我所謂中國古人之歷史觀，蓋在三千年前周、召時代已明白昭揭。

孟子曰：「孔子作春秋而亂臣賊子懼。」春秋時，亂臣賊子接踵繼起，當孔子之身，此輩已成陳死人，更何懼於孔子之作春秋。孔子作春秋，乃欲後世人知懼。亦非能懼之以刑，乃是發光大人所同然之心，使其懼爲亂賊，不敢獨異於人心之同然。孟子又曰：「仰不愧，俯不怍。」愧、怍皆是懼心。人能不愧、不怍、不懼，則心安於常而德全命立。故中國人之歷史觀，乃是一種人道觀，亦即是一種人心觀與天命觀，亦可說是一種教育觀與修養觀。因人心既同然，即人道有常然。只觀於前世往迹，便可爲後人鑒戒。使人各自保其同然之心以達於可常之大命。此即中國人一種理想的文化觀，亦即道統觀。遠自周公、孔子以來，此種種人道觀，天命觀，教育觀，修養觀，理想的文化觀，道統觀，一言蔽之，皆可會通歸納於一種歷史觀之中。周、孔之教，精神在此。中國文化傳統精神主要亦在此。孔子曰：「百世可知。」天命無常不可知，而人類自己已往歷史則可知。只要在歷史知識中知得已往，自可在人道知識中知得將來。既知人，亦即可以知天。孔子之知天命，其實也只是深深知道他自己，乃至於古今人心之同然，此皆由一種歷史知識來。

司馬遷史記創爲「列傳體」，以事歸人。同一事分歸多人，不以多人納入一事。此種以人物爲中心的歷史體裁，歷世相因，永懸爲中國之正史，其前如西周書，重在記言。當時周人如何滅殷，如何平治天下，種種大事，反略不詳，所詳轉是幾個人的幾番說話。此一體裁，仍爲此下中國歷史裏一要項。治世如漢、唐、宋、明，可記語多。亂世如五胡十六國，五代十國，只見亂糟糟一堆事，没有許多話可記。

孔子春秋則爲「編年體」，把歷史事件依著年月先後排列。歷史本只是一大事緜延，把來分劃切斷爲某事某事，卻有未妥。如秦始皇帝焚書、坑儒本非一事。「焚書」應歸入秦廷廢封建及當時博士官議政兩事中。「坑儒」應歸入秦遣方士入海求僊及鍊求長生奇藥兩事中。此四事，皆不始於始皇帝，應遠溯六國以來。又焚書事牽連到藏書、訪書，坑儒事又牽連到謫儒、求儒，皆下逮漢代。若逐年逐月逐日寫史，在其不成爲一事時即寫下。並其逐日所寫亦非一事。可待後人重自尋求貫串。當知事件分割，並非歷史之客觀真實，儘多治史者主觀成分之滲入。時代變了，人的觀念也變了。大事變成了小事，無事變成了有事，兩事變成了一事，一事分成了幾事。橫看成嶺側成峯，而廬山真面目，反不易認。由於中國人歷史觀念深厚明察，寫下的歷史，極客觀，又極生動，使歷史脫離了一事一事分割之淺薄觀，轉入一時一時會合之深沉觀。使人深知，時代變斯歷史變，而其變之機栝，則主持在人，不在事。又小事可變爲大事，一事可變爲多事，使人知所驚惕戒備又知所奮發有爲。

人事必待羣力，亦待時間醞釀。西周建國，遠自太王、王季、文王、武王，以及歷朝諸臣之羣策羣力，始完成此開國一大事，決非一朝一夕一手一足之烈所能成。而開國後如周公、召公之幾番話，如上所引，則發自周、召個人，但迄今三千年，其影響之深遠，若更在西周建國一事之上。故在中國歷史上，「記言」尤重於「記事」。記前漢史者，如賈誼陳政事疏，董仲舒天人對策，長篇累牘，不遺不漏。記唐初貞觀政事者，如魏徵之諫，諸臣之謀謨，亦不厭詳盡，列為首要。後人編貞觀政要，即以當時人許多談話為主。並有其人，無事無言可記，而亦載入史籍者，如三國志載管寧，宋史載陳摶，其他類此人物，難更僕數。此乃中國人對歷史觀念之深微允愜，極難為淺識者作膚薄之説明。至如「紀事本末體」，在中國最為晚出，亦不為史家所重。此正見中國史學有其極深密而獨特之處。後人習焉不察，認為固然，若極平常，然此乃中國文化傳統所以得緜延三千年，日新又新，不絕不輟一要端所在，可待後人作無窮之體會與抉發。

三

歷史成於羣心羣業，並必有時代累積。後一時期之歷史，必已有前一時期為之準備開端，斷無可以斬然截然割斷前一代，來嶄新創出下一代。不僅政治社會種種羣體事業如此，在歷史上最特殊人物之產生，亦已由前時代早為塑造模型，大體已定，真所謂呼之欲出。大家只祈此人物之誕生，卻不知每一人物之早在母胎孕育中。換言之，人物乃在歷史中產生，不能脱離歷史突然出現一人物。尤其是歷史最偉大最傑出之人物，更見如此。

孔子乃中國歷史第一最偉大最傑出人物，所謂天縱之大聖。然亦可謂孔子之所以成其爲孔子，亦早由孔子以前之歷史先爲之規定，並亦由孔子以後之歷史重爲之確定。固可説，孔子在中國歷史上發生了大影響、大作用。同樣亦可説，孔子以前與其以後之中國史，亦對孔子其人發生了大影響、大作用。

孔子生在當時一舊族而早經破落的家庭中，其父叔梁紇，乃由通習當時貴族階級所需文武諸藝而進身貴族階級之下層服務。此在當時，即謂之「儒」。孔子告子夏，「汝爲君子儒，毋爲小人儒」，可見儒業已先孔子而有。孔子早孤，然必有其他親黨爲助，使孔子亦得爲一儒。其早歲，曾爲委吏、乘田，爲當時貴族階級服務，獲有機緣進入魯國之太廟，每事問，或曰「孰謂鄹人之子知禮」，是孔子早年已以「知禮」名。

孔子習儒業，知禮，故深佩周公。嘗曰：「郁郁乎文哉！吾從周。」又曰：「如有用我者，吾其爲東周乎。」又曰：「甚矣吾衰也，久矣吾不復夢見周公。」可見孔子一生之慕仰周公。有開必先，正因先有了周公，纔開創出孔子。然若無周公、孔子之時代，亦不能完成周公、孔子之爲人。孔子中年，魯貴族孟武伯臨卒，遺命二子往學於孔子。季孫氏又拔用孔子爲大司寇，職位僅次於三家。孔子去魯，流亡在外十四年，季孫氏卒迎孔子歸，尊奉爲國老。孔子曾至齊至衛，齊景公、衛靈公皆致禮敬。雖遭宋司馬桓魋之欲殺，又絕糧於陳、蔡之間，然孔子要爲得當時貴族階級之崇養。孔子欲推本周公禮意來裁判當時之貴族階級，然當時貴族階級卻於孔子敬禮不衰。孔子之卒，魯哀公誄之曰：「天不憖遺一老。」若孔子生在別一民族之貴族社會中，換言之，若使中國當時之貴族社會變換成另一樣，則孔子亦未必得成其爲一如中國歷史上之孔子。

孔子卒後，其羣弟子亦普遍獲得當時各國貴族之重視。如曾子在魯，子夏在魏。當時儒術之推行，貴族階級亦預有力。貴族崩潰，游士奮揚，孟子、荀卿，皆一時魁傑，而他們獨知尊孔子。羣言淆亂，得以澄定。此兩人皆於闡明孔子學說大有貢獻。苟無孟、荀繼起，孔子在中國此下歷史上，亦或可另成一格套。尤其是在游士活躍時期，獨有一輩自甘寂寞，蹋蹐洙、泗之濱，相與講禮習射於孔子廟堂之諸生，歷兩百年，迄於秦、漢之際而不絕。漢高祖以一泗水亭長，素嫚儒，路過曲阜，乃亦親自致祭於孔子之廟。此輩人在當時歷史上若無足指數，然亦參預宏揚孔子之大業，而有其一部分之影響。若使孔子身後兩三百年間，中國早發展爲一資本主義的工商社會，人人競務於貨利。或中國當時已是一佛教盛行之社會，人人尋求出家。則孔子身後聲光，亦必闇然日澹，闃然垂絕，焉得成其爲此下歷史盡人崇仰之大聖。

中西文化不同，斯中西歷史亦不同，中西社會所崇拜之人物亦不同。西方有耶穌，亦猶中國有孔子。然孔子論語由周公詩、書來。若無周公時代之詩、書，即無孔子之論語。耶穌新約乃由猶太民族之舊約來。若無猶太先知與舊約，亦不會有耶穌與新約。換言之，若使孔子生在當時耶穌生身之社會，即不能成其爲孔子。耶穌生在當時孔子生身的社會，亦將不成爲耶穌。耶穌門徒十三人，又身死十字架，若無此下如羅馬地下活動，乃及北方蠻族入侵，造成中古黑暗時期，種種歷史事變，是否有如今日之耶穌存在，亦復可疑。故孔子與耶穌，雖於人類歷史有大貢獻，但同時不害其爲人類歷史所造成。

釋迦亦復如是。當時印度民族處境，顯與中國、猶太三方互異。若使釋迦生在中國或猶太民族中，亦決不能成其爲釋迦。猶之孔子、耶穌生在印度，亦決不成其爲孔子與耶穌。抑且耶教不流行在猶太，而流行在歐洲。佛教雖曾一度盛行在印度，而終於中歇，轉而盛行在中國。故歐洲歷史上有耶穌，以及中國歷史上有釋迦，顯然乃由歐洲與中國雙方歷史所造成。即是由歐洲、中國雙方社會羣心羣業之年代累積所造成。而耶穌在猶太歷史、猶太社會中，釋迦在印度歷史、印度社會中，乃終成爲若有若無，不足輕重。更可證明人物由歷史之涵育陶鑄而成，無此歷史，即無此人物。然非謂人物在歷史上無價值，亦非謂歷史價值更勝過了偉大傑出人物之價值。乃謂除此少數最偉大最傑出之人物外，歷級而下，人人有其力量，亦復人人有其價值。人人各有其對歷史之作用與影響。

佛教東來，如釋道安、慧遠、竺道生以及此下各時代高僧大德，尤如禪宗六祖慧能，乃中國偏遠地區廣東新州一不識字的樵柴人，因在街上聞人誦佛經，心有開悟。又得人指引，有江西黃梅五祖弘忍，開門說法。又得人資助辭母遠腳，親赴黃梅。又得弘忍留其在廚下舂米，因「本來無一物」一偈，又得弘忍三更召去方丈，密付衣鉢，囑速離去。從此隱藏四羅獵人隊中十五年，偶值僧印宗講會，兩僧辯風動旛動，慧能指係心動，印宗即爲薙髮，並願事爲師。以如是等等諸緣，纔得於廣東曹溪，重開黃梅東山法門。又得南嶽、青原兩大師在南弘法，荷澤神會大師在北方力爭法統，遂使慧能禪風，五宗七葉，幾乎掩脅了中唐、五代、兩宋下及元、明，全中國之佛教界。人能宏道，非道宏人，固是慧能禪風，產出此五宗七葉，亦因有了五宗七葉，遂得圓滿完成慧能的禪風。

明代陽明講學時，泰州有王艮心齋，頗與慧能相似。七歲受書鄉塾，貧不能竟學。從父行商山東，在市肆中常袖孝經、論語、大學，逢人質難。久之自有談說。或曰：「汝說絕類今江西王巡撫。」艮乃束裝往見。陽明以客禮延納，艮踞上坐，辯難久之，下拜稱弟子。退歸旅舍而悔，明日復見，告悔意。陽明復延上坐，更辯難，終大服，卒請爲弟子。遂開陽明學中之泰州一派，陽明學爲之風行於北方。

今看慧能、心齋兩人故事，可知縱是一獨特人物，亦在他心他業，乃至羣心羣業中，在歷史積累，社會時風衆勢中，乃得出現。慧能之偈曰：「本來無一物，何處惹塵埃。」心齋之歌曰：「人心本自樂，自將私欲縛。私欲一萌時，良知還自覺。一覺便消除，人心依舊樂。」兩人所言之心境，亦本是衆人皆所可有之同然之心，特二人在特殊環境、特殊際遇中說出，乃成一特殊人物。若使二人易地相處，心齋參見了五祖，慧能晉謁了陽明，或者心齋亦未嘗不可爲慧能，慧能亦未便不成爲心齋。要之，一人物之完成，不完全由彼自力完成之。

孟子曰：「莫之爲而爲者謂之天。」人物完成中亦有「天」，中國人又稱此曰「命」，命若有定，亦無定，孔子不能生在猶太或印度，換言之，生在中國，只能爲孔子，不能爲耶穌或釋迦，此是命之有定。然在中國，何時何地得生一孔子，此須有人能爲肯爲，又遇時可爲，此皆屬「人」，雖天亦莫如之何。孔子自知當其時而應爲，又不可不爲，故自曰：「知天命」。孟子曰：「人皆可以爲堯、舜。」但究竟中國四千年長時期歷史中，只有一個堯，一個舜，亦只有一個孔子，一個孟子。苟其成爲一人物，則必然是一特殊獨一的人物，在宇宙萬古中不得有二一。

但特殊人物又必出現在普通人羣中，且亦不能專憑己力爲之，乃其同時乃至前世之普通人羣同心共力湊合配當而有此人之出現，遂以歸之於天。但此人仍必於普通人羣中做人。亦可謂仍是一普通人。又必待此下社會不斷有人信仰崇奉，然後纔成爲一獨特人。誰人有此力量得使某一人獨特成爲歷史上一傑出人，此必羣心羣力，莫之爲而爲，而終歸之於天。乃一若天命所鍾。孟子所謂「人皆可以爲堯、舜」，乃指人人各得爲一特殊獨一之人如堯、舜。人之生，必在普通人羣中，此是天所命。人又必在普通人羣中而成一特殊獨一人，此亦天所命。此芸芸普通大羣，人人能各自成爲一特殊獨一人，而不害其普通大羣之仍爲一普通大羣。孟子曰：「盡性而知天。」人盡己性，始知天命所在。人各能盡己性，斯知天命在此人羣中之終極。所謂歷史使命，亦即在此。

四

歷史上有治世，有亂世。依中國人觀念，「君子」多則爲治世，「小人」多則爲亂世。數三國人物，又必首斥曹操。曹操在當時，掌握一世風雲，支配一世權力，然不害其確然成爲一小人。君子、小人之分，在其人之品格，以及其對人羣乃至後世之影響。一羣中有君子，一羣人之品格，亦得隨而提高。一羣中有小人，一羣人之品格，亦得隨而降低。當時諸葛亮與管寧，雖隱顯殊迹，然同一典型。諸葛爲蜀相，忠貞事上，鞠躬盡瘁，與曹操、司馬懿取人天下於孤兒寡婦之手者不同。後世人景仰管、葛，鄙視操、懿。然綜觀三國人物，君子終不如小人之多而得勢，故三國終是中國歷史上一亂世。周易以「君子道長、小人道消」爲世之「泰」，以「小人道長、君子道消」爲世之「否」。泰則通，否則塞。通指其可推拓，可緜延，有前途。塞則否。

中國人論史，於當時之權勢得失、事變利害，往往有所不計，而更重視其當事人之居心與品格。如管、葛則惜其志行不遂。操、懿則恨其奸詐得逞。又如南宋秦檜、岳飛，一奸詐，一忠良，後人乃莫不於飛表同情，於檜表深惡。對當時宋、金和戰之利害得失，轉若是第二事。此非對歷史感情用事，實有甚深大理智寓其中。若專論人事，錯綜複雜，五年一小變，十年一大變，並有變在眉睫、變起倉卒者，故人事往往不可逆料。但歷史與社會同有一大原則，君子則吉，小人則凶。人之吉凶不在事，事之吉凶乃在人。分觀每一時代之歷史，小人吉、君子凶者，其例實多，但通觀於長時期之大羣，則君子仍必吉，小人仍必凶。此所謂吉與凶，不專指其個人，乃指其所加於大羣之影響。有一岳飛，其對於後世歷史影響之吉，有一秦檜，其對於後世歷史影響之凶，皆不可以數量計。故後人於西湖名勝廟祠岳飛，而鑄秦檜像跪於階下，此並非感情用事，亦不得謂其乃鬼神迷信，實是彰善癉惡之一種極深理智與極大教育。

歷史上有泰世，當其時而爲君子，既便且利，此之謂「君子道長」，時則必多君子。當否世，而爲小人，亦既便且利，此之謂「小人道長」，時則必多小人。求能掌握歷史命運，貴在能教人爲君子，尤要在小人道長之否世。黑暗時代，其時之歷史人物亦多黑暗。光明之君子，沉淪在下。無事可爲，亦無事可述。乃中國歷史上記載此等人物者特多。易曰：「天地閉，賢人隱。」但隱者隱於當身，而史家仍必表而出之於後世。韓愈所謂「誅奸諛於既死，發潛德之幽光」，此乃中國史家莫大之職責。蓋歷史必承上啟下，緜亙無窮。衰亂黑暗世，歷史轉入歧途，陷入困境，然大羣之命脈未絕，文化之生機未斷，仍有維持此命脈，保留此生機之人物存在。雖其沉淪潛伏，若與當代歷史無關，卻與上下千古之歷史全程有其密切重大之關係。管寧在三國史上可說無地位，但在中國全部歷史上有地位。岳飛在南宋史上可說是失敗了，但在此下中國歷史上則是成功。中國人之人生觀與歷史觀與其文化觀，在此乃會通合一，而更上通於天，使人文界在宇宙自然界中得其緜亙長在之地位。即人而知天，更不待宗教，更不待科學，即本人類歷史而可知。故凡欲知史，必先學「知人」。若不能知人，如讀三國史，僅知有曹操，不知有管寧。不知歷史命脈乃在管寧，不在曹操。欲學知人，其本在「知己」，其極在「知天」。若懵然於人物賢奸、品德高下，則讀史僅見治亂興亡，成敗得失，而不知其命脈所在。下不知人道，上不知天道，全部歷史只是一堆權謀功利、鬥爭殺伐，而歷史終將無前途，不可久。中國歷史之可貴正在此。而非深通於中國之文化與學術之要旨所在，亦將無以讀中國史。

五

今再綜上所言，一面像是時代積累成歷史，一面更是歷史貫徹了時代。無此歷史，亦就無此時代。故成一人物，亦必求其能超越於其自身所處之時代，而始成其為一歷史的人物。若僅自封閉在其所處之時代中，一意盡力，急雄爭長，競權競利，而忘棄了前代，犧牲了後代，徒快當前，則此時代縱極燦爛光明，亦必如曇花一現，而歷史命脈爲之中斷。人物價值亦隨以澌滅。故就每一時代而分別觀之，中國歷史上所表現之力量似有不足，但通觀全部長時期歷史，則中國歷史所表現之力量乃爲堅韌無匹，百折不撓。

今當進而續論，通泰之世君子道長，固由當時之羣心羣力皆在助長此君子之道。但在否塞之世，小人道長，亦何嘗不是當時之羣心羣力同在助長此小人之得意。故歷史之否泰，由於人心之轉向。君子、小人亦由其存心而分。小人之心，乃是一種自私的小己個我心，起於軀體物質，固亦爲有生之倫所同具，惟在禽獸即以此爲滿足。苟獲果腹，其心即安閒無事，或則閉目偃卧，對食物亦不復貪戀。雌雄伴合亦有季節，季節既過，雖日相親處，亦不動情。原始人生亦如是。但人類自原始人進入於文化人即不然。君者羣也，所謂君子，乃於小己個我心之上，又展演出大羣團體心。中國古人，分前一爲「人心」，後一爲「道心」。亦可說前一乃「自然心」，後一乃「人文心」。

食色爲自然心。但人類食則知味，男女交媾則知愛，知味斯知有飲宴之歡，知愛斯知有婚姻之防。人文之體，即由此起。一心滿足，可推拓使他心亦獲其滿足。此乃人類之共通同然心，須文化演進至深度，此心始日益顯著。至於小己個我心，雖人人俱有，人人相似，卻人人各占一私，不能相通。在大羣中惟知各爭小己個我之權位名利，使人與人間生分裂，敗壞羣道。人類沒有了羣，即不能有歷史。小人亦上歷史舞臺，乃是在大羣複雜之社會中僅圖一己之私，損害他人而成。此乃偷仗了他人的共通心，來完成一己之個別心。但其小己完成愈大，則大羣所受損害亦愈深。小人道長，羣自渙散，而歷史亦無可繼續。大羣之共通心，亦將爲之澌滅以盡。故中國史書，尤嚴此君子、小人爲道之分別。一面則加以培植，一面則加以誅伐，始爲盡了史家責任。

但人類之自然心，小己個我心，既屬與生俱有，亦復不可鏟除。世界各大宗教，似乎蔑此過甚，乃有原始罪惡，世界末日等說法，將現實人生乃至飲食男女發生一種淡漠輕視虛空厭惡感。孔子曰：「人之不仁，疾之已甚。」究非人文演進一大道。而且此種輕視厭惡感，其本身亦即是不仁。馬丁路德言：「縱使沒有上帝，沒有靈魂，沒有天堂地獄，專就塵世，亦當有一番教育修爲。」此可代表西方人由中古宗教獨尊激起文藝復興以下之一番波濤時之人心呼籲。在中國，則周公制禮，孔子教仁，宗教思想即不占重要地位，乃由人道來代替天道，中國史主要早已是一部人類社會之文藝史。而近人過於尊羨西化，渴盼中國亦來一番文藝復興，此是於自己歷史無真識。

宗教教人在人生以外生信仰心，哲學則教人在人生內部起疑辨心。但就西方論，一堆堆一叢叢的哲學思辨，何處起步，何處歸宿，卻不見一共同路程，亦不見一可賡續之共同發展。只說

「我愛吾師，我尤愛真理。」但謂西方哲學家愛真理則可，謂西方哲學即是真理，則真理何其紛繁而多變？要之西方哲學亦如宗教，太遠馳騖於現實人生之外。中國人則深觀人心，密察人事，僅求分別君子、小人，非宗教，非哲學，只是一種深切的歷史觀，亦可以說是一種高明的人生觀或文化觀。

宗教、哲學之外有科學，乃教人於自然物質界起探求心。其先亦如宗教、哲學般，不免馳騖於人生之外。但發展所至，則爲現實人生廣泛使用，若於人生平添了無窮福利。但就中國人觀念言，科學乃術而非道。「道」是一種指導原則，「術」是一種使用方法。科學就其在西方言，無上帝、無靈魂、無仁愛、無慈悲，不得成宗教。科學又尚專門，各就一端，如鑽牛角尖，入而不出，互不相知，不得成哲學。故若人類對科學，別無一更高的指導原則，而僅知方法與利用，極其所至，將使人人盡如浮士德。科學所給予人生之滿足，終將是一種永無止境的假滿足。

人類有自然心，飲食男女，亦如禽獸，易得滿足，但從自然心衍生出小己個我心，此心在原始人類物質生活低級要求的時代已有，但不爲害。待到在人類大羣文化之複雜社會中，而此心仍不斷漸滋暗長，自私自利無限發展，對大羣則無利有害，而且永不得真滿足。於是轉對當前現實人生感淡漠、感厭倦、感空虛。宗教、哲學、科學之分途進展，皆由此起，然仍不能對現實人生給予真滿足。惟中國古人，於小己個我心之外，更鄭重指出人類之大羣團體心，如發而爲仁義禮智之惻隱心、羞惡心、恭敬辭讓心、是非心，乃爲人類共通同然之心。人人俱有，而亦可以彼我相同。人類之生命内容由此擴大，由此延長。孟子曰：「人之異於禽獸者幾希，小人去之，君子存之。」又曰：「君子以仁存心，以禮存心。」惻隱心、羞惡心、恭敬辭讓心、是非心，即由人類之大我羣體心中生出。此心可以反求自得，自獲滿足，不待向外更尋求。若使人類之自然心與文化心，小己個我心與大羣團體心，身生活物質人生與心生活精神人生，兩相調協，各得滿足，此始是人心全體之滿足。此心始是人類之全心，此人生亦是全人生。小我之與大羣，以安以和，以樂以足。此乃人生終極理想所在。亦人文演進途程中之最高指標。就個人言，並可得之當前，反求自有，不必待之於久遠。縱使在天地閉、賢人隱、晦盲否塞、小人道長之時代，爲君子者，仍可無入而不自得，以獲得其個人内心單獨之滿足，而爲人類命脈保全生機，靜待發展。此即孟子所謂「窮則獨善其身，達則兼善天下」之旨。

中國人此番理論，乃從現實人生之親切體驗中得來。苟得此爲指標，則宗教、哲學、科學之三者，亦未嘗不可從旁爲此指標作助益。宗教偏於惻隱、慈悲，哲學與科學偏於理智，偏於向外探求。皆從人心之偏處，從人心之某一部分爲出發點。至於以剝奪他心之滿足爲手段，以獲取己心之滿足爲目的者，更屬小我個己心爲祟。而宗教、哲學、科學三者，有時亦不免爲其所利用。於是人道日晦，人心日苦。至是而仍惟乞靈於宗教、哲學、科學之三者，亦將終不見有所解散。

故讀中國史，治世盛世，與衰世亂世，同一命脈，同一生機。貫通以求，乃知人文歷史之背後，有一人道與天道之存在。不煩求之宗教、哲學、科學而昭彰在人目前，深切入人心中，此之謂中國之史學。中國史家著史論史，雖不能人人到達此標準，要之有此一標準之存在。

故中國歷史精神，實際只是中國之文化精神。重在「人」，不在「事」。而尤更重在人之「心」。惟人心乃人事之主，而人心有此兩大別。自然心與文化心，小我心與大羣心。心見於事而謂之道，乃有所謂「君子之道」與「小人之道」之大區別。曹操乃亂世之奸雄，但亦可為治世之能臣。亦因在人文社會中，大羣團體心，亦已為人人所同有，只其與個我小己之心，一為主，一為從，輕重倒置，人品斯別，如是而已。故指點此心而加以喚醒，可使小人化為君子。在文化人生中，並不妨有自然人生之存在與發達。個人人生儘可融入文化歷史人生中而獲得其更廣大與更悠久之意義與價值。史學家責任，正貴在此現實人生之治亂興亡、榮枯否泰之不斷變動中，指點出此番人生大真理，此即中國傳統文化之主要精神。儻於此不先有瞭解，則一部二十五史，將真有從何說起之感。

（民國六十三年一月中華學報創刊號）

張曉峯中華五千年史序

中國史學，較之並世諸民族發源最早，成熟亦最先。論中國史書體例，必首及尚書、春秋與太史公書。尚書爲紀事本末體，春秋爲編年體，太史公書則爲列傳體，後世史體皆淵源於此。說者或以紀事本末體自尚書以後至宋袁樞通鑑紀事本末而始確立，此說實非確論。國語亦即紀事本末也。史記之八書，漢書之十志，下及唐杜佑通典諸書，凡屬記載典章制度所謂政書類者，莫非原於尚書，此皆當歸入紀事本末類。推此言之，史籍中有「詔令奏議」一類，亦原於書體，亦紀事本末類也。其他又有「雜史」類，或但具一事之始末，非一代之全編，或但述一時之見聞，祇一家之私記，實亦紀事本末類也。

故總論史體，不外三類。一曰編年，一曰列傳，而最先則曰記事。凡不入編年、列傳兩類者，皆記事類。史書之主要緣起本爲記事，苟非有事，何來有史。故中國史書最先起者爲尚書，即記事之體，此體遞有推擴衍變，蔚爲史書之大宗。記事必具本末，不俟宋袁樞書出而後始有此一體也。惟「紀事本末」四字，則由袁氏始爲標出耳。

然史事必具時間緜延，有年月先後之序，故自記事之演進而有編年。必編年記事而後易近客觀之真實。其事或先小而後大，或前得而後失。一朝之政，或先治而後亂。一戰役之經過，或先勝而後敗。凡一事之曲折，惟有編年排列，始能窺尋其真實之過程。春秋時列國即有史官，遇內外大事，隨時記注，後世沿以為法。方其逐日所記，在當時若無所用心，亦若無何關係，而積久追尋，一事本末，首尾朗然。後世帝王每有不得已而追改實錄者，如唐初玄武門之變。寫此實錄者，初非有董狐之筆，亦非能如齊史氏之守死不阿，遇事則書；初不知避忌，亦無可為避忌，是其例也。在事變之先，何從先知有此一事變，更不知事變之所極，而事後追溯，則已無可掩飾。故非貴於必遇良史之才，乃貴於有良法之可循也。苟非當時有列國史官之制，即孔子亦無所憑以成其春秋之作。故編年史體雖可貴，而為編年史所憑藉之記注、實錄之良法美意為尤可貴也。

然史之本質雖在事，而事之主動則在人。歷史記載人事，而人為事主，無人亦何來有事，故記事體之演進又必歸於傳人，而後歷史之本原及其功能始顯。事非一日之事，亦非一人之事。史事成於羣業，中國史書有列傳體，乃將凡屬參預史事之人物一一為之立傳。又有分類立傳者。而後每一歷史事變之各方面，其原動力所在，其是非得失成敗之所以然，乃無不彰顯。時代之隆污，國族之榮悴，凡屬歷史演變最後根本所在，皆可明白昭示。此誠史學貢獻之最大意義所在也。惟其列傳之為體，以人為主，故兼詳及其人之家世，備舉其生平，及其才性之所偏，學養之所詣，無不著。此等初若在歷史事變之外，而實深入歷史事變之裏，而成為事變深藏之底層。此等皆爲編年史體所不易注意搜羅者。如編年體每載其人之卒年，而不載其生年。方其人之始生，何知其將來之於歷史大事有關乎？今若分人列傳，則必詳其生卒始末而爲之傳矣。故列傳一體，實當爲史書中之最進步最完備，而又最得歷史之真情實義者。此後中國史書遂以列傳體爲「正史」，其地位價值遠在記事、編年兩體之上，此非無故而然也。

抑且司馬遷之創爲史記，不惟發展列傳一體之特長，其書又有兼采尚書、春秋兩體以完成一種最完美之史書體裁。如其八書，即采自尚書。其本紀與年表，則采自春秋。故能使記事、編年與傳人之三體錯綜融會，結成一體，而歷史真相遂無遁形，此尤爲太史公書所以傑出於前史之所在也。

言及列傳正史，後世每兼言史、漢。此兩書爲體又不同。太史公書遠起上古，下迄當代，其書實是一通史。班固作漢書，始是斷代爲史。而自陳壽、范曄以下至今有二十四史，皆斷代，體襲班氏，而與司馬氏之爲通史者用意有別。

後世論史法者，每謂司馬氏之書「疏而奇」，班氏之書「密而整」。亦有謂史記「圓神知來」，漢書「方智藏往」者。此等分別，固亦見兩人史識、史才之不同，然亦史書體例有以限之。惟其太史公書本爲通史，故項羽可列爲「本紀」，若後人循史記續爲一書，王莽何嘗不可立本紀？而班氏斷代爲史，則王莽、項羽惟可入「列傳」，故曰體限之也。

史記既爲通史，故其書略於古而詳於今。史公非不見左傳、國語，而左、國所詳，史公所載俱略。其爲列傳，西周獨有伯夷、叔齊，特爲其書列傳發凡起例而已。春秋二百四十年，獨有管仲、晏嬰，而亦惟詳其軼事，左、國所載兩人大事則略。其他如司馬穰苴、孫武、伍子胥，其人其事皆不詳於左氏，故史公爲之立傳。其他春秋二百四十年間賢卿大夫何限，史公皆不爲立傳也。史公於春秋時代人物大書而特書者，惟孔子及其門弟子，又上及老聃。老子、孔子乃及孔門諸賢，在編年、紀事兩體中均無法詳述，緣此等人物，其主要經歷，皆在當時歷史事變之外，不屬當時歷史事變之主要人物，亦可謂非當時歷史舞臺上之主要角色也。果使僅從左傳來認識孔子，則烏見孔子之真。即如伯夷、叔齊，亦何得爲商、周之際歷史舞臺上一主要角色乎？然而此等人，影響於當時之歷史者若不大，而其影響於此後歷史之全進程者則實至深至遠，乃至莫與倫比。故治中國史，決不能不知孔子、老子。果爲中國通史，則於此諸人皆當詳述。史公史識之所以卓絶千古者在此。然亦由其書體例許其如此，故能獨出己見，自成爲一家之言也。然則史記之爲體雖疏，而其用可以「知往」，固不虛矣。若曰此乃史公之好奇，不知此正史公之孤見特識，超出於常人之上，而以常人之常見視之，則若爲史公之好奇耳。

自班氏以下既已斷代爲史，則於一代史事，例有當書與不當書。而史家個人之獨見，亦限於體裁，難爲馳騁。此惟整理一代之記注與實錄，斯成爲一代之史矣。故自范曄、陳壽以下，演變所及，乃漸開集體修史之例，如唐人之修晉書與隋書，皆出羣手，後人加以輕視，實亦失當。因史體既立，各就現存史料而部勒董理之，即成一代之史，其事重於「藏往」，即使責成於專家，亦將無大優劣可言耳。

故自班氏以下，中國歷代正史，其實皆可謂是一代之記注之特經整理者而已，固不得預於一家之著述也。記注者，如今人言史料。無史料，使人又何憑而著史。故後人有「亡實錄是亡國史」之說也。然則史料又何可輕視？就於某一時代之既存史料而爲之部勒董理，成爲一時代之國史，使後之治史者有所稽憑，其功不可沒。蓋史料之最大價值，即在其能保存歷史之真相，固不貴於有作者個人獨見之加入。卓越之史學家，未必時時有之，而繁積猥存之史料，則可隨時依照成法編勒爲史，以待不世出之史家之運用，班固斷代爲史之貢獻乃在此。否則時無馬遷，而屢經變亂，史料亦無法保存矣。

故中國史學之可貴，乃貴在其有「史法」，其法可爲人人所共遵，以不斷持續其保存史料與整理史料之功業，而於史法之中乃蘊有甚深之「史義」，此所以爲尤可貴也。此等史法，則莫非創於先聖大賢。如尚書編集創自周公，春秋作於孔子，而太史公書則成於司馬遷。左傳特承於春秋而微變焉者，漢書則又承於史記而微變焉者。如史、漢之八書、十志，則又承於尚書而微變焉者也。

惟其史書體例，均有成法可循，故後世縱不能時時有卓越之大史學家接踵繼起，而史業終於不墜。以三千年之積累，而我國人所擁有之歷代史籍，或記事，或編年，或列傳，從此三大骨幹而枝葉繁疏，引展出種種史書，其數量之多，部門之廣，舉世各民族無堪比敵。故謂中國乃一史學國家，中國民族乃一史學民族，中國文化乃一種以人文爲中心之文化，而史學尤爲其主要表現，主要業績。以此言中國之史學，固不得謂其有稍微之誇張也。

惟其如此，故史學在中國，乃成爲一種鑒往知來、經世致用之大學問。不僅如此，中國史學中乃更富一種人文精神之教育意義。稍治歷史，即知人物在人類歷史演進中之大關係與大責任。故中國學者之傳統精神，則莫不知由修已處世而循至於治國平天下之一終極理想之全過程，爲其嚮往之目標。凡其獻身社會，或從政，或垂教，或發爲言論，或見之行事，苟於其當身及其後世有建樹，有成就，殆可謂無不心通史學。而其人本身，亦得名垂青史而不朽，即成爲歷史上之一部分，又成爲歷史中主要之一部分。此等苟非於史學有體會，有瞭解，何能如此。故可謂中國已往之歷史人物、政治人物、學術人物，則幾莫不於史學有修養者。故言史學，當分爲兩大支。一爲史書之編撰，後人稱之爲史學家。一則爲史學之發揮，後人不知其亦爲一史學家，然彼輩固同於史學有甚深之修養也。否則若專目歷代史書之編撰而謂之是史學，專目此輩編撰者而謂之是史學家，則史學之在中國，豈固限於此一小範圍中，豈惟有關於史料之編排整理，對於史事之空言高論，乃得目之爲史學乎！

由於近百年來世局國運之大變，史學之在中國，乃遭遇兩大難題。一則關於新史之繼續編撰者。上自司馬遷史記下迄清史完成，已有二十六史，今且問此後仍否尚有沿襲此項正史傳統之繼續編撰之必要與可能乎？其他如政書，如地方志，如家譜，如人物碑傳，乃及種種舊史已成體例，又是否均有其延續與遵循之必要與可能乎？就目前學術界情形言之，則一切停頓中斷，不僅無此準備，亦復無此心意。此後之中國，其將一變而爲一史學荒蕪乃至史籍凋零之新中國乎？若再繼續此趨勢五十年或至一百年之久，則中國勢將成爲一無史可稽之國家。即使此下繼起有人有志，亦將無所憑藉，無所依傍，以繼續編撰此一時代之新史，以維持三千載來所發揚光大之史業，此種形勢，實大值憂心也。

而尤有更要於此者。不僅繼起新史，一時無延續之展望。即積存舊史，亦有沉冥否塞，索解無人之憂。此一百年來，乃爲我國人急需歷史知識而又最缺乏歷史知識之時代。不曰自秦以來二千年，中國守舊爲一專制黑暗之政府。即曰自周以來三千年，中國乃一封建頑固守舊之社會。不曰一部二十四史乃一部「帝王家譜」之與一部「相斫書」，即曰一切史籍僅存史料，不見史學。此等狂妄之言，不知其最先出於何人之口，而如響斯應，積非成是，謬種流傳，幾成定論。而我國先聖昔賢積數千年來所已建立之歷史教育功能固已全部失去，而且生心害事，挽近世我國家社會種種禍亂，亦可謂無不依據此等謬說，以助之滋長，而用爲鼓動。我國歷史上每逢亡國易姓之際，必有一輩深識之士急求修史，以謀綴續此歷史大傳統，而期不墜不絕。夫亦曰當前之禍亂，固已不可救藥，而此後歷史教育功能，仍必保持而勿失，庶使撥亂反治有重見時代清明之一日也。而今日之事，則有更急於續修新史之上者。蓋續修新史，其意不過爲承續舊史以善盡其歷史教育之功能，而今日則積存舊史，已陷於晦盲否塞之境，全部舊史方將鄙棄，循此以往，恐國將不國，而史亦何存。此又當前更大一大難題也。

故就中國目前情況言，雖已往史籍之積存獨富，而在當前則特缺一部人人可讀之通史，用以發揮舊史所傳之真義，而善盡其歷史教育之功能。此項新通史，則必能總攬舊史而又別創新體。換言之，不貴其能有班固，而望其能有司馬遷。所謂「究天人之際，通古今之變，以成一家之言」，使能於三千年來積存舊史中，取精用宏，提要鈎玄，以會通之於當前之世局國運，求能一洗流傳之謬說，闡歷古之積存，以寫成一新通史，撥積霾而開新光，使舊史仍傳，人心復振，國運有昌，而後新史可繼也。

我國人迫於此需要而試以新體寫舊史者，輓近以來，亦不乏其人矣。然皆昧失於舊史之深義，而競相模倣西方史書之體裁，於是「紀事本末」一體乃獨見推崇。夫此體之在中國，淵源於尚書，爲中國史書之最先成體者，其後代有承襲，不斷衍變，關於此一體史書之不朽鉅著，固亦歷代有之。用此體寫史，亦復何可厚非。然若專用此體寫史，則亦終有其缺陷。姑舉其著者言之。史以記事，而不知所謂事者，由人之主觀爲之裁斷，而始見有此事。同時此事復與彼事相牽涉相滲透，就歷史真相言，其實則同爲一事。又每事必有起迄，而此一事之起，同時又連綴及於別一事之迄；而此一事之迄，又同時連綴及於別一事之起。浩浩一水之流，何以分涇、渭而別江、漢，又何以別前浪與後浪。故上下古今中外，人類歷史只有一大事而醞釀出種種衍變。此種種衍變，皆所謂此一大事之因緣也。若隨意取捨割截，別爲之題，目曰某事某事，以之連綴成書，雖若有歷史之形式，實失歷史之真相。今即據以爲歷史之真相在是，而不知其多出於治史者之主觀意見。如是則意見紛歧，而歷史真相終不白。我所認爲中國史學最精邃之深義所存，乃在其分年分人逐年逐人之記載，初若不見有事。則亦無怪治西史者返讀舊史，稍窺數頁，即茫然不知其頭緒之何在，而遂謂中國舊史只是一堆史料，而又未經整理矣。

且如讀司馬光資治通鑑，豈不較之讀史、漢以上諸正史遠爲易簡。然今人能通讀司馬氏通鑑全書者又能有幾人。復求其簡明易讀，則莫如讀袁樞之通鑑紀事本末。袁氏之書，乃就通鑑原書區別門目，以類排纂，每事各詳起迄，自爲標題，與近代西史體例甚相接近。然袁書開卷即爲「秦滅六國」，次之爲「豪傑亡秦」，不知此一段史事中乃包涵有無限項目，而每一項目之足以影響後世而爲治史者所當留心注意者又何限。若盡如袁氏書標事分題，而其事題之分法又若是，則全部中國史將真成爲一部歷代帝王家譜之與相斫書矣。故知爲歷史標事分題，其事大不易，其間最易攙入作史者之主觀意見而違失歷史之真相。且如在秦滅六國之後，在豪傑亡秦之前，秦廷豈無一番措施，而其所措施，較之其滅六國與豪傑亡秦，豈不更有歷史價值足資後人考鏡乎？若言秦廷措施，則「焚書坑儒」一事，必先入於論秦史者之腦際。然記秦廷焚書，其事必牽涉及於秦廷之議廢封建以及秦廷所特設之博士官制度。記秦廷坑儒，又必牽連及於秦皇之求神仙、練奇藥以及晚周以下學術界之流行思想。若讀通鑑，此諸事渾融一貫，可見其在此時局下之一全相。既不分別獨立各爲一事，則其間之相互關涉，相互牽連，孰爲因而孰爲果，孰爲主而孰爲從，其所影響於後代者輕重久暫各如何？其複雜錯綜之情，在作史者惟求按年分列，初若可以無所用心，而讀史者則已往史迹俱陳，如入建章宮，千門萬户，內自相通，正可恣其隨心遊覽，由此門出者由彼户入，由彼户出者由此門入，一宮之建造，則決不以一門一户爲限隔。如此，乃能使讀者瞭然於當時歷史之真相。苟循此意讀史，則讀通鑑自不如讀史記，所見所得更廣而更不同。蓋不僅熟記其事，抑且能熟識其人。即如論秦廷焚書，豈可不知有秦始皇帝，抑亦豈可不知有李斯？而秦始皇帝與李斯之爲人爲學本末表裏，則爲編年史體所不能詳，而惟列傳一體乃可委悉備載。今與其專從焚書一事而推論秦始皇帝與李斯之爲人，何如先求秦始皇帝與李斯之爲人而從以考求當時焚書一事之內在意義之更爲近於歷史情實乎！

清季學者論中國史籍，盛推宋鄭樵之通志。此無他，因通志爲書，亦是一部通史，而爲紀事本末體，有近於當時人所認識之西史體裁。抑且鄭書所分事目，不限於國家興亡，政治隆污，而旁推廣搜，及於全人類文化衍進一大體之各方面。其書誠所謂體大思精，較之近代西方史籍，不僅無遜色，抑且有遠過焉者。然就中國舊史體裁作衡量，則鄭氏之書自有其缺陷。此非鄭氏以下元、明、清以來治史者其識皆不逮鄭氏，不足以識鄭書之精微廣大，實乃鄭書自有其不足饜衆望者在也。鄭書之缺，一在遠離於編年史之精密，又一則於列傳一體，甚少留意。既求爲一通史，而於列傳人物，徒襲舊史，一則無取捨之獨見，又無詳略之別裁，較之司馬子長之爲七十列傳，可謂瞠乎其後矣。鄭氏用心，殆未及此。於是讀鄭氏之書者，惟有專注意於其二十略。而二十略之最大缺點，乃在其有事無人。若果無人，則事亦終息。尚不如杜佑通典，馬端臨文獻通考，於歷代典章制度之沿革變遷，尚能使讀者隨處窺見其背後尚有人之存在。故列鄭書於杜、馬之間，尚見鄭氏自有其別出心裁之長處，爲杜、馬所不能掩。若必高懸標格，謂惟鄭書足以當之，而爲中國前後史學家所不能及，則亦無知妄說也。自有杜、鄭之書，而馬端臨可以依倣作通考，自有此杜、鄭、馬三家之書，而後人更可蹈襲成規以續爲此類之書於無窮，此又余前所論有「史法」而後史學可傳之一證也。

清季康、梁昌言變法，康氏本之經學，而揭舉公羊家「三世」大義，實不如梁氏本之歷史著爲中國六大政治家，更易博得社會一時之同情。梁氏此書，即余所謂輓近國人以新體寫舊史之開先也。其中尤著者爲王荊公一書。其書根據蔡上翔荊公年譜。然蔡、梁之書，特一意爲荊公個人雪誣申冤。專就推行新法一事以論斷荊公之爲人，實不如先求荊公之爲人，然後對其推行新法更易有深切之瞭解。蔡、梁之書，於此則尚有所不逮。

遠在清初，即有顧棟高同時兼爲荊公、溫公兩家年譜。其書內容且不論，然欲求當時變法一事之內情，與其是非得失之所在，與其專求之於荊公一人，實不如兼求之於荊公、溫公之兩人之更易得其情實。更進言之，與其專求之於荊公與溫公之兩人，實不如廣求之於同時前後凡屬參加此新法一案之諸人之更易得其情實矣。宋史書多疏謬，不足勝此，然欲求新法一案之內情，則必循此路向求之，此乃中國「史法」精義之爲近人所忽，而尤不可以不爲之特加點出也。

有關中國史料之積存，越後越繁。即如荊公新法一案，宋史以外記載及此之諸史，前於宋史者，既已不勝縷舉，而同時又有諸家之文集及其他筆記雜說之類，沉沉夥頤，不可勝舉。悉此類而平心求之，則荊公新法一案之內情及其是非得失所在，其迹終不可掩。若專求之荊公一人，則顯然易陷於偏見，可不煩詳論矣。今日國人不窺書，高下隨心，而欲上下五千載，專輒拈舉數事，標立題目，信口雌黃。古人不作，惟有恣其予奪，而史學之日趨於魯莽滅裂，其爲害於當前之人心與行事者，亦已惡果爛然，斯不可以不有人焉起而有以拯拔挽救之。此則余所謂當前史學更大一大難題也。

故在今日，乃不得不有人焉，能別出心手，以新體重寫舊史，以應此時代之需要。而此新體，則宜疏不宜密。編年之體已嫌其過密，不適當前之用矣，而列傳之體則更密，將更不適當前之用。惟記事一體，雖於史法中爲最疏，而求以應當前之急用則最宜。然惟其法之疏，乃更貴於作者之能別出心裁，或取或捨，或詳或略，皆有憑於作者之密運其心，獨抒己見，而後可以不爲舊史成規所束縛，而成爲一部人人易讀之史。故疏則必奇，所謂史公好奇，正是其別出心裁獨運己見處也。當史公之創爲列傳一體，其法較之尚書記事、春秋編年遠爲密矣，而能密不妨疏，法不害奇，此史公之所以卓絕千古而莫與爲匹也。今則欲求其更疏，乃欲於上下五千年之煩委史迹中，取精用宏，提要鉤玄，舉而盡納之於短篇小帙之中，以冀其爲人人所易讀。然而又必求其無背於已往史實之真相，亦將於已往史迹中，求以通天人之際，明古今之變，而成爲一家之言。此其所以戛戛乎難也。

吾友張君曉峯，早歲治輿地之學，既已蜚聲於全國之黌序，而居常尤心慕吾鄉顧祖禹之爲人。近年來心存國難，轉而治史，雖身膺黨國要職，每周必闢一晝一夜之暇閒，避地閉門，積數年之力成黨史一部，又主持重修清史稿，其於續撰新史，固已孳孳不倦，抑亦有成績可見。五千年史自定當窮十年心力以求完成。茲方其發軔之始，欲潰於成，究不知在何年何月。以余與張君時有過從，張君屢加面督，謂余於此書不可默無一言，面督之不已，加以書翰請索，余誠無以卻張君，則姑試就其書之體裁而略言之。

張君此書之體裁，乃一部紀事本末體，而編年、傳人兩體之精義亦已密運其間。其遠古史第一冊凡分十六章，而標人名以為章名者得十一章。其西周史第二冊亦分十六章，而標人名以為章名者得六章。春秋史前編第三冊亦分十六章，而標人名以為章名者得四章。三冊共四十六章，而標人名以為章名者共得二十一章，幾得全部之小半。其他各章標題，曰「道德禮俗」，曰「文化學術」，曰「典章文物」，曰「民生國計」，曰「國家民族之興亡盛衰」。大要不出乎此。蓋可謂能注意於人文歷史演進之一大事因緣而求能扼要以抉發其精義之所在者。而張君書之可貴，乃在其能把捉及於人物之中心，而我中國三千年文化歷史傳統精神所在，庶亦可於張君書而得之矣。

夫歷史固以記事變，而記事必兼明道。有事則必有道，有大道，有小道，有正道，有邪道，有得道，有失道。苟徒知有事，而不知道之即寓乎事，則亦何所謂事矣。若必於事而求其道，則其小者、邪者、失者姑置不論，苟凡其事之有合於道之大之正而得者，則必有人焉主持而默運之乎其中矣。故全部人類歷史之演進，則莫非已往聖哲賢豪、名德大人之心血之所灌注，意氣之所彌綸，精力之所撐架，而始得以成此歷史也。以通天人之際，明古今之變者，夫亦從此以通之、明之而已。故治史者則必知尊人而重道。孔子所謂「人能宏道，非道宏人」。求張君之書，則誠可謂有尊人而重道之微意存其間矣。然則張君之書，論其體裁，固是取法乎馬遷，而又旁通於漁仲，乃亦不忽棄於司馬君實，中國古史籍中三大通史之精義，張君固已有志焉爾矣。

惟張君之書，要是取法乎疏者。而史事之演進，則由疏而漸密。以疏御疏，其事易。以疏御密，則其事難。在馬遷當時，所見於中國史迹之事變則尚疏。而秦、漢以下迄於近代兩千年間，每下愈密。今張君之書，僅至春秋孔子時代，此或尚其易者，遞下則必遞難。蓋以疏御密，則必貴有作者之孤識獨見運乎其中，然後始可以疏盡密，使事之密者無以逃於我法之疏之外也。然孤識獨見之在當時，亦只可謂是作者一人之主觀耳。著史則決不能無著史者之主觀，而主觀又每不易驟得他人之共信。史非一時之史，其論定則亦非一時可得。昔司馬談論六家要旨，其子遷承父旨作史記，而特尊孔子爲「世家」，是其父子間意見已有不同，而班固復譏史遷之書爲崇黃、老，此可見孤見獨識之難於驟企人人共信矣。此所以史遷有「藏之名山，傳之其人」之想也。今張君書取法史記，乃一家之著作，非若史料之記注與整理，有成法可規，是必運其孤識獨見然後乃可成書，而其書又有意於作爲一部應時代急需而供人人易於閱讀者，是亦非藏名山而傳其人之比，則張君此書之用心，其將尤難於史遷之作史記，斷可想矣。

抑論今日中國之史學，其病乃在於疏密之不相遇。論史則疏，務求於以一言概全史。故不曰中國二千年來乃一專制黑暗之政府，則曰中國二千年來乃一封建頑固之社會。不曰二十四史乃一部帝王家譜之與相斫書，則曰中國史籍僅有史料而不見有史學。以如此之言論而治中國史，可謂風馬牛不相及。而考史之密則又出人意外。治史者方舉以科學方法整理國故之口號，競求於此上下五千年之歷史中，偶拈一事一名物一枝節，窮年累月，務期考訂之精詳，而究其所極，亦復與此五千年來國史一大事因緣，可謂渺不相涉。考史之「密」與夫論史之「疏」，兩趨極端，何時而始有會通合一之望，其事將如河清之難俟。張君之書，則正可以藥此時代之病。而奈病者不自謂其有病，讀張君書，持疏論者不難謂張君書多憑主觀，乃其一人之意見，無當歷史之情實。尚考密者則必可毛舉細故，或遇所引一語出處有歧，或遇所據一字訓詁有別，或其事年月有差，枝節有辨，如此之類，盡可指摘。然殆無損於張君書之體大而思精。正如太史公書，清儒用力之勤，即就梁玉繩一人志疑一書之所舉，其於史記可資考訂糾正者已多矣，然何害於史記博大而精深之所在。故讀史必當辨其疏密，張君之書有待於枝節之考辨者必多，其可作大義之爭論者，亦必不能驟趨於論定。而張君之書，則要爲此一時代中極富意義之一部創作，則斷無疑也。

夫著史必貴於實事而求是，固有待於考訂，而著史尤貴於提要而鈎玄，此則有待於取捨。太史公書於上古三代人物，僅傳伯夷、叔齊。於春秋，僅舉管仲、晏嬰。此非史公之疏，亦非史公之奇，乃史公之自有其成爲一家之言之所在。史公之書已多滋疑辨，張君之書，則可滋辨者必更多。歷史事變愈後而愈詳，而張君之書亦必愈後而愈見其取捨之獨特，故讀張君書者，尤貴能先識其書之結體與用意所在也。

張君書已成三册，一曰遠古史，一曰西周史，一曰春秋史，而第四、第五册則專詳孔子一人。然則孔子在秦以前中國古史中，其所占分量當越出五分之一。若張君全書共四十册，則孔子一人當占全史分量二十分之一。若張君全書有五十册，孔子一人亦當占全史分量二十五分之一。此必又滋疑辨。可見張君書不僅在取捨之間，乃又在詳略之間可滋疑辨也。儻有人焉，不滿於張君之書，而亦求能羅擧全史，求能抉出此全史一大事因緣，求能成爲一人人易讀之書，縱其取捨詳略與張君書全不同，無害也。事久而論定，使能有如張君之書者十部、二十部接踵並起，孰得孰失，孰是孰非，後人必有能論定之者。而發蹤指示爲中國此下新史學之大功臣者，必屬之張君矣。

果有好爲考訂之學者，於張君書中所稱引，無論其爲一字一句，一名一物，一事一枝節，一人一細故，遇有疏失，逐一爲之考訂，如綱在綱，如裘在領，豈不以有功於張君書者而同時亦有功於中國之史學乎？

怠者不能修，而忌者畏人修。今者，忌、怠之病瀰漫於中國，必有讀張君書，不深求其作意，而輕滋疑辨者。亦必有不復見之於疑辨，而若謂可以置之於不論不議之列者。余序張君書，故不憚其煩而詳論中國史籍爲體之異同長短，以見張君此書在中國近代史學之地位。真有志於治史學者，當不河，漢於吾言。

（民國五十二年七月中國一週六九二期）

中國文化傳統中之文學

一

人生有其廣大面，有其悠久面。有身生，有心生。人皆指此短暫百年之肉體為「我」，不知尚有「空間社會我」與「時間歷史我」。「身我」若可外於社會與歷史而獨立存在，「心我」則必在社會與歷史中完成。故人生決不限於身生，而心生更為真實而重要。

如何使此心能超越此身而日臻於廣大悠久，其先乃賴語言，繼之更賴文字。或說，人之異於禽獸者，賴有兩手，此是歷史唯物觀者之所說。實則手不如口，更與人生文化有關。口能說話，乃使此心得與他心相通，於是遂有社會團體。更進而有文字，於是乃有歷史生命。今天全世界人類，無不有語言，文字則或有或無。有文字，則其人文演進深。無文字，則其人文演進淺。但若為標音文字，則易為語言所限，為用不廣不久。人類語音，隔數百里而變。文字既屬標音，亦必隨地而變。如今歐西、英、法、意、德諸邦，語言各別，文字亦各別，不易相瞭解。不易相溝通。人類語言又有古今之變。今日之英、法人，與數百年前英、法人語言又變，於是近代英、法人，除卻專治古文字學者，每不能讀其數百年前之古書。求通數百年前人之思想文學，心情感想，已有隔閡。更不論如遠古之希臘、拉丁文。歐西人治歷史，討究文化來源，必遠溯及於希臘、羅馬。然希臘、羅馬在近代歐西人心中，究是隔膜，不能從其內心深處親切感到其相互間之成爲一體。故其文化生命終不免要逐步切斷，而亦減少其對於人類文化之深厚感與廣大感。

只有中國文字，乃能越過語言限制，而比較獲得其獨立性。故中國文字，能全國統一，又使今天的中國人，能閱讀中國三千年前人古書，儼若與三千年前人晤對一室，耳提面命，親受陶淑，因此益以增進中國人內心之廣大性與悠久性。既無空間、時間隔閡，使中國人之文化生命得以日擴日大，日延日久。中國文字之爲功，良不可沒。

中國古詩三百首，遠在三千年前。其較後一部分，亦在兩千六七百年前。但任擇三百首詩中語句，可供今天略識文字之小學生閱讀者，爲例尚不少。如云：「一日不見，如三日兮，如三歲兮，如三秋兮。」其中只一「兮」字難曉。但略去此「兮」字，仍可瞭解此兩語內涵之情意。若知「兮」字即如今人言「啊」字，則此兩語之神態，更見活躍。故一日不見如三日、如三秋，遠歷三千年來，成爲中國社會一成語。一若古人特先得吾心，先我言之。

詩又云：「我思古人，實獲我心。」惟有中國人之文字、文學，乃使今天的中國人，若與三千年前之中國古人，成爲同一心情，同一生命。而有古人實獲我心之感。

又如云：「哀哀父母，生我劬勞。」「有子七人，母氏勞苦。有子七人，莫慰母心。」又曰：「我心匪石，不可轉也。」「心之憂矣，其誰知之。」「中心藏之，何日忘之。」「日之夕矣，牛羊下來。」「風雨凄凄，鷄鳴喈喈。」「鳳凰鳴矣，于彼高岡。梧桐生兮，于彼朝陽。」此等語句，幾於隨掇即是。今日一中學生，方過十四五齡，略經指點解釋，可使三千年前人目所見，耳所聞，心所思，情所寄，一一如在其目前，如在其心中。則無怪我中國人心，乃特見爲廣大而開明。

詩三百之後有楚辭，亦距今兩千數百年。其中語句，同樣可一睹便曉。如云：「悲莫悲兮生別離，樂莫樂兮新相知。」又如曰：「嫋嫋兮秋風，洞庭波兮木葉下。」此中心情意境，年輕人或不易瞭，然其文字意義，則仍易解易知。瞭解其文字，自可進而領略其心情與意境。又如云：「與天地兮同壽，與日月兮同光。」又曰：「心不怡之長久兮，憂與愁其相接。惟天地之無窮兮，哀人生之長勤。」又曰：「山蕭條而無獸兮，野寂寞其無人。思舊故以想像兮，長太息而掩涕。」又曰：「寧與騏驥亢軛乎，將隨駑馬之迹乎。寧與黃鵠比翼乎，將與鷄鶩爭食乎。」又曰：「滄浪之水清兮，可以濯吾纓。滄浪之水濁兮，可以濯吾足。」此等皆偶有一兩字稍需解釋，即可明白全句，如與古人對話。而古人之心情意境乃不期而能鑽入後代人心中。中國文化之深厚性，即可由此想見。

詩、楚辭以外之其他古人詩句，如：「日出而作，日入而息，鑿井而飲，耕田而食，帝力於我何有哉。」又曰：「今日何日兮，得與王子同舟。」又曰：「風蕭蕭兮易水寒，壯士一去兮不復還。」又曰：「大風起兮雲飛揚，威加海內兮歸故鄉，安得猛士兮守四方。」此等歌辭，亦都在兩千年前。只稍述其本事，則莫不情景栩栩，更無不解。

又如漢樂府：「洛陽城東路，桃李生路旁。花花自相對，葉葉自相當。春風東北起，花葉自低昂。」又如：「戰城南，死郭北，野死不葬烏可食。爲我謂烏，且爲客豪。野死諒不葬，腐肉安能去子逃。」「薤上露，何易晞。露晞明朝更復落，人死一去何時歸。」又如云：「百川東到海，何時復西歸。少壯不努力，老大徒傷悲。」又如云：「人生不滿百，常懷千歲憂。晝短苦夜長，何不秉燭遊。」又云：「悲歌可以當泣，遠望可以當歸。」又云：「離家日已遠，衣帶日趨緩。心思不能言，腸中車輪轉。」又云：「思君令人老，歲月忽已晚。棄捐勿復道，努力加餐飯。」又云：「來日苦短，去日苦長。」又云「志士惜日短，愁人苦夜長。」又如云：「高樹多悲風，海水揚其波，利劍不在手，結交何須多。不見籬間雀，見鷂自投羅。羅家得雀喜，少年見雀悲。拔劍捎羅網，黃雀得飛飛。飛飛摩蒼天，來下謝少年。」又如云：「採葵莫傷根，傷根葵不生。結交莫羞貧，羞貧交不成。」又如：「上山采蘼蕪，下山逢故夫，長跪問故夫，新人復何如。」如此之類，應皆在一千七八百年之前。聊爾舉例，未能多及。

要之中國文字，遠在一千七八百年乃至三千年前，就其使用於文學詩歌中者，隨手舉例，淺顯明白，可供現代中小學青少年誦讀，而不覺其艱難。此誠並世諸民族創造文字一特可珍貴之奇蹟。然其更值珍貴處，則不僅在其文學所使用之文字，而更在其文字中所表達之文學。請復以詩經爲例。

二

詩有云：「昔我往矣，楊柳依依。今我來思，雨雪霏霏。」此四句十六字，爲此下一千年後晉代文學名家特加欣賞。此乃西周初年中央政府慰勞遠征軍士凱歸飲宴之詩。自春迄冬，勞苦經年，慰問者自必首先提及。然僅說自春迄冬，只說了一時間隔距。中國詩人之意，若把人生從其四圍環境中，孤挖出來單獨敍述，終嫌枯燥迫狹。故不說其自春迄冬，改說從一路楊柳出去到漫天雨雪歸來，如此便把人生情況投入大自然中，融爲一體，不僅見其時間距離，而活潑具體，有景有情，更易深入征人之心坎。抑且楊柳嫩枝，在行人肩頭披拂纏繇，亦若有依依惜別與人不捨之意。物猶如此，人何以堪。而此批軍人，正在此陽春佳節離家別井，此其心情，當惋悵何極。逮其遠征歸來，重望家門，那時該何等興奮歡樂，卻不料又逢大雪紛飛。路上增其辛勞，心中倍加抑鬱。在最好的天氣中出門，在最壞的天氣中回家。此一年中之征人旅況，與其心情，亦大可於此征程之一首一尾中想像得之。試問在政府官僚中，能有此詩筆，唱此勞歌，其深入人心處，即在三千年後今人讀之，尚爲感動。當時預此飲宴之一批征人，終歲辛勞，大堪爲此一歌盪滌無遺。上下融洽，懽如一家。周公以禮樂治天下，其精神深邃處，可尚在今傳詩三百之雅、頌中尋見。故孔子告伯魚：「不學詩，無以言。」後人謂：「溫柔敦厚，詩教也。」一切都可從上引此四句十六字中參入。

中國古人，使語言文學化，文學人情化。一切皆以人生之真情感爲主，此即是中國文化精神。不從此等處直接參入，使我心與古人心精神相通，乃借徑於西方哲學式的言辨理論上闡發，終爲是隔了一膜，不能使我之真實人生，亦投進此深厚的文化生命中，而不知不覺，融會成一體。此是中國文化中文學一項之主要使命。必能負起此使命，乃能成爲中國傳統中之真文學。

中國歷史與西洋歷史不同。西洋歷史重在事，中國歷史重在人。中國文學亦復與西洋文學不同。西洋文學亦重在「事」，如古希臘人即以史詩、戲劇爲文學主幹。中國文學亦復重在「人」，更重在人之內心情感。貴能直指人心，一口說出人人心中所要說的話。人之相知，貴相知心。我能把別人心中話代爲說出，那是何等感動人之事。漢樂府之後有古詩十九首，前人稱其「驚心動魄，一字千金」。文學所貴，正在以心感心，能直吐我心，深入別人心中，斯爲文學上選。如古詩云：「驅車上東門，遙望北郭墓。白楊何蕭蕭，松柏夾廣路。下有陳死人，杳杳即長暮。潛寐黄泉下，千載永不寤。」此景人人可以想見，此情人人同所懷抱。一人說出，人人只在心中點頭道好，感嗟無盡。中國文學長處在能扣緊人心弦，使能心心相縮，把古今人心搓成一線，紐做一團。後人欣賞前人之文學，不啻若自其口出。我心早已爲古人說出，爲古人道盡。俯仰三千年，無古無今，無我無人。

中國人的人生，在文學中只如一篇詩，唱了再唱，低徊反復，其實只是這幾句話，只是這一顆心。我曾說，中國史如一首詩，西洋史如一本劇。中國文學重在詩，西洋文學則重在劇。詩須能吐出心中話，戲則在表演世上事。中國文學重心，西洋文學重事。此處便見中國文學與歷史合一，亦即是人生與文化合一之眞骨髓所在。

下至魏晉南北朝以迄隋、唐，文選詩、唐詩，人人耳熟能詳。此一時期中國人之生活及其心情思想，亦盡在詩中透露表達，而其字句之明白淺顯，在此可不再引。惟有一要點，當特別指出者，中國古人乃以全人生投入文學中。更要者，乃在人生中之「情意」，而非人生中之「事變」。事變可以萬不同，而情意則可以歷萬變而如一。姑舉文選爲例。文選中詩，凡分補亡、述德、勸勵、獻詩、公讌、祖餞、詠史、百一、游仙、招隱、游覽、詠懷、哀傷、贈答、行旅、軍戎、郊廟、樂府、挽歌、雜歌、雜詩、雜擬等二十二目。其中只如補亡、百一等極少項目外，全體都從極普通的人事中道達極普通的心情。此等人事，乃日常事，古今同有。在此等人事中當事人所道達之心情，實亦古今同然。乃使今人讀古人詩，亦如身在當時，不啻如自道己心。如曹操樂府短歌行有曰：「對酒當歌，人生幾何。譬如朝露，去日苦多。」此十六字，既是古今人同解，亦復古今人同感。只要中國文字繼續存在不加廢棄，即使再隔一兩千年後人讀之，豈不仍屬易解。更復人同此心，心同此情，不見有古今之隔。又如曰：「月明星稀，烏鵲南飛，繞樹三匝，何枝可依。」此十六字，亦是古今同有之景，見此景者亦可同有此情。事隔一千年，蘇軾游赤壁作賦，重引曹操此詩「月明星稀」八字，在文字上既不見有古今之隔，而在意境情調上，亦復一千年前與一千年後人如水乳之融，此爲中國文字文學最特出可珍貴之所在。有待吾人細爲闡發，並善爲承續。

其實在春秋時，列國卿大夫即以賦詩作爲當時之外交辭令。借古人之詩句，道達自己之心意。故孔子曰：「不學詩，無以言。」孟子又曰：「詩言志。」屈原離騷，即以抒其內心之牢愁。於是此下中國文學有一特點，即貴在表達主體之「自我」，尤過於敘述客體之外事。如孔雀東南飛乃及木蘭從軍之類，在中國詩中未得爲主流。尤要者，即在詩人自道一己之日常人生，親切經驗，乃使作家與作品，合成一體。每一人之詩集，即不啻是其一生之自傳。魏、晉後大詩人，如陶潛，如杜甫，如蘇軾，後人將其詩編年排列，即成爲其人之年譜。幾於每一詩人，均復如此。尤其如南宋之陸游，晚年隱居鑑湖，幾於日日有詩，總不外是道達家常，抒寫一己隨時隨事之情意所在。使讀其詩者，不啻如讀其當時之日記。一詩人之自身生活，即不啻是一部極佳文學作品。文學不在想像乃在寫實，而且所寫即是作家自身之現實人生。既具體，亦瑣屑。到此境界，所謂文學，更要者，已不在其作品上，而在此作者本人之實際人生上。故在中國，所謂文學修養，主要乃在作者自己修養其德性人品。務期此作者本身之人格不朽，生活不朽，始是其文學不朽之主要條件。

更可以另一觀點說明此層。亦可謂中國文學，所重在「共相」，不在「別相」。事則爲人生中之別相，此一事決非那一事，事必隨人隨時隨地而變。事過即已，另一事又隨之而起。人則爲人生中之共相。每一事之後面必有人，人亦各不同，而在其各別不同之小我個人之上，更有一共相合一之大我。此人始謂是「大人」。人之所以成其大，不在其小我之高出人上，乃在其小我之潛入人中。「大人」之所以爲大，在其人之德性，乃屬凡人之所以爲人之德性共通處。人之可貴，亦不在其與人之別，乃在其與人之共。在人類大羣中，實不重在人與人間之相互各別，而更重在人與人間之共通和合。此惟人生之內在德性可以達此。若人人僅知注重於外在之事，則種種遭遇，只以造成人生之各別。而從各別人生中，終不免多悲劇之產生。若事非特殊，此事與他事，無甚分別，則人若不成爲一事。人生既以事爲重，乃亦重其特殊可分別處。以其人之所有事，與他人特殊可分別，乃見其爲一傑出人。西方古代如亞力山大，近代如拿破崙，此兩人，雖震爍一世，傲視千古，然亦不免爲人生造悲劇，但受西方人重視。中國人則看重在人生之共通處。如堯、舜、周、孔，正爲其所占人生共通處特多，不僅在當時，並在其後世。聖人先得吾心所同然，堯、舜、周、孔之爲人，可歷千萬年，永爲後人作榜樣。若爲人必求特異別出，別於堯則不讓，別於舜則不孝，別於周、孔則無禮而不仁，人道亦將隨之歇絕，而其人乃至不足以爲人。

中國詩人多好詠史，其所詠，亦多詠人，不詠事。如左思詠史有曰：「披褐出閶闔，高步追許由。振衣千仞岡，濯足萬里流。」又曰：「當世貴不羈，遭難能解紛。功成不受賞，高節卓不羣。」此兩詩，一詠豪俠，一詠高隱。此等人在人羣中，似若特殊，實非特殊。在中國社會中有此兩流品。高隱之可貴，貴在其「振衣千仞岡，濯足萬裏流」。豪俠之可貴，貴在其「功成不受賞，高節卓不羣」。其可貴處皆在其品德，不在其事業。中國人衡量人物，必重其「德性」，謂之「人品」。其能獲古今人所當共通俱有之德性最高最富者，斯最爲人之最上品，此非大聖人不能。堯、舜、周、孔之可貴，皆在其德，不在其位。其次以分數歷級而降。其品降，斯其流狹。孟子曰：「伊尹聖之任，伯夷聖之清，柳下惠聖之和。」「任」與「清」與「和」之三德，皆爲人類在人文社會中共通德性所不能缺。豪狹亦是任，高隱則是清。至於和之一德，尤爲人道所貴。就三人論，柳下惠似不如伊尹、伯夷之受人重視，而孟子特並舉以爲三聖人。此中尤見深意。論語曰：「禮之用，和爲貴。」樂尤主和。詩屬樂，「溫柔敦厚」是詩教。「索隱行怪」，中庸所非。試讀中國古今各家詩，凡其所詠，生活情趣，人生理想，志節氣概，嚮往抱負，固亦人人各異，但幾乎無不俱有一種共通風格，共通情調。或任或清，而必濟之以和。故中國詩中最富人情味。不讀中國詩，即不能接觸到中國人生與中國文化之真實內情。

中國人追求人生，主要即在追求此人生之共通處。此共通處，在內曰「心」，在外曰「天」。一人之心，即千萬人之心。一世之心，即千萬世之心。人身、人事不可常，惟此心可常。天有晦明寒暑，若最多變，但萬古只此晦明寒暑，亦最有常。人生在天之下，心之中，此最真實，亦最有常。一人如千萬人，百年如千萬年。財貨權力，得於此則失於彼。貧富強弱，各別不齊。抑且極富極強，到頭同是一死，還是無常不實。秦皇、漢武，志得意滿，慕爲神仙。但若真做了神仙，仍必把其財富權力一一放棄。則人生所竭力以赴，決心而急者，果爲何來。此等皆屬分別人生，決然無常而不實。中國詩人所詠，則端有人生之共通真實處。天在上，心在內，惟此兩者，乃爲中國詩人所詠之共通對象。非宗教，非哲學，而宗教、哲學之極至處，亦無以踰此。今試再舉唐人詩爲例。

如曰：「床前明月光，疑是地上霜。舉頭望明月，低頭思故鄉。」此詩中若有事，實無事，只是一心一境。作者自述其心情，只在思故鄉之一「思」字上。對故鄉之思情，人人共有。所思繫何，則人人各別。詩人所詠，只重人生共通處，故只言思，不言所思之內容。一面把人之情思避開了各別事變，不重事，只重情。一面把來安放進大自然，不使此情孤單特出。故詠思鄉而又兼詠及於月。中國詩人最愛詠月，如曰：「海上生明月，天涯共此時。」此與上引，同一景，同一情。異地相思，同在此明月之下。由於天上之明月，故使引起異地之相思。此是人生中真實常有，遇變而不變處。吾人今日讀一千四五百年前唐人詩，此景此情，仍還如舊。恍如一千四五百年前作此詩之人之此一番情思，復活在一千四五百年後讀此詩之人之心中。至於此詩人當時所詠的背後事實內容，則如煙消雲散，早已不復存在。則此詩人之所詠者，實乃最真實最可常之人生所在也。

中國詩人又好詠春，春氣易於逗引人之情思。唐人詩有曰：「打起黃鶯兒，莫教枝上啼。啼時驚妾夢，不得到遼西。」征人在外，閨中遠夢，此種心情又是古今中外人生共通所有。暮春天氣，更易撩人。黃鶯之啼枝上，亦同爲春光所撩。而此少婦，只在夢裏尋歡。鶯啼驚夢可惱。夢醒聽鶯啼，亦復可惱。若詩中描述某一對夫婦，夢中某種情節，從人生分別處著眼，像是真實，實則此種皆可一不可再，轉瞬逝去，真屬一夢，最爲無常，亦最爲空虛。如是則人生終不免成爲一悲劇。當知世上種種可喜可怒可哀可樂之事，莫非如夢，轉瞬即逝。而此喜怒哀樂之情，則千古常在。故凡屬人事盡可淡置，而此情則大值珍重。情由事起，然事虛而情實。中國詩人，則儘量把情與事分開，卻把此情移來與天地自然相親即。明月春光，皆天地自然，亦常亦實。把人生略去了許多事，只珍重此一番情，使能與天相即。此是中國人生中大學問所在。簞食瓢飲，孔子既深喜於顏淵。而浴沂風雩，孔子亦同情於曾點。中國詩人，大體上不脫孔門回樂、點狂之氣概。

三

今試再循此下述。司空圖居唐末，已感世事無可為，幸有中條山別業可居，時人擬之巢、許，以詩人終。所著詩品，雄渾、沖淡、纖穠、沈著、高古、典雅諸類，凡此所謂「詩品」，其實亦可謂即是「人品」。人品判於心，而見於詩。其人必有雄渾、沖淡之行迹，而始有此雄渾、沖淡之詩品。亦可謂因其有雄渾、沖淡之行迹，乃見其有雄渾、沖淡之心胸。但卻不可謂先有此行迹，乃有此心胸。事因心起，心為主而事為從。而人之心胸，探其本則賦於天，出於自然。此是人類生命之大通處。故人心貴能勿為事牽，而上與天通。古詩分賦、比、興。賦者貴能賦其內情，只能因事見情，決不貴其有事而無情。亦不貴其事為主而情為客。比、興者，乃將此情融入於大自然。即所謂「心與天通，心天合一」。而因事生情之事，則轉不在可貴之列。此乃中國三千年前古詩人所傳精旨。司空圖詩品分釋諸類目，亦頗富古詩人比、興之意。如其詠雄渾有曰：

「返虛入渾，積健爲雄。荒荒油雲，寥寥長風。」其詠沖淡有曰：「飲之太和，獨鶴與飛。猶之惠風，荏苒在衣。」詠纖穠有曰：「碧桃滿樹，風日水濱。柳陰路曲，有鶯比鄰。」詠沉著有曰：「綠竹野屋，落日氣清。脫巾獨步，時聞鳥聲。」詠高古有曰：「月出東斗，好風相從。太華夜碧，人聞清鐘。」詠典雅有曰：「玉壺買春，賞雨茅屋。坐中佳士，左右修竹。」其他諸品之所詠率類此。當知司空圖當時，世變已極。唐末五代，乃中國歷史上之黑暗時期。不得已退身事外，尚可親將此千古如常之天地大自然，荒荒之油雲，寥寥之長風，獨鶴之飛，惠風之荏苒，碧桃柳陰，綠林野屋，好風月出，清鐘碧夜，沽酒賞雨，修竹左右，在極度荒亂黑暗中，尚有此等諸境，可供詩人之逃避。其表現在外，則曰避於詩。其醞蓄在內，則是避於心，避於天。世亂已極，而天則仍是此天，心則仍是此心，可以不亂而有常。此是中國人生中一大哲理，詩人乃得此哲理而成詩。

五代稍後，有大畫家李成，則避於畫。觀李成之畫，亦復內惟一心，外則天地山水大自然。而塵世之事變萬狀，則不入其胸中，不在其筆下。唐末五代之黑暗，乃屬人生之分別面。而先有司空圖之詩，後有李成之畫，則獲得了人生之共通面。上有千古，下有千古，真實常在。此是中國文化中所理想追求之真常人生。古人尊伯夷之清，亦正爲其獲得了人生共通之一面。故伯夷若是出世，而實爲入世之尤。孔子教人，於志道、據德、依仁外，猶尚有游藝一目。文學、藝術，成爲表現中國傳統文化之兩大支。此兩大支，亦像是出世，而實是入世。社會雖然黑暗，尚有此兩途可資隱避。司空圖之詩，李成之畫，亦得了伯夷之清的一面。宋代繼興，人文重光，不可不謂唐末五代之文學、藝術無其緜延傳遞感召影響之功。蘇軾極稱司空圖，謂其崎嶇兵亂之間，而詩文高雅，猶有承平之遺風。李成則宋以下奉爲畫聖。宋人畫論，乃有「心畫」之說。心畫者，即所畫乃畫出了畫家之自心。李成之畫，不限於李成之時代，乃畫出於李成之自心。孔子曰：「仁者樂山，智者樂水。」「仁」「智」乃人之最高心德，孔子即以大自然中之山水作比擬。人類心德，本亦由大自然積久啟迪薰陶所成。故山居之民常靜，偏近仁。水居之民常動，偏近智。寒帶之民陰鷙，熱帶之民懶散。惟在溫帶，風景和煦，山水秀美，民性亦最上。中國人最喜講風景江山之勝，其意亦在此。宋以後畫，尤以山水爲宗。因畫家之心，以寄於山水爲最適。畫山水不啻畫己心。山水在大自然中真常不壞，畫家此心亦常不壞。此亦一種「心天合一」。此種人生，始是真常不壞之人生。亦可謂中國人實已創造了一種最科學的最合自然的人文教。此一層，大可於中國人之文學與藝術中參之。

宋代理學家好言「氣象」，氣象亦是一種「心天合一」之境界。故其稱孟子，則曰「泰山嚴嚴」。稱濂溪，則曰「光風霽月」。其實在魏、晉人已早開此例。人生能達此境界，此即人生之最高藝術，亦即人生之最高文學。人生能入詩境、入畫境，此亦一種心天合一，此乃人生共相之最高理想所在。中國文化精神本重此「心天合一」之人生共相，故文學藝術諸種造詣，亦都同歸於此一共相，以爲最高境界，而莫能自外。

或疑中國詩千篇一律，陳陳相因，似乎只限在格律上爭工，辭藻上鬬巧。論其內容，頗少翻新特創之處。不知此正我所謂中國文學重「共相」之一例。時間、空間不同，每一人之個性又不同，會同此時、空與人之三不同，乃使人生無往而不見其相異。中國人稱自然曰「造化」，正見日新日創，乃天地自然現象。人生亦莫能自外。即以詩言，唐詩自見與宋詩不同。唐代詩人中，李白、杜甫不同。宋代詩人中，蘇軾、黃庭堅又是不同。其他名家莫不皆然。一家有一家之面貌，一家有一家之風格。翻新特創，亦本出於自然，可以不求而自得。所難則在異中有同，在分別中能把握到共通處。「別相」淺顯，「共相」深藏。晦明寒暑之變，誰復不知，所難知者是天。喜怒哀樂誰復不知，所難知者是斯人之性情。周易六十四卦三百八十四爻，綜合了時間、空間、人物個性之千異萬變，而指出其中共通的幾項大原則，加以歸納，則只有八卦。更復歸納，則只有陰、陽兩爻。故曰「一陰一陽之謂道」。孔子則曰：「吾道一以貫之。」能知一貫，乃知有常。晦明寒暑，常此晦明寒暑。山水風景，常此山水風景。鳥獸草木，亦常此鳥獸草木。惟人有心，若離自然最遠。正亦爲惟人有心，乃能自新自創。然而多歧則亡羊。遠離自然，災亦隨之。並世人類，尚有蒙昧渾沌，心智未開發，人文之演進淺，停滯在自然狀態者。亦有心智開發，人文之演進已深，而違距自然日遠，受自然之膺懲，反而消散以盡者。西方如埃及、羅馬可以爲例。小而言之，即如文學藝術，若一意求新求創，必欲反故常以爲快，則如春秋佳日好天氣，亦只有這般好。必欲呼風喚雨，摘星揮日，另造一番天氣，縱不生災禍，亦必成妖孽。此實非人心共通所欣賞，則又何必乃爾。

四

小說戲曲，在中國文學史上發展特遲，亦終不爲中國文學之正宗。正爲其重敍事勝過了其寫情。重人生之分別面，勝過了人生之共通面。惟水滸、紅樓夢，於小說中最爲特出，因其描寫人物心情，較能超出事態變幻之上，而深有得於人物之共相，猶有中國傳統文學之遺意。然其描寫人物，終是描寫了低一級，不能描寫到高一級。水滸中之一羣好漢，終是江湖人物，而非社會人物。紅樓十二釵，終是閨閣人物，而非家庭人物。且其反常處多於可常處，故不爲治正統文學者所重。中國文學另一特質，貴在作品出於作者之自述，而施耐庵、曹雪芹則並不能直接把自己的真實人生放進其書中。讀水滸、紅樓夢，只見武松、林冲、宋江、李逵、寶玉、寶釵、黛玉、王熙鳳，而施、曹兩人自己之身世生平，渺不可見，則書中所敍若爲真實。而仍不見其爲真實。其所敘述，終是在外不在內。必於事變中見情思，不能使情思超越於事變之上而有其獨立之存在。

林冲、武松、林黛玉、賈寶玉諸人，終是困縛在其當身之事變中，而莫能自脫。終是表現了人生一「別相」，不能進入於人生之「共相」。皆無當於中國傳統文化中人生理想之所寄。故在中國人傳統心情中，終不認其爲是文學之上乘。

中國戲劇較小說猶後起，乃頗有回向傳統之趨勢。空蕩蕩一戲臺，無時間空間之布景，一切事變，只在幾句道白中輕輕提過。廻腸盪氣，高歌入雲，纏綿不盡，嗚咽欲絕者，乃盡在歌唱中，卻把人生種種真情實感曲折宣達。戲劇應是最具體，最重描寫人事的，而中國舞臺上演來，則最空靈，最超脫。實已擺脫了人事，而所演出者專重在人情。又其人情所貴，不出忠孝節義，即人生德性之大共通所在。而又能擺脫了教訓式之格套。此始可謂有得於中國傳統詩人之情味。人人盡知中國戲劇內容，重忠孝節義，但其在文學藝術上之卓越成就，實乃深有得於中國文化傳統中文學一門之精詣。是則雖若通俗，而仍有其超俗之存在也。

又中國戲臺上人物，多用臉譜分類表出。其人一露相，便如見其肺肝然。實因廣大人羣中亦只有此幾流品。中國戲劇，能把中國傳統文化中人品分類，衡量人之內在德性之精微處把來通俗化。使無知識人，不識字人，亦能一望皆知。諸葛亮與司馬懿，岳飛與秦檜，同上舞臺，一正一邪，一忠一奸，只用一種圖案，在臉上勾出，不煩多言。而更有意義者，凡屬忠良主角，則多不開花臉。最單純最本色的，斯爲人生中之最上等。其間亦深寓有中國人傳統的最高人生觀。

故看中國一部小説，實不如看中國一本戲，又不如讀中國一首詩，一幅畫。愈精簡，愈涵蘊。愈空靈，愈真實。然苟非深切瞭解中國傳統文化，便不易欣賞中國之文學藝術。惟換言之，亦可謂從欣賞中國文學藝術入門，亦最易得直入中國傳統文化之堂奧。讀經、史困難，治諸子亦不易，能教人讀詩、看畫，聽戲觀劇，從文學、藝術入手，應推爲教人瞭解中國文化一最通俗最親切之道路，此尤爲有志復興中國文化者所應知。

德儒哥德，並不曾見中國幾部好小説，但極致其欣賞之意。又謂：中國人有小説，歐西人尚在樹林中擲石投鳥爲生。今天的中國人，一意羨慕西化，卻謂中國文學已成爲死文學，如冢中之枯骨，能用白話模倣西方文學者始爲新文學。又復主張廢止漢字，單化漢字，一若不達到把漢字盡變成拉丁文拼音，其意終不快。此等主張，既不能深窺中國文學傳統之堂奧，亦未曾望見中國文學傳統之門牆。究不知彼輩於西洋文學曾有若何深沉之研尋與認識。要之，只在外面事上盡量求新求變，卻於自己內在心情，缺乏一分修養。而於中國詩人所謂溫柔敦厚之教，則相距尤遠。此可由各人反求而得，不煩辨論，而可自見其深裏也。

（民國六十三年一月中華學報創刊號）

中國學術特性

一

一國家一民族之學術傳統，必有其特性所在。玆篇姑取西方相比，俾以粗見中國學術之特性。

似乎西方傳統偏重「專業」，而中國則尚「通學」。何謂通學，請仍本中國觀念加以闡申。依中國觀念，學問應分兩類，一爲人人應該，亦屬人人可能之學問，此即爲通學，又一則只限少數人能之，亦只須少數人從事之學問，此即成專業。既屬人人應該，又是人人可能之學，而有卓然傑出超類拔萃之成就，達於遠非人人所能冀及之境界，此始見通學之可貴。至於專業之學，則有雙重限制，內在須視各人才性所近，外在又不須人人從事，如天文曆數，種植水利，醫藥音樂，土木建造等，非不於人生日用有關。然都由少數人專業爲之，而政府社會，或公或私，各與以一分報酬。在中國古代，此等專業，胥由世襲，所謂「疇人子弟」是也。至於通學則不然。論語孔子曰：「弟子入則孝，出則弟，謹而信，泛愛衆，而親仁，行有餘力，則以學文。」

孝弟謹信愛親，乃屬行事，然亦貴學問，此之謂「德性之學」。德性實踐有餘力，乃始及於一切典籍文字。孔門又有言：「博學於文，約之以禮。」在幼年初學，則先約禮，後博文。及其壯年進學，則先博文，後約禮。要之學問從實踐起，而仍歸宿到實踐。此事人人相通，乃一日常人生之共同通道，故名之曰通學。而專業則由各人分別練習，能於此，不必其能於彼。通之與專，其別在此。

二

孔門有德行、言語、政事、文學四科，此乃言孔門通學之內容，與近人所謂專業之分料不同。如顏淵居德行之首，孔子深許之，曰：「用之則行，捨之則藏，惟我與爾有是夫。」知顏淵儻出而用世，言語、政事，亦其所長，故曰「用之則行」也。顏淵問為邦，孔子告以「夏時、殷輅、周冕、韶舞」，必斟酌采擇前古之長，是已為「博學於文」之事。是顏淵即通孔門之四科。故後人稱顏淵為孔子之具體而微。是顏淵為學，即具備孔子為學之全體，惟規模有大小、境界有高下之分別而已。

如子貢列言語科，然孔子問子貢：「汝與回也孰愈？」是孔子視子貢，僅與顏淵有肩差。及孔子之死，子貢獨為羣弟子領袖，羣弟子廬墓三年，子貢獨六年。子貢在當時羣弟子間，輩行最居先，得羣弟子尊奉，寧得謂子貢顧無當於德行之科乎？子貢告孔子，回也聞一以知十，彼乃聞一以知二。是子貢亦能博學於文，惟較顏淵較遜。子貢又曰：「夫子之文章可得而聞。」是子貢亦得列文學之科也。

又如子路、冉有列政事科，孔子晚年歸魯，彼兩人仕於季氏，不能糾正季氏專擅魯國之非，孔子深斥之。然孔子明告季子然：「仲由、冉求，可謂具臣矣，然弑父與君亦不從。」是子路、冉有，亦仍當得列於德行之科。孔子又曰：「千乘之國，由也可使治其賦。千室之邑，百乘之家，求也可使爲之宰。」寧彼兩人，獨於文學無所聞知乎？

又如子游、子夏，同列文學之科。子游爲武城宰，孔子往，聞弦歌之聲，孔子笑其割鷄用牛刀。子游對曰：「聞諸夫子，君子學道則愛人，小人學道則易使。」則子游豈顧無當於德行、政事之科乎？子夏退而老於西河之上，西河之民擬之於孔子。又爲魏文侯師。其弟子有段干木、李克，段干木亦守道不仕，而李克則仕魏有政績。則子游、子夏固不得謂其無預於德行、政事之科也。

孔門之教，主要在教人以「爲人之道」。爲人之道必相通，故謂此種學問爲通學。爲弟子時之孝弟謹信愛親，乃學之始，此即德行之科也。及其長，當出仕宦，求有用於時。子夏曰：「學而優則仕，仕而優則學。」此即邁入言語、政事之科矣。凡此三科，前必有因，後必有變。人道必通於古今，而始有歷史文化可言。此則必有典籍記載。嘉言懿行，好古敏求，此即爲文學之科。故此四科，其道終始一貫，孔門即以此教來學。來學之士，即以此學孔子。學而有等次，乃有「士」與「賢」與「聖」之不同。所不同者，在人不在學。實則孔門四科，皆在同一學問中，特據其爲學成績之特優而言，其弟子乃有四科之分，非謂孔門乃截然有此四種學問也。

孔子又曰：「志於道，據於德，依於仁，游於藝。」依中國人觀念，人類一切學問，皆當發源於人類各自具有之內在之德性。人類德性，有其別，亦有其通。人類德性之大通，其存於心，謂之仁。其見於事，謂之道。故「德」與「道」與「仁」之三者，乃人類一切學問之共同根本，亦即人類一切學問之共同歸宿。至於言語、政事、文學三者，皆屬「藝」。言語指外交辭令。當孔子時，外交辭令之重要性，有過於治軍、理財之政事，故言語列四科之第二。依後世言，顯而在上則從政，隱而在下則治學，要之一本於德與道與仁之三者，要之皆是一種「爲人之學」，此乃孔門之通學也。

三

戰國以下，儒術大行，學者所以學爲人之旨益顯。同時雖百家爭鳴，其言論有異同得失，然皆所以教人以爲人之道，如墨與道，更其顯者。其他如法如農之類，不過其道較狹。既教人爲人，而不教人以爲人之通道，斯則漸失其本旨矣。姑舉當時人物言之，則其冠絕儕輩，爲後世所稱崇者，亦莫非以通道爲學。可謂皆當於儒學之大旨。如屈原，後世言文學辭章者必尊之，然屈原固不以文學辭章爲專業。其仕於楚懷王，於言語、政事皆卓有表現。而其忠君愛國之深忱，寧赴湘流，以葬江魚之腹中，列之孔門，寧得擯於德行一科之外？又如樂毅，仕燕昭王，聯五諸侯伐齊，下七十餘城，其在言語、政事上之表現，在當時，巍然當踞第一流。今讀其報燕惠王書，德行、文學，不僅在戰國，即在中國全部歷史中，亦當膺上上之選。此兩人，豈不足謂之是通學乎？

下歷兩漢，通經致用，皆通學也。其卓然有表現者，固屈指難數。惟辭賦家言，若將漸成爲專業。然如東方朔之答客難，司馬相如之難蜀父老，其學固不專囿於文辭。即就晚漢、三國言，諸葛亮高卧隆中，以管、樂自比。昭烈三顧草廬之中，遂許馳驅，其在言語、政事上之表現，固已震爍千古。及其奉遺詔，侍後主，鞠躬盡瘁，死而後已，列之孔門德行一科，夫又何媿。今讀其出師表，文章純美，上視屈原離騷，樂毅報燕惠王書，亦誠堪當鼎足之三峙矣。是豈專務從事於文學一藝者之所知所能乎？

然諸葛用之則行，管寧舍之則藏。王船山讀通鑑論有曰：「天下不可一日廢道，君子不可一日廢學。管寧在遼東，專講詩、書，習俎豆，非學者勿見。有明王起而因之，敷其大用。即不然，天下分崩，人心晦否之日，獨握天樞，以爭剝復，漢末三國之天下，非劉、孫、曹氏之所能持，亦非荀彧、諸葛孔明之所能持，而寧持之也。邴原持清議，而寧戒之曰：『潛龍以不見成德。』寧誠潛而有龍德矣。」故後人論三國人物，管幼安猶在諸葛孔明之上。船山之論，可謂深摯。就本篇之所論列，管、葛皆通學也。惟幼安無可稱道，在孔門乃如顏子。孔明有所表現，言語、政事，則子貢、仲由之儔也。惟爲潛龍，則人人可能；爲飛龍，則有限制。故依中國觀念，則尤重管幼安之爲人也。

兩晉以下，內囿於門第，外惑於老、釋，又混之以夷狄，人物之選，邈乎無可與兩漢、三國爲比。然其時，亦尚以通學爲通人，不務以專業爲專家，則傳統猶未變。故一時知名人物亦鮮以專家稱。姑舉其著者。如前期晉之有羊叔子，中期晉、宋之際有陶靖節，晚期宇文周之有蘇綽，皆不當以一格局限之。若勉强分列之於孔門之四科，羊叔子可入德行，蘇綽入政事，陶靖節入文學，此亦僅指其表現之特優者而言。烏得謂此三人之爲某一專業之專家乎！

隋、唐盛運復啟，人物鼎新。然其內囿於門第，外惑於老、釋，又混之以夷狄，則固與兩晉南北朝一脈相傳，而又溺之以詩文，故其人物之選，多涉老、釋方外，詩人騷客之流。然其在政事一途，氣局恢宏，事功卓著，幾乎駕兩漢而上之。而昌黎韓愈，尤確然爲唐代一通儒。後世以其「文起八代之衰」，羣以古文家目之。然愈自稱：「好古之文，乃好古之道。」其頌伯夷，其諫迎佛骨，其提倡師道，其言道統，以孟子上接孔子，而有意乎以有唐一代之孟子自任。其於德行一科，論其大體縱曰未醇，要之非無所見、無所志於是者。其於言語、政事，亦復卓有表現。宋儒之興，不得謂其非受昌黎之影響，則其有志從事於通學，固是斯文大傳統所在，亦烏得專一以古文家目之。

下迄宋代，儒術復興，於是自古相傳尚通學爲通人之面貌精神乃益彰。即專以治學一途徑言，如胡瑗、范仲淹、歐陽修、司馬光、王安石、蘇軾、轍兄弟，於經、史、集部，皆所兼涉，固不專務於在近人心目中所謂哲學、文學、史學之某一專業。又其爲學必兼通政事，有體有用。然亦不純爲一政治家，亦不純爲一學者。抑且不論治學從政，又必有志德行。凡此諸人之爲學，途徑雖殊，而其遵循孔門四科，有志乎希聖希賢、志道依仁之大統則一。實則即論兩晉、南北朝、隋、唐以來，學術人品，大體亦自一致。惟漢、宋兩代獨尊儒，無老、釋之抗衡，學者又皆來自田間，與門第子弟不同，故其爲學之風格氣度，最足爲中國學統正規。惟漢人專崇經，學術進步至於宋，又兼尚文史，風格更寬，氣度更大，故中國學術尚通學爲通人之傳統，至宋代乃更見爲完成。

然就另一觀點言，亦可謂宋代理學家，其爲學之風格氣度，乃轉見狹小。濂溪、橫渠、二程，似乎獨尊孔門四科中之德行，獨尊顏淵。而如由、賜、游、夏之徒，頗多有所不屑。淡於政事，更若鄙於文學。此因當時老、釋勢力尚强，影響尚大，理學家一意對此方面努力，遂不期而近似於近代人所謂的哲學專家。不如漢儒「通經致用」，其意興寄在上層政治方面。而宋代理學家，則潛心「格致誠正」，用心轉向內，故亦可說其轉狹小。當時洛、蜀之爭，即由此起。

但自南宋朱子起，而理學之風又大變。北宋理學，可謂偏重「尊德性」，而朱子濟之以「道問學」。北宋理學可謂是「盡精微」，而朱子濟之以「致廣大」。北宋理學可謂是「極高明」，而朱子濟之以「道中庸」。朱子爲學，經、史、子、集，無所不治，無所不通，可謂接近孔門游、夏文學一科。惟朱子於學，獨尊濂溪、橫渠、二程，而尤以伊、洛爲宗，是即孔門顏、閔德行之科也。而朱子於政事，雖出仕之時日不久，而所至有政聲，亦有當孔門子貢、子路言語、政事之科。故朱子之學乃顯然孔門四科舊規，一面發揚北宋理學之新統，一面承襲漢、唐乃至北宋初期理學未興以前之舊傳，而集其大成。斯誠可以當中國學術傳統尚通學爲通人之高標上選矣。

以中國史比之西洋史，唐末五代，儼如羅馬帝國之崩潰，而自宋以下，學術重興，文化再起，迄於今千年以來，中國之爲中國，依然如故，是惟宋儒之功。雖宋代積弱，驟難振作，而其功要爲不可沒。蒙古入主，一時儒生，羣事退隱，於孔門舊傳德行、言語、政事三科，皆不能不委屈退避，則文學一科，亦失其精神，故元儒之學，乃一歸於書本文字之訓詁解釋而止。

明人有意矯元代學弊而未得其方，其學風較之漢、唐、宋爲皆遜，然其尚通學爲通人之大傳統則幸而仍在。尤其如陽明崛起，德行、政事、文學，可謂兼而有之。惟其單提「良知」，較之北宋理學爲更狹。而政事、文學，皆不免爲其門徒王龍谿、王心齋之輩所淡置而忽視。於是不識字，不讀書，端茶童子亦可爲聖人，甚至滿街皆可是聖人。陸、王之學之流弊，不啻爲人開了一聖人專科。是果爲通學之通人乎？抑亦如專家之專業乎？是誠皆大謬而不然也。

尚通學爲通人之大傳統，又蔚起於清初之明遺民。如顧亭林、黃黎洲、陸桴亭、王船山，此皆魁儒碩學，惟北宋以下，庶幾有其匹儔。漢、唐諸儒，無堪倫比。雖諸遺老皆遯世不仕，於政事上無表現。然其上下千古，論政明通，此亦孔子所謂「用之則行，舍之則藏」。孟子所謂「非不能也，是不爲也」。此真可謂在中國學術史上大放光明之一期，較之北宋諸儒，未有媿恧。

厥後清儒治經，自號曰「漢學」，而實無漢儒通經致用之心。乾、嘉一時期之學術，乃若有類於近人所謂之專家。然仍亦有大儒通人崛起，如湘鄉曾國藩。於當時人以學問分義理、考據、辭章三途之外，又增之以「經濟」一途。是仍不忘爲有體有用之學。其爲聖哲畫像記，歷舉中國歷史聖哲三十餘人，則皆所謂尚通學之通人也。專於此而窒於彼，如蠻如觸，只鑽牛角尖，學非通學，斯人非通人。此在中國傳統中，固所不貴。

四

晚清末，國事日非，一時學者，競思學以致用，乃頗好言諸葛亮、王陽明、曾國藩三人。從政、治軍，不忘於學，而更要乃在其皆不背於孔門德行之科。乃更爲清末人所愛言。然慕其人，當知慕其學。無其學，又何從得其人。而其時則西潮已盛，人人方務爲西學，尚專家，則不啻與此三人背道而馳。有侯官嚴復，以幼童派赴英倫學海軍，歸後乃努力繙譯西方名著，所譯如穆勒名學，亞當斯密原富，斯賓塞羣學肄言，赫胥黎天演論，孟德斯鳩法意諸書。此皆西方專門名著，而嚴氏以一人之力，兼譯此諸書，是證嚴氏尚未脫中國通學傳統觀之舊念。繼此出國留學者，或治哲學邏輯，或治社會學、經濟學、政治學、法理學，或治生物、物理諸學。各務爲專家，而互不相通。較之嚴氏，迥以別矣。其在自然科學方面，分門別類，易見成績。然在人文學科方面，如不通歷史而高談政治，不通政治而僅言經濟。分別而觀，亦莫不言之成理，持之有故。而割裂不成體統，利於此不免病於彼。即如亞當斯密暢論自由經濟，在當時亦如對症下藥，立見有效。然藥性各有副作用。此家方痊，他病乍起。自亞當以來，經濟學理論，爲變已多。而尤其是一經濟專家之理論，而求推之於政治、社會、其他學術文化之各部門，則未見能推行而無弊者。

尤其如馬克思，其先創爲「賸餘價值論」，猶是經濟專家之言。繼之爲「階級鬥爭」之共產思想，此已自經濟學侵入到歷史、社會、政治諸學，而不悟其有不可通之處。又繼之而創爲科學的「唯物史觀」，則又轉進到哲學。而更見其大不通。今論馬克思之爲人與其爲學，實不脫一專家身分，專家之學只適用於專業。乃搖身一變，儼然以專業變通人，變爲一領導世變之大宗師。亦若求能以明天人之際，通古今之變，以成爲一家之言，此惟司馬遷在中國學術傳統下，乃可有此史識。此其遙情遠志，乃從通學上路，不從專業起步。馬克思思想之爲害於當前世界人類者，豈不已與人共見乎？

又如佛洛伊特，本屬一專業醫生，憑其臨床經驗，而發明其精神分析學與潛意識論，此已侵入到人心問題。佛氏之所發現，最多亦屬病理的，而非生理的，豈能以一端概全體。中國人因崇尚通學，求爲通人，故於人心問題，早所注意。先秦儒、道兩家，如孔、孟、老、莊，對此問題，尤爲有傑出之貢獻。果欲對人心作研究，此當由全部日常人生，進而從大羣社會人生，乃至歷史文化人生中加以尋討。豈能憑醫院病人之某些臨床經驗，從專門知識之一枝一節上，加以臆測推概，而謂可得人心全體真相之秘密。今即從佛洛伊特派之所推論，取與孔、孟、莊、老以及此下儒、道兩家之所發揮，又兼之以佛學中國化中如天台、禪諸宗之所尋究而比較觀之，亦自見通學與專業之相異矣。

五

今再就自然科學言。如近代醫學之分門別類，互不相知，亦可謂已到達了一種顛峯狀態，難於更進。惟百病叢生，實只萃集於一身。病雖不同，其不能越出此身則同。從病之外在言，百病之部位與症狀各不同。然從病之內在言，病在此身，病雖別而身則通。一病可蔓延爲他病，病在此亦可治在彼。焦頭爛額，不如曲突徙薪。既可防患於未然，又可除患於其易。故醫學雖一專業，而在此專業中亦貴有通學。中國醫學，亦如其他學術傳統，貴通尤過於貴專。凡求醫病，先貴能通知病者之一身。故中國醫學好言「氣」，氣即通於一身，流轉不居，充盈於人身全體之各部位，乃亦不屬於任何一部位，此乃人身之「生機」。一經解剖，即渺不見其存在。今日國人，專矜西學，故斥中醫爲不科學。是亦通學與專家之一爭也。

人之有羣，亦猶其有身。惟身屬物質人生，羣屬人文人生，然在兩者間亦有可通。羣亦有生氣，有生機，一如其身。其身果生氣流轉，生機活潑，其身亦健而無病。其羣亦然。其羣果生氣流轉，生機活潑，其羣亦健而無病。中國人於所謂天人之際，古今之變，亦皆好言氣。自然界之與人文界，過去世之與現在世，其間亦皆相通，中國人即指其相通處曰「氣」。亦可謂有氣乃有相通，有氣乃有存在與生命。宇宙間任何一物之有其生存與生命亦可謂正在其與他物之相通。果使其氣窒塞消散，其與他物相通之機有停滯阻礙，則此物亦當失其生命與存在。此惟通以求之乃有，使專家分別以求，將不見有所謂「氣」，亦將不見有所謂「機」。皆成死局，更無生意。今使在一羣中，分爲政治、經濟、法律、社會各事項，割裂以求，各成爲一種專門知識，可以互不相關，則其羣亦將不見有存在。又如過去世、現在世、未來世，亦可如此分割，此時非他時，幼年非老年，此身割裂，將不見有生命。其羣亦然。亦將爲無生命，亦即無歷史文化可言。

中國人因言氣，乃言「道」。道者即指由此至彼，由彼至此之相通道路。於是而有大道，有小道。其氣由此至彼，由彼得之，斯曰「德」。德亦有大德、小德。所通所得，各有大小。就全體言，則有一潛移默運之主宰。或曰「上帝」，或曰「天」。在人身言，此一主宰曰「心」。此不指心臟，亦不指頭腦。心臟、頭腦，仍各是一體，而非全體。仍可解剖，仍可由專家分別求之。而此潛移默運以主宰乎此一身之心，則一經解剖便無所見。亦非專家分別所能知。必通乎其人之一身，與其自幼至老之一生，會通而觀，乃始見有其存在。亦可謂心即是其身生命之主宰。羣亦然，亦當有一潛移默運之主宰之存在。此主宰，既不是政治上一最高元首，更不是社會上幾許強有力的巨富豪門。凡屬一切人世間權位、財利、名勢之所在，皆不足以主宰此一羣。中國人則名此主宰曰「道」。道之所在，斯即主宰之所在。上引王船山論三國，劉、孫、曹氏之與荀彧、諸葛亮，皆不足以持此世，惟管寧可以持此世。此種論調，政治、法律、社會、經濟種種專家，皆不足以知此。三國時代，分崩亂離已極，而三國以後仍有此中國，中國人之始終不失其存在，至今仍保有其文化生命而不失，誰持之使至此？王船山則曰，惟管寧能持之以致此。此非王船山一人之言，凡屬中國以通學爲通人者，皆知有此言。船山同時有顧亭林亦言：「有亡國，有亡天下。」亡國乃政治家責任，惟亡天下則匹夫亦預有責。劉、孫、曹氏皆亡其國，荀彧、諸葛亮皆無能力，而管寧乃當時一匹夫。吳、蜀、魏三國皆亡，獨中國人之歷史文化傳統終於不亡，斯即天下不亡，乃管寧獨以一匹夫而能保持維繫之使不亡，斯乃吾中國傳統中通學、通人之通識。凡屬分門別類之各項專家知識，則皆不足證成此理論。

若就今日世界各大學分院分系之各課程而論，管寧既非一政治、法律、社會、經濟學家，管寧亦非一哲學、文學、史學家，然終不能謂管寧無所學。主要是管寧其人，但亦將終不爲近代史學專家所瞭解。惟中國史學乃從通學中來，至陳壽撰爲三國志時，史學受中國傳統通學之影響已深，故管寧在陳壽書中，乃得獨立有一傳。若上溯至春秋左氏傳，乃無顏淵名字。管寧亦顏淵之儔。左氏傳後世尊之曰經，然就此等處論，乃遠不如後起之諸史。司馬遷爲史記，欲以明天人之際，通古今之變，此即以通學爲史學也。乃始創爲列傳體，而伯夷、叔齊踞其首。若以叩馬之諫、首陽之餓而論，於當時史事上何關緊要。可知史遷之學，固有超史學之外者，即如顧亭林、王船山，亦豈得專謂之是一史學家。近代史學成爲一項專門學問，可以從其他學問中割裂出，而有其獨立自存之地位。管寧則只是在中國歷史上偶然一見的對其當時歷史一不甚重要之人物，亦終將不會受史學專家之注意。

亦如陶潛。豈得專謂之是一文學家。沈約撰宋書，陶潛入隱逸傳。唐修晉書，有文苑傳，乃不列陶潛，而亦列之隱逸傳之末。陶潛在晉時，爲鎮軍參軍，爲彭澤令，曾出仕。入宋，二十年而卒。乃宋書、晉書均列之於隱逸。晉書既傳宋人，而朱子綱目又特於宋元嘉四年書「晉徵士陶潛卒」。從來言詩人，無不首及潛，而終不以詩人目之。不目其人曰詩人，即尊其詩之至也。若目之爲詩人，則若一專家詩人矣，而潛之爲人爲學，則確有出乎爲詩之外者。故讀陶潛詩，貴能由其詩進而窺其爲人與爲學，乃亦庶能於其詩有瞭解。此即所謂通學也。

中國詩人，亦不獨陶潛如是，姑舉北宋如黃庭堅，能欣賞同時周濂溪之爲人，而讚之曰如「光風霽月」，此四字遂永爲後世傳誦，言及濂溪，每同時及此四字。可知庭堅之學與其人，亦必有出乎其能詩之外者。庭堅之詩，亦即從其人與學來。不識庭堅爲人與其學，又何足讀庭堅之詩。今日國人，競尚西化，一意爲專家之學。能吟詩，斯爲詩人矣。又提倡以白話爲詩，於古詩人作品，皆束諸高閣，並目之曰死文學。惟如西游記、封神榜、紅樓夢、兒女英雄傳等小說，乃至如元曲等，近似西方文學體裁，稍值一顧，而不幸其皆非中國文學之正統。就今日論，學術之傳統已中斷，則死去者亦豈僅止於文學。

即如史學，自司馬遷、陳壽、沈約，下至歐陽修、司馬光、朱子，皆曾著史，其學皆不專在史。今人則一意爲史學專家，渺不得古人讀史著史之用意。於是二十四史、九通，皆止當作一堆史料。方欲模仿西人史法，從此一堆材料中來創造新史，而又恨此一堆材料之多屬廢料而不中用，又怪中國古人不知有社會史、經濟史等。不知西方專家，愈分愈歧，歷史學外又有經濟學、社會學，事皆晚出後起。則中國古人，宜所不知。而在中國古史中，如三國時有管寧，晉、宋間有陶潛，若與政治、社會、經濟各史皆無關。乃不知此等人，正為歷史上下通氣，使歷史得以常存。然此又豈以史學為專業者之所知。

又如孔子，若必以一大思想家目之，已為不倫。又若稱之為一哲學家，則更不倫。近人好以孔子與蘇格拉底相比，以朱子與康德相比。然孔子與蘇格拉底兩人生平行蹟大不同，朱子與康德亦然。人不同，斯知其學亦不同。由孔子、朱子之學而成為孔子、朱子其人。由蘇格拉底、康德之學而成為蘇格拉底、康德其人。以哲學專家之目光來衡量，則其間容有相似。以通學目光視之，斯雙方之不同乃大顯。

中國傳統重通學，西方傳統重專家，具如上述。此亦殆由農村社會與工商社會之分別而來。蓋農村人分別少，而工商都市人則分別多，影響及於學術，乃亦有此。然同在一羣之內，終不能各別相處，更無所通。西方社會之相通，不在學術，乃在宗教。惟在西方，宗教信仰終不敵專家知識。天文學、生物學新説迭起，推翻了上帝創世之信仰。自然科學日益發展，而使上帝迷失。今日西方社會，乃惟以工商業財貨經濟相通，自然科學、專家知識則皆僅為之作婢使。故或為自由資本社會，或爲極權共産社會，其實皆就財貨著眼。要之今日人類之相通，則亦惟財貨是賴。其實即專就財貨言，各業專門所製造，亦同賴有一共通市場。失了共通市場，則各項專業何從成立，何從存在。今日西方各項專家之學，其實亦只成立存在於此共通市場中。即爲今日人類大羣潛移默運之主宰所在，亦惟在此工商市場而已。縱觀於當前之世界，其實情寧非如此？

六

今若進而論人類之真主宰，除卻上帝教主，除卻商人財閥，除卻擁有百萬大軍之征服者及其專制王朝，是否可從人類本身内部即人心方面，另覓一合情理可信從之主宰，而此主宰又可潛移默運以綿延至無窮，此則正待人類之學問尋求。而此項學問，則勢必由通人爲通學，乃可得之，而斷非專業專家之各項分別知識可以勝任而愉快。中國孔子，則正是從事此項學問尋求者。其傳統則爲中國之儒家。

故中國儒家，乃認爲人類之主宰則決然應在人之内，而不超在人之外，因此宗教信仰乃不爲儒家所重。人類主宰，亦決非以富凌貧，以强凌弱之謂，故專制帝王之與豪商巨富，亦爲儒學所反對而排斥。人類主宰，亦不在於分門别類之各項專業知識，彼此互不相知，而謂可以統制此全人類。人類之真主宰，仍必屬於人。而厥爲人類中具有通學之通人。通人所必具之德性曰

「仁」，通學所追求之主要目標曰「道」。而各項專門知識專家學業，則都必於此通學中流出，其人亦必仍不失爲一通人。故孔門之有四科，其流雖可派分，其源則歸合一。匯而成科者爲賢，合而歸源者爲聖。聖、賢皆一通人，學者之希聖希賢，亦希爲一通人。如上述，三國時之管寧，晉、宋間之陶潛，此皆通人，惟通人乃可主宰此世運，而此則非具通學、通識者不之知。

莊子曰：「道術將爲天下裂。」今日之競尚專家知識，是矣。譬之身，目司視，耳司聽，五官百骸，皆各分別有其專司。心臟、頭腦亦然。荀子曰：「心爲天官。」惟此心，乃爲人身之天，爲人身一主宰。然主宰此身之心，乃由學而來。曰「仁」曰「智」，乃人心所當學之主要大目標。數千年上下之心可以相通，而此心遂亦爲人羣歷史之主宰。

今日人類大羣，則乃以工商大企業爲心臟，以政府爲頭腦，各司專門知識之學者，則如耳目之司視聽而已。乃苦於羣而無主，亦成爲羣而無道，無天，並亦無教。在小學則教之爲一公民，在大學則教之爲一專門知識之學者。即在教堂中，亦止教之爲一上帝信徒。乃無確然教其爲一人者。人由業分，不由道合，通學之急需於今世，亦據此可知矣。

七

莊子養生主庖丁爲文惠君解牛，告文惠君曰：「臣之所好者道也，進乎技矣。」「技」必進乎「道」，此爲中國傳統學術一重要觀念。孔子以六藝教，然曰「志乎道，游乎藝」。莊子之所謂「技」，即孔子之所謂「藝」。以近代語説之，此即爲通人與專家之分。必明於道，乃爲通人。若擅一技，則屬專家。道主合，技主分。人各以其才性所近，環境所宜，分治一藝，以維生業，是謂技。鼯鼠五技，自古所戒，故技必主分、主專。即有兼通，亦必有限。道則通乎人人。適此不適彼，適彼不適此，不足以爲道。

就東西雙方文化傳統言，似乎西方較更重技，中國較更重道。如宗教之與哲學，信仰之與思維，本屬人人應有能有之事，應歸道，不歸技。乃西方之宗教與哲學，亦成專業化。教會組織愈嚴密，僧侶專業愈固定，乃使上帝大道與社會人心間，轉增一橫隔膜。馬丁路德創新教，正要爲衝破此橫隔膜。但此橫隔膜，仍亦留存於新教中。要之西方宗教，成爲專業，趨於分化，則爲不可爭之事實。中國傳統文化中，從不自創一宗教。印度佛教傳入，經歷中國化，主要惟盛禪、淨兩宗，其用意即在泯去寺院僧侶之專業化，使佛道、人心融通合一，而普遍趨於人人之日常生活中。

又如西方古希臘大哲學家柏拉圖，自標其學園曰：「弗通幾何學者勿進。」幾何學乃一專門知識，當屬技，不屬道。必使人人先通幾何學乃得通哲學，則哲學亦成一種專門知識，亦將屬技不屬道。又如西方人謂通哲學當先通邏輯，邏輯亦屬一種專門知識，屬技不屬道。厥後西方哲學盡歸入專業化，自成一項學問，與其他學問分離隔別。哲學地位日高，乃其距離普通人生亦日遠。在中國人觀念中，凡屬專門知識，皆如鑽牛角尖，入而不出，則不免有蠻觸之爭。故西方哲學家言：「我愛吾師，我尤愛真理。」然果真理，而偏於主觀之自我創造，則真理亦將日趨於分歧。中國人觀念則不同，真理必具共同性，不能謂我得於此，而他人絕無得於彼。縱謂我得其大，亦不能謂他人絕無得於小。孔子則曰：「述而不作，信而好古」，主要在從會通中醞釀出大道觀。不使分裂，使求道成為專家化。

先秦時，百家紛起，莊子天下篇作者憂之，乃曰：「道術將為天下裂。」術即技也。合則術即是道，裂則離道入技。先秦百家中，如墨、名、法、陰陽，乃至於如農家、縱橫家，皆從一據點無限引伸，莫不自以為道，其實只如一技。故朱子大學章句序，稱之曰「百家眾技」。惟儒、道兩家，其所陳説，庶可謂是道非技。老子曰：「同謂之玄。玄之又玄，眾妙之門。」同時墨、名、法、陰陽諸家，皆不免先自各占一據點，以自示其與人異。而不知所貴乎大道者，乃能超諸異而得一同。老子名此同曰玄。玄之又玄，即是同之上又有同，達於同之最大最極處，乃始是眾妙之門。妙者是一種細微開始。一切細微開始，皆當從此門出，即謂皆從大道生也。惟道家理想，此一玄之又玄之眾妙之門只是天，終不免有「尊天抑人」之病。儒家則主本於人以識天，孟子教人以盡心知性而知天，人心之同然常然處即是天，亦即是眾妙之門。故就人道立場言，道家若不免就虛言之，重自然而輕人文。儒家則就實言之，即從人文來完成自然。自漢以下，中國思想只留儒、道兩家，而儒尤爲之主，此即中國文化學術傳統，主合不主分，尚通不尚專之一明顯特徵也。

八

自宗教、哲學以下，復有藝術、文學，其事若當屬技不屬道，而中國傳統觀念，則仍必期其由是以達乎道。莊子書中最善言藝術。即如文惠君之庖丁解牛，固只是一小技，乃此庖丁，能由小技而通大道。其實衆小技莫不從大道出。亦莫不可通於大道。莊子外、雜篇中尤好言此等事，如痀瘻丈人之承蜩，如齊桓公堂下之斲輪老人，莫不由小技通大道。其他不勝列舉。惟謂解牛、承蜩、斲輪皆可通大道，而人羣中一切較大之實務轉不足以通大道，此終不免言之偏激。孔子則曰：「雖小道，必有可觀者焉，致遠恐泥。」此所謂小道，實亦即老子之所謂「妙」。但小道之妙，仍貴其能致遠，泥即不通，不能致遠，所以只成爲小道。若宗教、若哲學，其所求應屬大道之列，然苟不能致遠，斯即成小道而不妙矣。此致遠之「遠」字涵兩義，一指由一人可通之於人人。又一指由一時可通之於時時。一指「廣大」，一指「悠久」。兩義實亦相通。不能廣大，斯不能悠久。不能悠久，斯亦不能廣大。孔門好言孝弟，其實孝弟亦只是小道，然可推之廣大，垂之悠久，故使小道成大道。孝弟本於幼稚，行之家庭，斯亦老子之所謂「妙」，即微小之開端。就文字言，少女爲妙。然少女，可以爲婦、爲母，斯成爲人道之大矣。苟不能成人道之大，斯又何妙之有。余嘗謂道家所言，乃一種藝術人生，儒家則爲道德人生，其實儒家言道德，即是人生之一種最高藝術也。

文學亦是一種藝術，而中國傳統文學則必主文以明道、載道、傳道。中國文學中精義，亦皆從儒、道兩家來。其他如墨、名、法、陰陽諸家，皆不能展衍出文學。故此諸家，雖各自以爲大道在我，而其道並不能落實貫通到文學上去，則豈不是大道而不能通小技。既不廣大，何能悠久，又何當於老子之所謂妙。當知少女，不能專一爲少女，必當長大爲婦、爲母。少女只如一專家，爲婦、爲母，乃始爲通人。中國傳統學術文化精義乃在此。

古詩三百首，乃儒家所崇。屈原離騷以及楚辭，多羼進道家義。然皆文以寓道，有文、道貫通之境界。漢賦只屬縱橫家言，轉爲宮廷文學。揚雄晚而悔之，曰：「雕蟲小技，壯夫不爲。」建安新文學起，即如魏文帝典論論文，亦已求因文而進乎道。劉勰撰爲文心雕龍，其時佛、老盛行，劉勰又親爲僧侶，然其論文，首主宗經明道，斯可見中國文學傳統精神所謂「文以載道」之旨，決不待韓愈始。近人慕西化，尚專家，認爲治文學，只求成一文學專學。至於論道傳道，乃屬宗教家、哲學家事，何煩文學家之越俎代謀。於是韓愈遂大爲近人所詬病。不知詩文雖屬一技，正貴能由技而進乎道。韓愈論文，亦從陳子昂、李白、杜甫之論詩來。杜甫詩有曰：「文章本小技，於道未爲尊。」顯與韓愈見解後先一致。旁觀太白、柳州，又何嘗不同抱此文、道貫通一致之見解。亦可謀上自詩、騷，下迄晚清，亦皆同此見解，何得於韓愈一人而輕肆菲薄乎。

余嘗爲藝術與理學一文，詳徵歷代諸家論畫，亦皆抱藝、道一致之觀念，正亦如文學中之主張文、道一貫。惟畫家理論較後起。藝、道一致之理論，下迄宋代，乃臻成熟。元結詩：「至人技進不名技，游戲亦復通其靈。」不論詩文字畫，皆貴能游戲通靈，此即技而進乎道矣。人各就己性之所近而專擅於詩文字畫，此屬技。能由己之性靈以旁通乎人之性靈，此屬道。從專家觀念言之，若宗教哲學偏近道，文學藝術偏近技。其實道之與技，皆從人性中來，人性上本於天，人貴能從本源上求通求合，不貴從人事興起後之枝派上求分求專。人人貴能有一番信仰及思維。思維之與信仰，皆貴能合能通。宗教與哲學分，已屬人事之分裂。文學、藝術之創作，又與宗教、哲學分，則尤屬分裂之益甚。不知宗教、哲學、文學、藝術一切皆亦從人類性靈之大本大源上展出。即論文學、藝術，縱不能人人有創作，亦貴於人人能欣賞。其真在文學、藝術上成專家者，亦貴其人能成爲人羣中一通人。則其文學、藝術，亦貴於通學中得基本。否則使其人在人羣中而不得成爲一通人，則其在文學、藝術圈中之成爲專家，縱曰無害，亦非理想上乘之選。

中國人於藝術、文學中皆鄙言「匠」，匠則是一專業小技而已。然中國人又言天匠，言化匠，言哲匠，言大匠。可見匠非可鄙。人羣中有專擅一技以爲匠者，亦有本此一技以上通乎天地造化，下通乎人倫大道以爲匠者。僅以匠爲專業，斯爲小匠。由匠而進乎道，斯成天工大匠，何復可鄙。今若把人羣中宗教、哲學、文學、藝術一一專業化，皆使成一專家小匠，如各滴水皆從同一泉源出，而分散橫溢，不成大流，則其涸可立而待。必當使各滴水從同一泉源出，而仍然匯成一大流，不論宗教、哲學、文學、藝術，各各成爲通人大匠，而後此一大流乃可安然以達於海。中國文化學術主要傳統精神之所寄望者乃在此。

九

文學、藝術既必歸於道，則必更重有共通性與傳統性，其間乃有一時間性，非可自我作古，由我一人而有此創造。古人已有此技，既已傳之人而垂於今，斯即其技中有道之存在。我學其技，主要即在學此技中之道。惟其謂之是道，即當通之人人，非可專屬之於我。故人之學一技，首貴能「忘我」，而惟技之重。但其學而成，則終是成於我，非可謂是成於人。故中國文化學術之傳統精神，乃貴能從「忘我」中獲成其「我」，而終亦不自認其爲我，乃始得之。

孟子曰：「大匠能與人以規矩，不能與人以巧。」規矩即此技中之道也。惟規矩乃有其共通性與傳統性。使我學爲一匠人，則必遵守前人規矩，不得輕肆己巧。貴能從前人規矩中獲得己巧。遵守前人規矩者乃是我，但我既已沒入此規矩中，使我心與此規矩相通合一，乃若不復有我之存在，此即是一種忘我、無我境界。然此規矩，則並不排除我於外。我遵守學習此規矩，既久且熟，乃於規矩中生巧，此巧則屬於我，不屬於規矩。然我此巧，亦終非違背了前人之規矩。「規矩」乃是一種「道德精神」，「巧」則是一種「藝術精神」。兩者相通而合一，既非「有人無我」，亦非「有我無人」。

今亦可謂規矩乃屬於天地大自然，惟天地大自然有此規矩，而並不拒絕人之各自有其巧。更進一層言之，亦可謂在天地大自然之中，實亦並不見有如人類之所想像，有此真方真圓之規矩之存在。規矩方圓，其實已屬在人文界中所形成。亦可說：規矩形成，已即是人類之大巧。惟在人羣中，既先有大巧，成此規矩在前，自不能謂更無大巧，繼起續創規矩在後。惟人類更偉大之聰明，則在不認由人類中有某幾人之巧能創造此規矩，而必認在天造地設之規矩中，而始有人之不斷之巧之出現。中國文化學術傳統，則更重視此一分辨。故每一成就，決不歸之於某某專家私人之所創，而必納之於有一共同範疇之通學。故重道尤甚於重技，即不許人之各肆其小巧。

再論藝術與文學，亦都該要規矩。此規矩亦稱「法」。如鍾繇、王羲之書，即稱鍾、王之書法。然在未有鍾、王以前已有書，亦已有法。如史籀有史籀之書法，李斯有李斯之書法。後人意欲成爲一書家，則必模仿前代名家之書法。但如唐代有褚、虞、顏、柳，宋代有蘇、黄、米、蔡，在書中亦各自名家，亦各自有法。即各有各家之巧妙。但認此巧妙終不背於傳統的法與規矩。巧妙只出於各家之私與專，而規矩法度，則成爲此道之通與公。文學亦然。如唐代詩家，李白之外不害有杜甫。古文家韓愈之外不害有柳宗元。但不論李、杜、韓、柳，皆必學於古，皆必從於古人傳習的一套規矩。如是說之，則在藝術與文學之自身亦皆有一「道」，此即說自古到今之藝術、文學，皆必有一條共同遵行之路。走在此一條共同遵行之大路上者纔始得各自成家。雖說各家有其巧妙不同，而其守規矩而遵大道之共同條件，則並無二致。而其更高更深一層，則又必於藝術、文學之本身之外，尚有一共同遵行之「大道」。

但此亦只似中國人想法，西方人似乎不如此。西方人似乎更重視各自之巧妙，而不太重視在各家巧妙以上之共同規矩。就我上論，即是西方人似乎看重了藝術與文學之屬於「技」的一層，而在技之上之更有「道」的一層，則頗不爲西方所重視。此乃西方人重專家更勝於重通人之一風氣之所由來。

再就中國人對於「學」的一觀念看，中國人認爲學所以學爲人，此一觀念甚重要。故中國人重其人，更重於其人之所學，西方人則似乎重其學，更重於其學者之爲人。余嘗謂中國人似乎認爲須其人先具備了文學家條件，乃始得有其理想的文學作品。而西方人則似乎認爲因他有了文學作品即成爲一文學家。亦可謂中國人認爲要先像樣作此人，乃始成此學。西方人則似乎認爲成學之前並無先做人的特種條件之存在。因此西方人看重在學，重在所學之各別分異處。中國人看重在人，重在其做人之共通合一處。中國人認爲，一切學，皆從人之性靈來，人之性靈，出於天地大自然，故必該有其共通合一處。當然其所學亦儘可有分別各異，但仍當還向其共通合一處作歸宿。再言之，既言爲人之道，則不該有了自己便沒有了他人，亦不該只重現代，而忽視了前代與後代。故中國人衡量學術則必重其共同性與傳統性。

今論宗教、哲學、文學、藝術皆從人性中流出，而層次有不同。而近代之自然科學，則屬另外一層次。自然科學之對象在於物，必因於物以爲學。物既各異，而自然科學之分門別類，亦自隨之而各異。在門類與門類之間，亦可以互不相通。但循此爲研究，甚至如醫學，根本只限於人之一身，而眼耳口鼻，胃腸肝肺，亦加分別研究，各成專家。病在身，而醫家視之，則一身之內，即成千差萬別。醫家治病，可以只見其病，不見其身。換言之，乃是只注意其病之症象，而不注意其病人之本源。故學醫必先學解剖，先把人身解剖成非人身。其他一切自然科學皆如此。把天地大自然及人類社會，亦不啻一一作解剖，至於不見有此天地大自然與此人類社會，只就枝節處作研究，乃始成爲一專家。

朱子大學格物補傳，其所陳義，驟讀之，若與近代自然科學精神有相似，然亦有大不同之處。朱子曰：「即凡天下之物，莫不因其已知之理而益窮之，以求至乎其極。一旦豁然貫通。」

此即與近代科學宗趣大異。近代科學，乃即就凡天下之物而窮之益細，益專，決不先懸一「一旦豁然貫通」之理想。朱子此一理想，亦可以莊子釋之。庖丁爲文惠君解牛，而悟得養生主，此即因一物之理而益窮之，而循至於其他之理之一旦豁然貫通也。

故中國人所重，乃在整體中尋求此一物之理，乃使此一物之理之能貫通於整體。非此亦不得成爲理。中國人之爲人理想，亦貴在羣體中爲人，貴由各一人之私而通於人類之全整體，非貴其能外於人之全整體而爲人。則亦不能外於全整體而爲學。今若由人人各各分別爲學，分別爲人，則人道日歧，學亦無當。當前人類，其所由仍得成爲一體者，積極乃因功利之誘引，消極則爲法律之制裁，但此皆非出於人性之本然。人既違其性以爲人，乃競呼自由、解放。人類所最不自由者，即在功利、法律之約束其本性。若果如近人所想像之自由、解放，乃欲違於本性以求自由，則羣將不羣，而人亦迷失其所以爲人矣。

中國人因於人文傳統中各項學術距離共通人性本源有層次之不同，而分別其階級。孔門四科，一曰德行，二與三曰言語、政事，四曰文學。後世所謂文學藝術乃及種種自然科學，其在孔門，當歸入「文學」一科中，宗教與哲學之在孔門，則當歸入「德行」一科中。惟孔門之德行，必兼「學」與「行」而相通合一以成。後人又分學、行而爲二。則專學不成德，專行亦不足以成德，專以德行爲學而不兼此下言語、政事、文學之三科而通之，亦不足以成德。如專學在宗教，就孔門意義言，宜不足以勝傳道之任。專學在哲學，亦不足以勝明道之任。道則必兼技，德則必兼行，形上必兼形下，貫通必兼專別。

茲再分言之。德行可以小我個己爲本，言語、政事則必以大羣爲本，而文學則又必兼往古前世以爲本。故孔門四科先德行，次言語、政事，最後始爲文學。反而言之，文學必當能應用在言語、政事上，而言語、政事，又必歸本於小我個己之德行上。此一爲學之大系統，能勝其任者，應在通人，不在專家。今人乃羣目政治外交爲專家之業，果以孔門理想言，其人當上通德行，先知個我小己所以爲人之道。又當下通文學，即往古前世一切嘉言懿行，歷史文化之傳統，乃及天地間萬事萬物之共通原則。必期其人先知自然與人文之大綱宗所在，然後始能爲一理想從政者。大學舉格物、致知、誠意、正心、修身、齊家、治國、平天下八條目，而在平天下一條目下乃曰：「斷斷兮無他技，人之有技，若己有之。」因治平乃是人類整全體一大道，斷非某幾個少數人之一專業。今人乃視此等人類公共大事，謂皆可由專家之學作爲一專業來處理，一若其事，亦猶人之治稼穡、醫藥然，可以從人類共通大道中分別劃出，則其人之爲政，乃可以上不知有德行，下不知有文學，則其政果將爲何等之政乎？

中國古人言「天地君親師。」又曰，「作之君，作之師。」君管「治統」，師管「道統」。中國古君之與師，皆必由通學爲通人，始能勝其任。又且君道必通於師道，師道亦必通於君道。中國古代歷史上有文王、周公，是即以君道通師道者。孔子、孟子，則是以師道通君道者。自漢以下，五經之學，定爲百官羣僚從政之階梯，五經即中國傳統中之通學也。宋、元以下，又增之以四書。百官從政，必先通四書以及五經，斯即不通德行、文學，即不足以從政。惟國君一位定爲世襲，然自其爲太子，及其登極爲君，皆有學。其學亦與百官羣僚所得以從政之所學同。五經、四書皆不得謂其是一套政治學，而乃人人學爲人之通學，而爲君爲相者，亦無以異之。法家者流，如申不害、韓非書，乃始視爲君爲專業，其所主乃是技而非道，爲後代學人所鄙視。在西方若惟宗教，乃爲人人之通學，然耶穌已言，凱撒之事由凱撒去管，則已排除政事在宗教之外。故不僅政治成爲一專業，即宗教亦成爲一專業，皆有專學，由專家爲之。專家日旺，通人日衰，則誠人道一大可憂歎之點也。

今日西方之民主政治，一國政治元首，皆由民選。然多數民衆既不屬專家，亦不屬通人。則多數亦何遽可信。最多可以防弊，然不足以興利。且其如宗教、哲學、文學、藝術乃及各部門自然科學家，皆須由學術培養，不由選舉。何以一國政治元首，獨必由選舉。而自元首以下之從政人才，皆出專家。此等人皆是各擅一技，未聞其共認一道。是則人人各擅一項技巧，乃至於奇技淫巧，互不相通，其弊可知。其所以猶得相處以共成一政府，主要乃在法律，不關德行。固亦有不世出之領袖，崛起其間，然如西方上古希臘馬其頓之亞歷山大，羅馬之凱撒，近代法國之拿破崙，德國之希脫勒，爲大羣禍福所繫，然皆出於天縱，非由教養。人類若漫不以教養領袖爲事，所爭乃曰個人自由。其對領袖則惟以法律箝制爲能事。中國傳統文化，則重道義教養，更要爲君、師之道，君、師得其教養，則人羣共通有自由。不爭共通自由而爭個人自由，則所重仍在個別之專，不在共同之通。不知一通可以容百專，百專不能成一通。專愈細，斯通愈窒。羣道之壞端在此。

今論人性有異復有同，有同亦復有異。從其異而教之，則成專家專業。從其同而教之，則爲通德通人。人人各具一專業，其事易，專業中出一專家，其事難。人人各具一通德，其事易。而在通德中成一通人，事則更難。慈孝乃家庭中通德，然慈父孝子，未必皆爲一通人。必如舜與周公之大孝，乃得爲通人。在專家專業中而使各備通德，其事亦易，求於專家專業中而出一通人，事則更難。如舜之爲君，在其朝廷中，契司教，稷司稼，禹司治水，皐陶司刑，夔司樂，皆以專業而爲通人，斯始爲一至高無上之理想政府。中國古代誠有此政府否，可勿遽論。要之中國古人確已有此一理想，則證之尚書堯典之篇而可知。

中國自秦以下，常有一大一統政府，如漢高祖劉邦，明太祖朱元璋，皆崛起草野，出自天縱。然相從創業者，如蕭何、張良、劉基、宋濂之徒，皆不得謂其絕不知「政道合一」之傳統大義。他如東漢光武帝，唐太宗，其於傳統政道合一之大義，則必更多所聞。其守成之君，如西漢文帝、宣帝、東漢明帝、章帝、唐憲宗，宋仁宗、神宗，南宋孝宗，乃至如滿清以異族入主，慕效漢化，如康熙，皆能黽勉於政道合一之大義。至於政府百官，上自宰相，下至鄉邑小吏，能上備德行，下通文學，確符於歷古相傳政道合一的理想。政府下之卿僚人選，在一部二十五史中，幾乎每代每朝，中外上下，每處皆有。固不能謂自秦以下之中國傳統政治，已足當此政道合一之大理想而無媿。要之能緜延兩千年，一體相承，廣土衆民，凝而不渙，久而益堅。較之並世其他民族，專就政治成績言，其恢宏安定之成就，殆無可匹。斯固不得不謂其乃由重合不重分，重通不重專，得自政道合一之理想之所賜。

中國傳統政治理想，治國以上有平天下。世界大同本於人道之相通。將使「天下如一家，中國如一人」。此爲中國政治理想之極致。

西方人視政治，亦如一技，似不認其是一道。希臘哲人柏拉圖著理想國一書，全國受「哲人王」統治。其下民衆，一脫母胎，即歸公育，不得有家庭父母之私。各就性近，加之教養，或農或工，或兵或商，全經指定。畢生各專一職，絕不能有絲毫之自由。此等理想，其視政治爲一技，抑爲一道，抑爲技而進乎道，由中國人觀念讀其書，自感其格格不相入。縱認其亦是一道，然只可謂是專在「政道」。有「政道」，無「人道」。政治與人生，仍見其分，不見其合。亦幸而其書終爲一「烏托邦」，一懸空之理想，未能實施。然尚不斷爲西方人所想慕。果使其書理想一旦實現，此一哲人王，較之近代莫索里尼、希脱勒、列寧、史太林，慘酷暴烈，殆遠過無不及。在羅馬時代有教育家昆提連，主張培養政治人才，先從語言教育，使成爲一大演説家，是亦一種專門技術而已。近代西方政治，率重宣傳，重説服，重視大會演説與公開辯論。然不問其宣傳演説之固是一技、抑是一道乎！是政治仍是一專家專業，一入政治，便當遵循政治一條路上前進。人生中各業各條路，分劃得太清楚，故近代西方之大學制度，分院分系分課，各尚專攻，其勢將只見專家，不遇通人。盡成小道，更無大道。惟有宗教信仰死後上天堂，始是共通人生大道，而又不幸上帝迷失，並此死後一條共通大道而亦將失存在。今日之西方社會，豈不如是？

依中國人觀念，一切人事皆各有道，而尤貴有一宏通之大道。故曰「人能弘道」。可見道由人立。又曰有「三達道」。又曰「大哉聖人之道」。惟聖人之道，乃可通於人人以爲道。莊子曰：「曲士不足以語道。」今日之所謂專家，自莊子言之，亦一「曲士」。惟中庸則曰「致曲」。人生各有一曲，惟貴能推致其曲，以成「大方之家」，斯專家亦爲通人矣。故依中國儒家觀念，專家非不可貴，但必期專家進而爲通人，非欲毀專家而求通人。故孔子曰：「執御乎，執射乎，我執御矣。」御之爲技，視射爲尤下。執御、執射，各專一藝，各守一專門之業，斯亦人道之常。惟求其相互間之通。道家尊天抑人，惟恐人道展衍而害天道，惟恐其由專而害通，故於人道常持悲觀消極態度。儒家則主本於天道以展衍出人道，又復本於人道以參贊於天道，故於人道持積極樂觀態度。此爲儒、道兩家之所分。而儒家之道，則終於中國傳統占優勢。居今日而言世道隆替，此一辨，似不當不加以深切之討論也。

（民國六十五年一月中華學報三卷一期）

泛論學術與師道

一

今天講題是「泛論學術與師道」，且先講有關學問之道與術。「道」、「術」二字聯用，乃是同義詞，猶云路。莊子天下篇有云：「古之所謂道術者」，又曰：「道術將爲天下裂」，皆指學問行爲言，此即合用之例。若分別用，則義訓有別。道指義理，術訓方法。凡有關從事學問之方向，及其所應到達之目標等，應屬「道」，即凡論該做何等樣學問，或論學問之意義與價值等，皆屬之。但依此方向，達此目標，亦非簡單一步可冀。此中儘有層次、步驟、曲折、艱難，此屬方法問題，是即學問之「術」。簡言之，該做何等學問是道，應如何去做是術。

試舉一淺顯之例，如明王陽明先生幼年讀書，塾師勉其爲第一等人。問：「何爲第一等人？」塾師答以應科舉，中狀元。陽明答謂恐做聖賢始是第一等。此所辯論即屬「道」。但如何去應舉中狀元，如何去做一聖人，亦必有方法與步驟，是即所謂「術」。可見道固當重，術亦不可輕。凡屬討論或指導學問，最高應是道、術兼盡。其次不免各有偏倚，或偏道，或偏術。

自古論學，惟孔子能道、術兼盡，孟、荀以下，便不免各有偏重。孟子似偏重道，荀子似偏重術。我們若根據此一看法，來尋求古人討論或指點學問之異同，何者偏於道？何者偏於術？分別而觀，必能使我們對治學門路，有更深之瞭解。

二

何以謂孔子教人能道術兼盡？試舉論語爲例：顏淵喟然歎曰：「仰之彌高，鑽之彌堅，瞻之在前，忽焉在后。」此四句即指道。顏淵自述所瞭解於孔子之道者，亦可謂即顏淵所瞭解於孔子之爲人與其學者。下云：「夫子循循然善誘人，博我以文，約我以禮。」此三句乃指術。「循循善誘」乃是依著層次、步驟、淺深、曲折來教人。「博我以文，約我以禮。」具體講，亦屬總括講。孔門以六藝教人，凡見之於文字、書籍，或社會、行事、政治、禮樂各方面者，皆文一方面事。禮，體也，履也，指躬行實踐。學問是一大體、一客觀體，做學問必求能落實到學者個人方面來，此即約我以禮也。此下又云：「欲罷不能，既竭吾才，如有所立卓爾。」所謂所立卓爾者，即指孔子之道，亦可謂指孔子之學與人。下又云：「雖欲從之，末由也已。」此又指術。顏淵說：己雖欲罷而不能，然心力已盡，本領已窮，而孔子之爲人與其學，仍似卓立在前，可望而不可即。此見孔子之道之高，顏淵欲從末由，無法再前。孔子弟子惟顏淵對孔子之教體悟爲最深，故此番述說亦最親切。吾人即據顏淵此章，可證孔子教人乃是道、術兼盡者。

惟其孔子教人能道、術兼盡，故能因材設教，使各有入門，各有成就。試觀孔門弟子問仁、問孝、問政、問學，所問同，而孔子所答各不同，此即孔子循循善誘之一例。又孔門有德行、言語、政事、文學四科。孔門弟子各因材性所近，分科成才，此見孔子之道大，而又能善盡其教人之術，故其成就有如此。四科中，文學、政事、言語皆易見，惟德行一科最難講。此非不能文學、不能政事、言語，而獨成爲德行之一科。德行應是學問中一最高境界，應能會通此三科而又超而上之。顏淵爲德行之首，後人稱顏淵於孔子「具體而微」。此言顏淵與孔子僅是份量上不同，而非體質上有別。正猶如陽明所云同是黃金，成色相同，而僅是輕重不同而已。

然則孔子縱善教，孔子門下則更未能再有一孔子，無怪子貢要說孔子「猶如天之不可階而升矣」。但子貢之讚孔子，終不如上引顏淵「喟然」一章之親切。孔子亦自云：「下學而上達，知我者其天乎！」當知孔子仍由下學，下學即是「術」，上達乃是「道」。欲求上達，必自下學。而從事下學，必求上達。如此始是道、術兼盡，方可到達最高境界。下學開始，應是人人可同；上達之極，始是各有境界。下學是盡人事，上達是盡天賦。人事已竭，而天不可幾，此亦無法。故子貢又說孔子「固天縱之將聖」。然則我們從事學問，縱不能盡求如孔子之上達於道，卻不能不依循孔子所教之術而下學，庶期能各有所至，其義至顯。我們若依此觀點去讀論語，即可明孔子教人之道、術兼盡處。

中庸云：「行遠必自邇，登高必自卑。」行遠、登高是目標，屬於「道」。自邇、自卑則是方法，屬於「術」。中庸又云：「君子之道，費而隱。夫婦之愚，可以與知焉。及其至也，雖聖人亦有所不知焉。夫婦之不肖，可以能行焉。及其至也，雖聖人亦有所不能焉。」此處正是說明下學盡人可同，上達則止境難求。從事學問，當從最卑、最近處，一夫一婦可知可行處入門下手。若論最高境界，即聖人亦有所不知不能，在我們則只有「雖不能至，心嚮往之」而已。

三

現在講到孟子。孟子教人，似乎偏重在道，而不免忽略於術。孟子有云：「耳目之官，不思而蔽於物。物交物，則引之而已矣。心之官則思，思則得之，不思則不得也。」此等處，似乎只在原理上講，只教人去思，卻不教人如何思。孟子又曰：「此天之所與我者，先立乎其大者，則其小者弗能奪也，此爲大人而已矣。」此亦從原理上講。但如何先立其大，孟子亦不詳說。

孟子又云：「人皆可以爲堯、舜。」爲堯、舜自然是學問之道已到了最高處。但孟子又云：「力不能勝一匹雛，則爲無力人矣。今日舉百鈞，則爲有力人矣。然則舉烏獲之任，是亦爲烏獲而已矣。夫人豈不勝爲患哉？弗爲耳。徐行後長者謂之弟，疾行先長者謂之不弟，夫徐行者，豈人所不能哉？所不爲也。」孟子以非不能乃不爲責備人。此種責備，在原則上講，當然叫人只有俯首接受。但若真依孟子言去做，直從徐行後長者做到堯、舜境界，那一段路程，卻並不簡單，中間大有步驟、層次、曲折、艱難。固不能因有步驟、層次、曲折、艱難，便謂孟子話錯了。

其實孟子話並不錯，仍只是中庸「行遠自邇，登高自卑」之意。孟子只鼓舞人向前。「行千里者，起於足下。」近自足下，豈不可遠達千里？然又有說「行百里者半九十」，此話也不錯。上引顏淵「喟然」一章，正因那後面十里極難走，故有終不能達者。可知上一句是論道，就原理言。下一句是辨術，就事實言。既是各有所指，我們大可不必在此上起爭辯，主要應予分別的瞭解。

孟子又云：「道若大路然，豈難知哉？人病不求耳。子歸而求之，有餘師。」孟子教人回家靠自己，不必出外求師。此語也不錯。試問：此世若無孔、孟，難道便成無人、無道了嗎？陸象山也曾說：「堯、舜以前曾讀何書來？」此語也不錯。可是我們不能專聽孟子、象山說，便不去從師讀書。

孟子又云：「弈之爲數，小數也；不專心致志，則不得也。弈秋，通國之善弈者也。使弈秋誨二人弈，其一人專心致志，惟弈秋之爲聽；一人雖聽之，一心以爲有鴻鵠將至，思援弓繳而射之。雖與之俱學，弗若之矣。爲是其智弗若與？曰：非然也。」孟子責備人不要一心以爲有鴻鵠將至，孟子鼓勵人該專心致志，此並不錯。但即論弈道，雖遇國手傳授，雖儘專心致志，其人卻不必即成國手，此亦是事實。孟子又云：「有爲者譬若掘井，掘井九仞而不及泉，猶爲棄井也。」掘井必須掘到泉，做人則必須爲堯、舜。孟子高懸此一目標，教人要立志、有勇氣、堅決向前。孟子教人，可謂句句鞭辟入裏。但若與孔子論語中教人語相比，終似多講在高處。

孟子又云：「君子深造之以道，欲其自得之也。自得之，則居之安；居之安，則資之深；資之深，則取之左右逢其原。故君子欲其自得之也。」道要我們自得，此語顛撲不破。縱有名師，仍待自得，做學問永遠不能捨卻「自得」而有得。可是如何而能有自得，此一境界卻仍有步驟、層次、曲折、艱難，孟子在此處也似不曾細講。

孟子弟子公孫丑嘗問：「道則高矣、美矣，宜若登天然，似不可及也。何不使彼爲可幾及，而日孳孳也？」公孫丑此問，正盼孟子肯俯就學者，循循善誘之意。但孟子則答曰：「大匠不爲拙工改廢繩墨，羿不爲拙射變其彀率。君子引而不發，躍如也。中道而立，能者從之。」此謂不因學者之不能，而改變教者之原則與標準。君子立在大道上，能從者自來。故孟子又說：「梓匠輪輿，能與人規矩，不能使人巧。」規矩是道，教者只指示人此道。至於如何能成方圓，必有巧，此即所謂術，則是學者自己的事。故孟子又云：「大匠誨人，必以規矩。學者亦必以規矩。」此皆孟子教人偏重道、不及術之證。孟子只從最先立志上，最後標準上，提撕激勵。至於中間一段應有之層次步驟、方法技巧，孟子不甚多及。孟子只教人向前，要人自得。孟子重在原理原則上提撕激勵人，可使百世之下聞者興起。

宋人葉水心評孟子，謂其：「開德廣，語治驟。」此語亦有理。所謂開德廣，如孟子語「齊王好色、好貨」之類。所謂語治驟，如孟子謂「不嗜殺人，可以一天下」之類。秦、楚之堅甲利兵，在孟子意想中，似乎摧之甚易。但此中亦盡有曲折、步驟，孟子則略而不論。故公孫丑謂其高矣、美矣，而若登天之不可及也。

四

現再講荀子。韓昌黎有言：「孟子醇乎其醇，荀子大醇而小疵。」荀子論道，實未能如孟子之高明。但荀子在論學問之「術」處，卻多可取。論語開首「學而時習之」一章，此乃指示人以一生治學之三階段。荀子首篇即爲勸學，亦有許多指導人做學問、關於方法方面的話。孟子首章「何必曰利，亦有仁義而已矣」，則專在「道」上講。論、孟、荀三書篇章次第，固由後人編集，但由此亦可窺三家講學，確有不同。

孟子距楊、墨，只說：「楊氏爲我，是無君也。墨氏兼愛，是無父也。無父無君，是禽獸也。……楊、墨之道不息，孔子之道不著。是邪說誣民，充塞仁義也。仁義充塞，則率獸食人。人將相食，吾爲此懼。……我亦欲正人心，息邪說，距詖行，放淫辭。……予豈好辯哉？予不得已也。能言距楊、墨者，聖人之徒也。」其語爽朗高越，正是泰山嚴嚴氣象。但荀子解蔽篇批評當時各家學問，一一指出其病在何處，病從何來，所論極深刻細密。從儒家立場言，荀子爲功亦不小。又如荀子有議兵篇，將當時各國軍事利病，作一番詳細的分析與比較，當下可以指示人一種整軍輕武之入門下手處。又有富國篇，所論委析，亦非如孟子所謂：「五畝之宅，樹之以桑，五十者可以衣帛矣。雞豚狗彘之畜，無失其時，七十者可以食肉矣。百畝之田，勿奪其時，八口之家可以無饑矣。」那樣的簡單。

我們似乎可以說，孟子所講只重在基本工夫與最高目標上，而忽略了中間之步驟與曲折。而荀子所長，則正在此中間一段。學問途徑甚遙，曲折甚多，中間一段亦不可不注意。但若只在方法上用心，只逗留在那中間一段，而使基址漸圮，目標昧失，爲病正是不小。惟荀子論學，究亦有其長處，則不可不知。

孟子弟子爲後世知名者，除公孫丑、萬章數人外，幾無高手。但荀子門下則成材甚多。漢儒傳經，淵源多自荀子。似乎孟子講話甚高，但其弟子在學問上不見有切實立足點。因此孟子之功，在激發人，在大處立高論，在「先立乎其大者」，在能以顏淵所歎「如有所立卓爾」之一番精神境界，明白揭示。孟子之有功於學術界，在遠處大處。而荀子則似卑之無甚高論，但亦有其貢獻，不能一筆抹殺。

在周官書中，本有「師」「儒」之分。今若比讀孟、荀兩家書，孟子顯以「師道」自尊，而荀子則以「儒術」自負。若就後代人觀念言，孟子可謂是一「人師」，而荀子則只是一「經師」。後人所謂「經師易得，人師難求」。似乎人師更可貴。依照孟子一路，能提出一篇大道理，講到「雖不識一字，亦可堂堂地做一人」，此是人師標的。但大道理固該講，讀書爲學，切實方法亦不該忽。即如我們從師求學，所從豈不多是經師，所求亦只在方法上。教你如何識字，如何讀書，把這些文字書本學問曲折，一代代傳下，此事終不可廢。亦可謂，孟子教人偏重在「做人」，而荀子教人則偏重在「做學問」。此後歷代大師指導人，便未免依此兩路各有所偏。要如孔子之「道、術兼盡」，則難之尤難。此層我們又不可不知。

五

兩漢經學，大體淵源自荀子，雖無大義發見，然訓詁、章句，使六經猶獲保存，流傳至於今日，其功正不可沒。魏、晉清談，所重轉在講莊、老。實則莊、老教人，亦是偏重在做人方面，故分別出「至人」、「真人」、「大人」、「神人」諸色人等，教人有一趨嚮。又稱「絕學無憂」，讀書所得，只是古人之糟粕。可見莊、老教人重做人，不重爲學。做人則貴有原則，必偏重於講道。做學問則不得不注意到細節目上去，並有層次步驟。

陶淵明曾云：「讀書不求甚解。」此一態度，偏在道的一面講是對的。讀書得其大意，可爲做人之用。若論做學問，一字即是一字，一句即是一句，卻不宜不求解。但一意逐字逐句解下，便應是經師，不得爲人師。我們若從此一分別講來，則魏、晉清談，大體卻是近在孟子一邊。

六

下面談及佛教東來。佛教本是外來的，因此與中國固有傳統，有其不同處。如先秦孔、孟、莊、老，都重在教人如何做人。法家、兵家、縱橫家等，則教人如何應事。講做人，其道尚簡，因在原則上應是大家一般。講應事，其道繁，因在實際上貴乎因時因地而制宜。佛家教義既不教人做人，亦不教人應事。佛家主要乃教人「出世」。教人出世，應講一所以應出世之道，其語則繁。至於如何出世，及出世後如何，其事則簡。因此初期佛家經典繙譯來中國，所重多偏在講「道」，即講究一所以應出世之道。此道決非片言隻語可盡，因此一切經典皆極繁委詳析。而初期僧人亦多注重在義解上，要究明闡釋人類所以要出世之理之所在。迨至隋、唐之際，中國人自己傳統精神進入佛家思想之內，而佛家內容所重亦因此有變。此下所重乃在如何成一佛。此則轉變成爲一種方法論，即偏在「術」的一邊去。

達摩東來，言成佛有「理入」、「行入」二大法門。我將借此兩語來說明中國的佛學。我認爲，唐以後之佛學中國化，乃是重「行入」者。而從前之印度佛學與經典繙譯，則多重於「理入」。亦可說前尚義解，後重修持。天台宗最先引發此趨向，智者大師言：「教理既明，非觀行無以復性。」於是提出他的「一心三觀」之主要方法，將佛家從來所討論之「空」、「假」、「中」三派大道理會歸合一。只用「觀」的方法，亦兼用「止」的方法。所謂止與觀只是實際修持，亦即是行入。所以說：「此乃別教之行相」，又說：「亦即圓教之行相」。

佛家本講「戒」、「定」、「慧」。但從前所講是由戒得定，由定得慧。「禪定」固是一種方法，但僅屬次要。必待由定得慧，纔能對佛法有真知解。當南北朝時，一輩義學僧人，主要在講通佛經中理論即屬於道之一邊。而定則僅是一方法、一階梯，屬第二級。坐禪入定，在求得慧，必待得慧以後，纔可有知解，才能理入，理入始是第一級。不幸而佛理愈講愈繁瑣，分派愈多，究竟莫衷一是。從孔子教法來講，那時所重，只在「博學於文」，但忽略了「約之以禮」。

由天台宗開始及唐代禪宗興起，他們乃轉講「定慧不二」。定在慧中，即慧之時定在慧；慧亦在定中，即定之時慧在定。乃有所謂「寂寂惺惺」、「惺惺寂寂」。寂寂是定，惺惺是慧。如此講來，理入、行入，始打歸一門。華嚴宗提出「理事不二」，其實也是此意。總而言之，是由

「理」入門轉向「行」入門，亦可說是由博文轉向到約禮。惟禪宗對此傾向更爲鮮明，而推衍所及，學佛人竟可不讀佛經，不必打坐入定，只須「見性」即得。此在佛家經典中亦有依據，如涅槃經云：「一切衆生皆有佛性。」法華經云：「一切衆生悉皆成佛。」佛經到中國人手裏，盡削枝葉，獨尋根本，認爲只憑此兩語即得。

若問如何見性？則「直指人心」即是。六祖以下之禪宗，主要只是要見性，乃由「靜定禪」轉入「見性禪」。不論坐與不坐，動靜合一，知行雙修。行、住、坐、卧，語、默、動、靜都是禪，皆可於此見性。於是「平常心」即是道，只求在日用光中物物頭頭上現前而無間隙。此豈不即是華嚴之「事事無礙」，主要則在自己一心善觀即得。如此一來，遂爲佛法開了無窮法門。

因此說佛教到了天台、禪、華嚴三宗，即已著重在修持及方法方面。而禪宗，則達到了運用方法之極巔。其後禪、淨合流，方法歸於簡化，要之是行入。若遠溯到達摩，則達摩實主苦行，並不主頓悟。六祖種種說法，還應上溯到竺道生。定、慧齊修，止、觀雙運，此是中國傳統進入了佛學。故禪宗有些處極近孟子。但孟子所講重在「道」，而禪宗所講重在「術」，此則其不同。

今就上述，再開放一步略說之。似乎中國人講道，因其貴「同」貴「常」，故若無多話可說。而中國人講術，講方法，實較西方人爲細密。此處所謂西方，可兼指印度與近代西方言。即舉經濟學爲例，西歐經濟思想如亞當斯密司之原富，主張「自由經濟」。馬克思之資本論，主張「階級鬥爭」。皆在理論處即論道方面用力。一到實際踐行方面，反而簡單。而在中國，則向無專門之經濟學及經濟學家，造不出一套繁複詳密之經濟理論。在中國人看來，若講理論，簡單幾句話即可。實際方面，則須因時因地，斟情酌理，變動不居，決非幾句話可了。此亦是中西文化一不同點。

佛學從印度東來，亦如西歐般，理論繁而實行簡。禪宗雖若繁變，其實亦是無多話可說。主要在予人一「巧」，使人得「悟」。「棒喝」與「參話頭」等等，皆重在行爲上教人悟入。其實這些多屬方法，無甚義理可講。故說南北朝佛學是理入，唐代禪宗以下是行入。因此佛教自印度東來，講道則細密，講實踐則易簡。在此處，正與中國傳統相反。於是佛教遂稱爲「教」，而禪宗則稱爲「宗」，謂之「教外別傳」。「教」則必在理論上成一系統，思想細密，逐步深入，逐步開展。若言「宗」，則只跟隨一人，從之修入，此一人即是禪宗祖師，所宗即宗此祖師。如此豈不變成依人不依法？我們必明白得此一層，方可講到此下宋人之「理學」。

八

宋代理學即承禪宗來，但宋代理學明是中國傳統。論宋儒思想入微，應自程明道始。明道講學直指內心，近似孟子。其識仁篇云：「學者須先識仁，……識得此理，以誠敬存之而已。」整個作聖成賢之大道，由明道說來，只此兩句已盡。又云：「此理至約，惟患不能守。」又續云：「既能體之而樂，亦不患不能守也。」此正是孟子「是不為也，非不能也」之真傳統。但究竟如何樣去識仁？明道並未細言，只說「西銘備言此體。只以此意存之，更有何事？」故從學於明道者，多只授讀大學與西銘兩篇，其易簡可知。

其後朱子與呂東萊合撰近思錄，不收明道之識仁篇。朱子以為此篇乃「地位高者之事」。朱子只承認：「誠敬存之四字，自是中道而立。」當知誠敬存之已近術一邊，故朱子特取此四字。但朱子又說：「誠敬為力，乃是無著力處。」則朱子對於明道之識仁篇，到底未感滿意。主要應在嫌其對方法方面太疏了。故朱子又云：「明道說話渾淪，然太高，學者難看。程門高弟如謝上蔡、游定夫、楊龜山等，下梢皆逃入禪學去。必是程先生當初說得高了，他們只睥見上一截，少下面著實工夫，故流弊如此。」可見朱子批評明道，正在其說話盡高，而少下面著實工夫。就本篇講演之用語，亦可謂明道所講重在「道」，而所缺則在「術」。故我謂明道近孟子，亦由此著眼。

但上面說過，宋儒理學承禪宗來，又說禪宗偏在術，此刻何以又謂明道所缺正在術？此亦有說。應知禪宗所講乃在出世成佛。理學家不主張出世，要在世做聖人，做一淑世之聖人，則自然在方法上更宜有一套落實入細之處。所以朱子要批評明道說話少下面著實工夫了。後來黃梨洲說：「引而不發，以俟能者。若必魚筌兔蹟，以俟學人，則匠羿有時而改變繩墨彀率矣。朱子得力於伊川，故於明道之學，未必盡其傳。」此處可見偏道偏術，雙方確有異同。

近人喜把西方哲學來治宋儒之理學，但西方哲學重批判、重邏輯、重思辯、重理智，正是繁在理論方面，而極少談實踐工夫。此則與明道、朱子均不合。故知中國人講「學」，有些處究不宜與西方哲學同類等視。

近人又每說：「大膽假設，小心求證。」認爲此是科學方法。亦有人說假設不必要大膽，而求證當然宜小心。其實一科學家提出假設，乃是其科學修養已到高深處始能。上面講過：「行百步者半九十。」在科學上能提出一假設，譬之是已行了九十步，而後才有此能力。那裏能一開始即從假設入門。若由假設入門，則必爲科學一門外漢，儘有假設，無法求證。此等假設，亦只是門外之假設而已。此是說近人論學亦有重視方法，而卻未得真方法。因此其流弊亦不淺。但卻不能因噎廢食，即謂從事學問不必有方法。

明道又云：「聖人千言萬語，只須收回已放之心，約之使反復入身來，自能尋向上去，下學而上達也。自灑掃應對上，便到了聖人事。灑掃應對，便是形而上者，理無大小故也。」此一番話，極似禪宗，亦可謂即是孟子「徐行後長者，可以爲堯、舜」之說之嫡傳。由做人言，自可有此理，但不必有此事。若偏向實踐方面，如論政事、語言、文學，以及修、齊、治、平，種種事爲，皆須專門知識、實際措施，豈能如此簡易，一語括盡。程子以「理無大小」四字，把一切人事全涵蓋了，謂「灑掃應對，即是下學上達」。固不能說他話錯了。但朱子年輕時，在延平山中即嘗爲此一番話深思，徹夜不寐，靜聽杜鵑啼。此後朱子並屢在此問題上思索，自言每聽杜鵑啼，即回憶到往年延平山中深夜情況。朱子對明道此一番話，似乎也不十分信受。這正如說從二加二等於四直尋上去，便可到愛因斯坦之相對論。此語亦無可批評，但中間許多層次、步驟、艱難、曲折，終是缺了。若一一要人去自得，謂自能尋向上去，此事談何容易。

程子又云：「大抵學不求而自得者，乃自得也。有安排佈置者，皆非自得。」此處提「自得」二字，也是孟子傳統。但要不求而自得，又要沒有安排佈置，此又教人無著力處。程子又說：「吾學雖有所受授，天理二字卻是自家體點出來。」此亦仍是說自得。學問能由自心體貼出天理，此在宋儒言，可謂已是登峯造極。但明道這些話終似太高，沒有明白指示人著力處。

其弟伊川說話則頗想兼顧及兩面，他說：「涵養須用敬，進學則在致知。」此兩語，爲後來又另闢了一條新路。伊川在教人致知上，曾說了許多話。朱子格物窮理之教，即承伊川來。故朱子說：「明道宏大，伊川親切。」宏大指其論道，親切則指其辨術。但陸象山則只佩服明道，對伊川頗有異議。這裏便見朱、陸之異同。

九

現在講到朱子。朱子做學問似乎有意要能「道、術兼盡」。朱子並重二程，即見其欲道術兼盡之意。朱子論道有甚多處承續二程，但其指示人從事學問之方法方面，即在學問之術的一面，似乎較伊川更詳細、更親切。象山自言其學謂：「乃讀孟子而自得之。」又主張孟子之「先立乎其大」。所謂讀孟子而自得之，顯然更重在「自得」。讀孟子只是教人自得一方便法門。朱子則教人如何窮經、論史、學文，如何讀書窮理，幾乎細大不捐，直可謂他教人之話嫌過多了。故說陸偏於「尊德性」，朱偏於「道問學」。朱子弟子陳北溪嘗云：「先生平日教人，尊德性、道問學固不偏廢，而著力處，卻多在道問學上。」亦可謂尊德性是約之以禮，道問學是博學於文。尊德性是宗旨、是道，道問學是方法、是術。在孔子教法之下，朱、陸像是各偏在一邊，而朱子則比較能兼顧到兩邊。

當時二程不尚著書，伊川尚有一部易傳，明道除上舉識仁篇外，幾乎連整篇文字也少見。如其定性書，則只是一信札，其餘盡是些語錄。朱子年輕時師事李延平。延平亦係二程傳統，平日屏居山間，不著書，不作文，好像一田夫野老。終日無疾言遽色，正襟危坐，而神采精明。尋常人去近處必徐行，出遠處行稍急。延平無遠近皆從容緩步，安詳不變。延平常教人默坐澄心。大抵二程傳統，還是承襲明道多過承襲伊川，自謝上蔡、楊龜山下迄李延平皆是。朱子初對李延平極表敬佩，後來卻認爲没有關著門不做事的聖人，乃云：「李先生不出仕，故做得此工夫，若是仕宦，須出來理會事。」此一段話，乃朱子學問之大轉變處。亦可說，若要理會事，則不得看輕了知識。要多知識，則不得不博學於文。不能把「理無大小」四字包括淨盡。朱子後來成就後學最多，其學術之流衍與展布亦極大極廣，緜延亦最久。若專就這一面講，朱子雖論道尊孟子，而論術則似近於荀子。

因此朱子雖講格物窮理，但不似明道，不大愛講理無大小，而多講「理一分殊」。所謂窮理，即是窮此分殊之理。佛家主出世，不須理會事，因此重理一，不重分殊。儒家於人事貴無不盡，有修、齊、治、平種種責任，故理雖簡，而行則多方。不學無術，道不虛行。一切人事都該注意，有落實用力之處。這是朱子講學，多著力在道問學上之用意所在。

現在講到王陽明。陽明承象山學統，與朱子路徑有別。但細看陽明成學經過，在他年十五時，曾出塞逐胡兒馳射，慨然有經略四方之志，深慕建功立業，作豪傑行徑。二十一歲時，志爲聖賢。依朱子格物說，試格庭前竹子。歷七日，卒臥病，未能格通，爽然自失，遂又轉治辭章文學。二十六歲感於邊警，留心武事，盡讀兵家秘書。二十七歲厭倦於辭章藝能，煩悶致病，乃轉談養生。三十一歲習導引術，持守靜默，一洗歷年沈鬱。已至可以預知之境。雜念盡消，只不能忘其祖母與父，此心一時終不能放下。陽明忽爾大悟，奮然曰：「此念生自孩提，此念可去，是斷滅種性矣。」明年乃又跳脫靜境，重在入世功業上致力。三十七歲遠謫至貴州龍場驛，備嘗艱險。世間得失榮辱，至此皆已一一超脫。惟生死一念未除。遂自臥石椁中，端居靜默，以求淨化。忽一日豁然貫通，中夜大悟。呼躍而起，從者皆驚。自此乃提倡彼之「良知學」與其「格物致知」的新說。

後人言宋、明儒學，皆以陸、王與程、朱對立。今試觀陽明成學前一番經歷，豈不是今日格一物，明日格一物，一旦豁然貫通，仍是朱子大學格物補傳之路徑。陽明亦嘗語其弟子云：「某於此良知之說，從百死千難中得來，不得已與人一口說盡。只恐學者得之容易，把作一種光景玩弄，不落實用功，負此知耳。」陽明提倡良知，可謂是偏在道一邊。但要人落實用功，則一步步腳踏實地，便須有許多層次步驟、曲折艱難，那就轉上術的一邊了。

我們也可以說，陽明還是博學於文、約之以禮，兩面經營的。龍場一悟，可謂是陽明之由博返約。但陽明門下，終是偏重其師龍場悟後之一段，而把陽明早年經營之百死千難忽略了。

二

現在講到清儒。顧亭林提出「博學於文，行己有恥」兩語。黃梨洲則云：「讀書不多，無以證斯理之變化。多而不求於心，則爲俗學。」他們似乎又轉回身來提倡孔子博學於文之教。從博學再切就己身，即是約禮。亭林重行己，梨洲重求於心，皆是。我們亦可說亭林、梨洲皆承朱子，乃求道、術兼盡者。但此下則終不免仍偏重在一邊，講方法，略宗旨；尚博文，忽約禮。其流弊成爲書本紙片上學問，有術而無道。

戴東原出，他雖爲一考據大師，但他並未全忽了道的一邊。他說：「訓詁明，而後義理明。」可見所重仍在義理。因此他著孟子字義疏證，專在義理方面發抒己見，可見戴氏還是懂得要由術明道。同時章實齋講史學經世，其論學頗講方法。而實齋所講之治學方法，尤能不限於訓詁、考據、校勘，而更求博大會通，讀其文史通義自可見。我們若把戴、章兩人作比，東原似乎還是板著面孔，有經學家氣味。實齋則似更親切，他指示的方面較廣，門路亦較寬，可以讓人各就自己才性所近，各自孳孳以求成業。實齋嘗說，戴學承自朱子，而他自己則沿襲陽明。

其實戴、章二人之異同，就我此講之立場言，亦可謂東原單標直指，有些近陸、王。而實齋廣開門徑，反而融通，較近朱子。因此我們也可以說清儒學術，實際是受朱子影響者更大。因朱子指示爲學門徑方法，易爲多數人取法。但講學雖不可忽略了方法，卻不能以此爲已足。此層則仍須再三提揭。

二

今試再略論到最近之學術界。若就本講思路，則可謂最近學術界乃是重於明道，而疏於辨術。即如五四以來之「打倒孔家店」、「以科學方法整理國故」、「中國本位文化」，及「全盤西化」等意見，所爭皆在宗旨與目標上，所提出的盡是些理論，亦可說其所爭者乃是「道」。但大家並不曾有一套方法來親切指導人，使人注意到落實用力之一面，因此只是徒爭門面，絕少內容。竟可說儘是提出意見，卻無真實的學問成績。即所謂「科學方法」，亦只是一句口號。換言之，科學方法四字亦成爲一「道」。凡他所不喜歡的，都可說其不合科學方法，猶如昔人言「離經叛道」。憑此來打倒人，卻很少真在此方面落實用力的。記得我在舊著中國近三百年學術史一書中，曾有過一段預言，說晚清以下中國學術界將會走上「新陸王學」之路上去。即是說，講學者將只標宗旨，不用真工夫，目標縱高，卻不指點人道路。甚至連自己也並無道路可循。那是近代學術界一大病。

若論近代人論學，能有親切指點者，在前清有湘鄉曾氏。近人多只目曾氏氏僅是一文學家。其實曾氏於教人做學問方面，主張義理、考據、辭章、經濟四面兼顧，道路儘開闊。又能做人、治學並重，經師、人師、不偏倚在一邊。在其家書、家訓中，有不少方法指點。雖若卑之無高論，卻極親切。即如曾氏說：「治學貴有恆」，「一本書必須從頭到尾通體讀」。此語豈不只是老生常談，似不成爲一種學術專家之指示。其實讀書若不能一書從頭到尾通體讀，無論是講科學方法也好，提倡本位文化也好，總之是空論，非實學。

民國以來，我認爲梁任公講學，亦尚有些親切指點語。任公本人之學所成就，在此不多論。但彼頗有親切近人語，可以開示後學，卻並非專唱高調，講大道理，發大意見者可比。目前學風多不喜此，不肯落實用功；儘喜講大理論，爭大道理，卻不認真向學，把起碼入門上路的小地方都忽略了。

任公論學，縱有粗疏處，但其對於做人治學，亦常有淺近明白之指導。即如其勸人學曾文正、王陽明便是。雖然曾治程、朱，梁主陸、王，似乎學術路徑不同。但此無甚關係，要之他們所言，都還能領人走上一條路，此一影響卻可甚大。我曾在所著學籥一書中有近百年來諸儒論讀書一篇，講及此層，諸位可參讀。

一三

鞭策人、鼓勵人、講大話、發高論，此亦有其作用。如龔定庵所云：「但開風氣不爲師。」開風氣亦是一大事，但總得有真爲人師者，無論經師、人師皆不可缺。教人治學固貴指示一大道，亦貴有方法。方法有高有低，有深有淺。有志治學，更不宜看輕其低處、淺處。近人每云：「不要給人家牽著鼻子走。」我想，初學人還是應循規蹈矩，姑先讓人牽著鼻子走一段，能入門上路了再説也不遲。但我並非專來講傳統，要束縛人走一條路。宋儒邵康節臨終，程伊川往探之，伊川問：「從此永訣，更有見告乎？」康節舉兩手示之。伊川曰：「何謂也？」曰：「面前路徑須令寬，路窄則自無著身處，況能使人行也？」邵氏雖非理學中正統，但此番話極開通，並落實。人人能處處爲異時異地別人留餘地，這便是路徑寬。須知學問乃大家公共事，非放寬路徑，則一家之言，成就終有限。

就今日在座諸位言，可能有上智，但大部分恐只是中人。我們從事學問，立志固要高，但路徑要親切落實。又須知，並非只此一路。若只講道不辨術，一則容易有門户之見，二則不能希望有甚多人各能在一事、一職、一套學問上，各有貢獻。當知學問之事，或大或小，或廣或狹，皆須有門徑、有方法。一條條路平放在前，非一家一派一條路所能包辦，所能囊括而無遺。

今天我所講，乃分別說明學問方面有「道」與「術」之兩部分。中國人講道尚簡易，講術卻謹嚴。此乃中國學問之高明處。因此中國人對實際事物能活看，能圓通不固執。若懂得此意，來治中國學術史，應可另有一番新體會。

（民國五十一年五月新亞研究所學術演講，原題為有關學問之道與術，載新亞生活雙周刊五卷五期。）

有關學問之系統

一

今天的講題是：「有關學問之系統」。所謂學問，並非將一堆零碎知識拼湊即成。只要成爲一門學問，或一個人之專家之學，皆必有一系統。今且講：什麼是學問之系統，次說：如何完成一學問之系統。此下所講，乃根據中國人之舊傳統、舊觀念，將中國學術史上之各項學術系統，作一扼要的敍述。然後再拿來和現代觀念，即承襲自西方人對學問系統的觀念作一比較。

「系統」二字亦是一新名詞。若把中國傳統舊觀念來說，中國人常講「體系」及「體統」。故此「系統」二字，實可用中國人常講的一個「體」字來加以說明。我們也可說，學問成體，即指其學問系統之完成。「體」應可分爲三大類：

一、自然體。中國舊講法，有所謂金、木、水、火、土五行。但火既非體，嚴格言之，金、木、水、土亦均不成體，只當稱之爲「質」。但如礦物有結晶，此即成了體，因其有結構。近代物理學研究到原子、核子階段，始知凡屬物質，分析至最後，都確有體。但在今日之科學界則稱之爲「能」。此處也正合中國人舊觀念，因凡體必有用，用即是能。由於上述，可說凡成一體，必有結構，也必有用、有能。至於中國人詩文畫家中之山水一體，多屬藝術上之一種想像體，其間寓有人的意象經營，又與自然實在體微有不同。

二、生命體。此乃自然體中之一部分。凡屬生物，如植物、動物、人類，每一生命必有一體。就生物學所研究，每一生命體之結構之每一部分，則必有其特定之用與能。此種用與能，則均屬於生命意義者。

三、創作體。全由人類創造所成。與自然體及生命體屬於自然所創造者不同。遠自石器時代以至今日，一切器物、一切機械，皆屬此類。此類諸器物，亦各有結構，並亦各有其用與能。此種用與能，則皆屬於人生實用者。

由於上述，「體」字應涵有兩意義：一是其結構，亦稱爲「組織」。另一爲其作用，亦稱爲「功能」。每一體必各有其作用，一切體之構造皆由此作用爲前提，亦皆以此作用爲中心。即如眼前桌、椅、電扇、電燈諸物，莫不各有作用。其所以有如此之結構者，則爲顯現此作用，完成此作用，故作用亦可稱爲屬於此體內涵之意義。

二

今再論此結構與作用之來歷。根據上述，可知一則來自自然，一則來自人的意志。此意志亦可稱「創造意志」。如每一「生命體」之背後，即有一生命之創造意志存在，此一創造意志，即成爲此體之「領導作用」，亦可稱爲此體之「創造原則」。如一桌、一椅，在其創始時，必有創造此桌此椅之某種意志爲之發動。直至近代如火箭、人造衛星等種種新發明，其背後，亦必先有一創造意志作領導。生命體之創造，乃由生命意志作領導而漸臻於完成。此在生物學上已大體闡發，可無疑義。

至於「自然體」，由宗教家言，則一切來自上帝，上帝有此創造意志而後創造出此宇宙。此一說法可信否，且勿論。我們不妨姑如此說：在一切創造之背後則各有一意志。先有「天心」，後有「人意」。天心創造出自然與生命，生命則顯是有意志者。亦可說生命本身即是一意志，由此一意志而形成此種種「體」，故生命體乃係一有計畫者。

但此中亦有甚多條件限制。如做一張桌子，不能以水做，只能以木做，此即是限制。說到創造原則、領導作用，是指其積極方面言，而限制條件則指其消極方面言。人類之創造諸物，固是出於人類之智慧。但人智亦必與天工相配合，先有此創造意志，再配上自然方面之種種限制條件，方可真實形成一新體。然縱使外面一切條件具備，而無此創造意志、領導原則，則仍必無成。

三

我在上次曾講過「有關學問之道與術」（該文題名改為泛論學術與師道，已收入本書。）一題，今將此講與前講配合，則此講所謂之創造意志與領導原則，即約略相當於上講中之「道」。此創造意志配合上外面種種限制條件則有所謂「術」。

學問亦是一種創作體，要學問成一系統，即應有結構，即組織。有作用，即意義。先由創造意志來作領導原則而決定其「形成計畫」，此即是求學之志與為學之方。若僅在講堂或圖書館中聽講、讀書，而自己心中並沒有浮現或成立一意志，此即沒有了領導之原則。無原則就無方法可言。有了志嚮，才有方法。方法只是針對於外面種種限制條件而起，如讀一書，必有許多限制條件存在。此等限制條件，一面須能避免，一面須能運用。必先打開此限制，始能有創造。故任何一門學問，一面要有組織、有意義。此原自學者之創造意志。又必配合上外在的條件限制，而後始有實際的形成計畫。學問系統即由此而完成。

四

依照中國傳統，應說學問有三大系統。因其創造意志有不同，故其形成計畫亦不同。

第一系統是「人統」。其系統中心是一人。中國人說：「學者所以學爲人也。」一切學問，主要用意在學如何做一人，如何做一理想有價值的人。此乃吾人從事學問之一種創造意志與領導原則。因此，其所成之學問，亦以如何做人爲中心，爲系統。換言之，即是以此學者個人自身之完成爲中心爲系統。此種學問之目標即在人。此種學問之結構，亦即在從事此學之人。忽略了此人，即不見此人之學問之目標與其結構。故說：此種學問，乃是「以人爲統」者。

第二系統是「事統」。即以事業爲其學問系統之中心者。此即所謂「學以致用」。人之本身，必然期有用。吾人之所以從事於學，學爲人，其主要動機及其終極意義，乃在對社會人羣有用，有貢獻。故其所完成之學問，以人生爲中心者，必連帶及於事業。惟事業之範圍甚廣，而人之才性有異，智力有限，機緣亦別。有專於某一項或某幾項事業有興趣、有抱負，而從事於學者，遂成爲學問之第二系統。因其爲學之中心在事業，故亦惟就其事業，始能見其學問之大體。

第三系統是「學統」。此即以學問本身爲系統者。近代中國人常講「爲學問而學問」，即屬此系統。如治史學、治哲學，好像每一套學問，各有其客觀的外在，在於人之完成與社會人羣事業之實際應用之外，而別有此一套學問體系之存在。於是學問遂若與人與事分離而自成一系統。此與前兩系統之分別，一在由人來做出此學問，而此則是學問本身超然於人之外，乃由學問而來產生出學人。但學問亦是一事業，任何一項學問之在人羣社會中，亦各有其貢獻。因此，第三系統在人統、事統之意義上言，則仍是一貫遞下，可認爲是事統之一分支。

五

上面將學問分成如是的三系統，恰與中國人一向傳述的所謂：「立德、立功、立言、」三不朽相呼應。有志立德，自然走上第一系統。有志立功，則走上第二系統。有志立言，以著述文章傳世，則走上第三系統。

但此三系統亦只是姑爲之分類而已。在中國學術史上的開始階段，似乎中國人只看重了第一、第二系統。在中國人之觀念中，似乎並不曾很早便認爲有一種客觀外在之學術系統之存在。孔子嘗說：「古之學者爲己，今之學者爲人。」由我想來，孔子說的「爲己」，是指第一系統之學而言。孔子說的「爲人」，是指第二系統之學而言。孔門學分四科：「德行」有顏淵、閔子騫、冉伯牛、仲弓等，此屬第一系統。「言語」有宰我、子貢，「政事」有冉有、季路，此皆專注重在政治社會之實際應用上，所學必求爲人用。此項學問乃似爲人而有，故稱之爲「爲人」之學。第四「文學」一科，有子游、子夏。就近代觀念言，似乎此一科近於爲學問而學問。但在孔門當時實無此想法，文學只是「博學於文」，在學問意義上，則只似一項準備工夫。論其究極用意，則仍還在立德或立功上。當然孔子所講的立德，決非是一種無用之德，決非是不能爲用於人。所以說：「用之則行，舍之則藏。」可見第二系統亦已包括在第一系統之內。而子路、子貢諸人，其所學問之背後，皆有一理想人格在作主。因此，儒家講學則必然是注重在第一、第二系統者。論語開首第一句話即曰：「學而時習之。」此一「學」字可謂是只指第一、第二系統之學言，並不如現代人觀念中所謂之爲學問而學問之學，即我所謂之第三系統。

我們也可說孔子爲學之創造意志乃是「仁」，其形成計畫乃是「智」，中國人傳統觀念中之理想人格即是「聖」，聖之一目標，主要在求完成自己所具之德。所謂「内聖外王」，自可由其所學而發揮出大作用。至孔子所云「好古敏求」，其所好所求之對象，雖必穿過典章文籍，即孔門所謂之「文學」，而善下其博文工夫。但其所好所求之最終目標，則仍不出於爲己、爲人，即立德與立功之兩途。顯然是屬於上述之第一、第二系統者。故可說在當時，實無一種爲學問而學問之想法。換言之，學問則只是一工具，其本身不成一目標。

六

現在我想試依曾國藩聖哲畫像記中所列舉之三十二人，來分別指出其學問之系統。就曾氏此文之題目言，「聖」、「哲」二字，即屬第一系統。可見曾氏此文之主要意義重要在此三十二個人，其次才是此三十二人之所學。我們做學問之主要目標，則在由其學以企其人。此三十二人是：「文、周、孔、孟，班、馬、左、莊、葛、陸、范、馬，周、程、朱、張，韓、柳、歐、曾，李、杜、蘇、黃，許、鄭、杜、馬，顧、秦、姚、王。」

文、周、孔、孟，顯屬第一系統。孔子曰：「甚矣，吾衰也，久矣吾不復夢見周公。」又曰：「文王既歿，文不在茲乎？」可見孔子平日之好古敏求，其心目中必常有文王、周公二人，因其人而及其道。孔子之求行道於天下，亦求如文王、周公之行道於天下而已。我們若用「體用」觀念來述說，亦可謂，做人是體，行道是用。爲學則由第一系統以達於第二系統。在孟子心目中則是一孔子，故曰：「乃我所願，則學孔子。」若非其人，其道亦即無所依存。而且深言之，則是由其人而始創此道。故學貴重道，尤貴重人。第二系統之學重在用世，用世自必重道。然正因學者本身的人格力量不足，故由人而見之道，亦必有限。故古人爲學則必以第一系統爲之立本。

其次班、馬、左、莊。就今日言之，史學、文學、哲學，都已各成爲一項專門學問，此似應屬第三類。但司馬子長作史記，其意實欲學孔子，上紹春秋。彼所謂：「通天人之際，明古今之變，成一家之言。」此絕非純然爲史學而史學。彼意所在，至少應屬第二系統。故講中國人之史學，其最先之創造意志，乃在道，更在人。如司馬氏之作史記，乃在學孔子之明道救世，其主要目標仍在求用。而第二系統之學之本原所在，則仍須上溯及於第一系統。故司馬氏孔子世家贊有謂：「高山仰止，景行行之，雖不能至，心嚮往之。」可見司馬氏心中仍是嚮往孔子其人。惟力不能至，則成就其爲第二系統之學而已。

莊子就今日言，彼乃先秦諸家中之一家。先秦諸家中最顯要者，儒家以外應推道、墨兩家。其實，此兩家之學，都應歸入第一、第二系統之內。因在彼輩心中，決非想要發現一套真理，發明一套哲學，如今人所想像之爲哲學而哲學而止。在彼輩心中，主要問題，亦只在如何做一人。如老子書中，隨處見其有一理想之聖人。莊子則更顯然。莊子一書，主要仍只在教人如何做一人，如何做一理想人，如天人、至人、真人等。即墨子亦然，試讀墨子書，主要仍是在教人做人，做一「兼愛」之士，做一像大禹般的人。中國人所以一向看重此三家，在當時此三家所以得最爲顯學者，正因其所學乃屬於第一系統之故。

至於法家，只講如何治國。名家，只重在求正名，辨名實。餘如農家、縱橫家、陰陽家等，此等皆當歸入第二系統。在彼輩心中，亦全有一套治平理想，全有一項學以致用之觀念。但不能如前三家之廣大而深邃，不大注重到自己如何做人，教人如何做人，因此只陷在第二系統中。此下子學流變，如四庫子部所收，包括有天文、醫學、農、工各科，初一看之，像甚雜碎，與先秦諸子之學有不同。其實此等亦皆可歸入第二系統中，因其皆所以求致用者。故後人收之入子部，亦寓此意。子夏所謂：「雖小道，必有可觀。」中國後代都把子部之學認爲是小道，其故亦由此。若如近代人觀念，專把先秦諸子當作哲學或思想家看，則此下四庫中子部所收即無法講通。此乃一種古今觀念之變。在中國古人所以把天文、醫藥、農、工諸類全歸入子部者，亦自有其一套想法。惟與我們近代人所想有其不同而已。

再說葛、陸、范、馬此四人，顯然在第二系統中。諸葛年輕時高卧隆中，即自比管、樂。范仲淹爲秀才時，即以天下爲己任。後來他又說：「先天下之憂而憂，後天下之樂而樂。」可見彼二人之學問皆從有志用世來，因此即走上了第二系統。如陸贄，只看他的奏議，自然見他乃是一極有學問之人。但他爲學之主要目的，自然是偏在政治實用上。又如司馬光著資治通鑑，雖是一部史學書，而加上「資治」二字，豈不亦是一種學以致用之觀念之明白表示嗎？但此四人，人品光潔，大節皎然。其學問境界必然能上透到第一系統，亦是無疑。

再說周、程、朱、張，無疑應屬第一系統。彼輩之學，主要在教人如何做人，此是他們的學問中心。我們若求明瞭孔、孟、程、朱之學問，則斷然應從「人」之中心而著眼，斷然應從「做人」的大體作研究。若不知孔、孟、程、朱其人，焉能懂得孔、孟、程、朱之學！若我們改從西方哲學觀點來尋求，對此諸家之學，總嫌有不恰當處。不僅如此，而且必然把此諸家爲學之最吃緊、最重要、最真實處忽略了。如孔子斷不能僅稱其爲某一部門之學者，或一思想家，或說他的一套學問是哲學。周、程、朱、張亦然。我此所講，雖不過只是大體上作此分別，但此一分別卻甚不可忽。

周濂溪、程明道二人，更顯然應屬第一系統之下。周濂溪嘗教二程「尋孔、顏樂處」，又曰：「志伊尹之所志，學顏淵之所學。」可見他指導人為學，其主要目標，其中心對象，都是一個人：如孔子，如顏淵，如伊尹。二程即受濂溪影響。同時張橫渠則稍有不同，彼著正蒙，用思深刻，似乎是有意在著述上。彼之思想亦甚有組織。比較說來，比濂溪、二程，他似乎更近似一哲學家，可說他正是有一些近似於為學問而學問的氣味。故二程有時批評橫渠，說他學非自得。所謂「自得」，則正指其學問必從其自身真實生活中出發而完成；這樣的學問，始是活的，所謂活潑潑地，亦即是所謂有德之言，此皆從第一系統來。而橫渠則好像根據一題目，加以不斷思索推演而得；這樣的學問，便會移至生活之外面，向外尋求，因此其所得也不稱之為自得。此處二程意見，當知並不在批評橫渠的哲學思想，乃是批評其治學方法。

至於朱子，他的學問，不僅和二程有不同，也和橫渠有不同。他對一切學問都有興趣、都理會。雖論其大系統，仍和周、張、二程一路；但朱子在孔門，似乎像更多接近子游、子夏文學的一科。他在「博學於文」那一條路上，像是走得更認真。因此同時陸象山要起來反對他，說他「支離」。象山之學，吃緊在專講做人，故他說：「我雖不識一字，亦可堂堂地做一人。」象山雖然是注重第一系統的。他不僅反對朱子，有時也反對伊川，他只認許了濂溪和明道。其異同處正在此。

但象山也只能反對伊川與朱子之學問方面，卻不能反對到伊川與朱子之做人方面。大體言之，宋代理學家都可歸入第一系統。我們要瞭解宋人之理學，必要先瞭解宋人理學之創造意志，必須能對他們的實際生活、實際做人方面去求體悟。現代中國人對待傳統文化常喜歡用一種予取予求的態度，截取古人枝節來自立新解。對於古人原來做學問的整個體系，與夫其創造此一套學問之血脈精神，卻都忽略不理會。譬如講宋、明理學，也都舉出一兩個論點，只作一項哲學問題來衡量、來探討。這正如將一桌子劈了作柴燒，可惜那桌子卻為他破壞不復存在了。

此下「韓、柳、歐、曾、李、杜、蘇、黃、許、鄭、杜、馬、顧、秦、姚、王」十六人，似乎都應歸入第三系統。如杜佑、馬端臨考據歷史制度，許慎、鄭玄講求經籍訓詁，顧亭林、秦蕙田（撰五禮通考）亦都是考據之學，但他們也可說都從第二系統轉入。經史之學，原本都重在用世。又如韓昌黎主以文明道，他自謂：「好古之文，乃好古之道也。」又每以孟子自比。杜工部則心慕稷、契，而欲致君堯、舜。我們也可說韓志在傳道，杜志在致治。雖然後人都把他兩人奉為詩古文之大師，但他們之為學，亦還是從第一第二系統轉來。清儒如姚鼐，專治古文，但也說為學必義理、考據、辭章三者兼顧。王引之專精小學，而其所撰之經傳釋詞，在訓詁範圍之內又專一注意來講一些虛字，此可謂是專門之尤專門者。此書極受當時人推崇。如此為學，像可謂真是爲學問而學問，確然成其爲專家之學的了。但論王引之著書本意，則仍在教人讀經、讀傳，其心中所重視的應仍在第一系統。只其做出來的成績，則顯屬第三系統而已。

我們根據上述，可見中國人學術傳統實在是始終逃不出第一、第二系統之精神淵源。即如上引曾氏之聖哲畫像記，也只是佩服此三十二位哲人和聖人，其主要目標仍在人，仍從第一系統來。若如近代人治學，接受西方觀點，似乎學問自有系統，可以與人無關，乃把第三系統視爲學問之正宗，這和中國以前舊觀念大不同，故此提出，好教大家注意。

七

倘若我們除上舉三十二人外，要再另找例證，則如：戰國時屈原，他本是一政治家，忠君愛國，所志不遂，最後才寫了一篇離騷。離騷雖爲後來文學界推崇，然在屈原當時，他本人並非專是有志於文學，想要作一文學家。後人重其作品，但同樣重此作者。我們讀他的作品，並可知其學問之廣博。他對中原文化、周、孔傳統，致力實深，可見他的學問，決非第三系統文學一門可限。惟如漢代之司馬相如，自以爲其所作賦乃上承雅、頌，好像也要把自己作品歸入第二系統之內。但他實在只是一文人，除卻他的文章外，其餘無足取。如彼乃可說是「爲文學而文學」之一位道地文人。他如賈誼、晁錯，他們治學，顯屬第二系統。賈誼雖通經，但時人評其「不得爲醇儒」。這就是說，他不得列入德行之科，並異於孔、孟之第一系統的學問了。若依此看法，西漢一般經學家，自伏生、申公以下，都不過是第二系統。故「通經致用」四字，特爲西漢人所重。

至東漢，跑出郭林宗一流新人物來，他們似乎較看輕經學，而更講究做人，這乃自第二系統要翻回到第一系統去的一種運動。此項新風氣，直下到魏晉南北朝人講莊、老，其實一般動機乃在學莊、老之做人，仍是注重講人生，仍當屬第一系統。不過他們的生活環境實與莊、老不同。所以魏、晉清談人物自成一格，不能與先秦莊、老相比。此下轉入佛教，佛教之主要精神，自然也在教人做人；但只是教人如何做一出家人而已。其後禪宗大興，把此一條路走得最澈底，把如何做一出家人轉成爲如何成佛。就大體言之，彼輩所講亦可謂是第一系統者。

隋末王通在河、汾講學，所講則只是一套治平之學，其意欲學孔子；惟所學之對象則重在第二系統。北周蘇綽亦通經學、佛學，爲北周興起制度；其學亦當列入第二系統中。唐初如房玄齡、杜如晦、魏徵諸人，皆是學者；此諸人可謂與諸葛亮等相近，均偏在學以致用方面，都應歸入第二系統。惟後人論學，卻把此一類人忽略了。治史的，則只重其人物與功業。論學的，則把他們擱置一旁。其實如諸葛，如蘇綽，如唐初諸賢，苟其無學，如何能成此人物、建此功業？這正如宋儒以下論孔門人物，都忽略了子路、子貢等人一般。若如此，則孔門四科，豈不只有德行、文學兩科堪稱學問嗎？此與本題所講著眼不同，請大家注意。

至如宋儒講理學，其實受禪宗影響甚大。禪宗與理學皆應歸入第一系統。惟宋儒除理學家外，第二、第三系統之學問亦甚發達。元、明人治學，亦以第二、三系統者爲多。惟陳白沙、王陽明一般理學家，仍屬第一系統。

八

入清以後，顧亭林提出「行己有恥，博學於文」之口號。其所爲日知錄，自謂「以待王者興」，則其治學精神，顯然淵源於第一系統而應列入第二系統者。此外如黃梨洲、王船山，皆不能專目之爲史學家或哲學家。彼等心中皆各有一做人標準，並各有一番「淑世」精神，仍與亭林一般，出入在第一、第二系統之間。其後漢學家輩出，當時人做學問遂似明顯地走上了爲學問而學問之途徑。清儒之經學與考據，乃顯然成爲應屬第三系統方面之學問。在清代學術中，才始更透出了我們今天所看重的專家分科精神。在他們的學問上，各自有一套嚴肅之方法與態度。故近人謂清學近似於西方之科學方法，此語自亦有理。即如王引之撰經傳釋詞，又如段玉裁窮畢生之力爲說文解字一書作注。可見在學問上之專家分科精神，到清儒手裏，是更完成了。

惟近人喜稱清學是一種「故紙堆中之學問」。此種批評，卻有不公平處。其實在當時漢學正統如蘇州惠派，相傳其家中有一聯云：「六經師許、鄭，百行法程、朱。」可見在他們心中，仍不失中國傳統精神，仍還是看重在做人上，並未割斷了第一系統之血脈。他們所謂「訓詁明而後義理明」，何嘗撇棄了義理來專治訓詁。若我們單從清儒的做人方面，就其日常生活及私人道德方面來平心審察，清儒要爲不失前人矩矱。即如江藩漢學師承記一書，雖其敘述重在各人之治學，但亦時時提及他們的私人道德，其中不少值得我們仰敬。可知清儒並不曾把此傳統一路放棄不管。在我舊著近三百年學術史一書中，曾特地提出如毛西河、閻百詩諸人而批評其人格之缺欠處；但終不能以此少數人爲代表，而全部把清儒之人品立德方面一概抹殺了。如戴東原，就其私人道德言，或不無可議。然如錢竹汀，則爲人光潔平實，殊屬無隙可擊。

其實清儒並非只鑽故紙維，只講考據名物訓詁，只著重做一專家學者。他們亦還不失舊傳統，仍講究做人。至少他們能一生安心爲學，相尚以樸學爲號召，不希榮遇，不務聞達，確然皆有以自守。即此便是受傳統之賜。尤其如高郵王氏父子，雖爲高官，而敦品修行，始終不脫書生本色。段玉裁僅任一縣令。錢竹汀中年即棄官不就，專任一書院山長，把畢生精力盡貢獻於學術。清儒中負不朽盛業的，皆不在政治上求進顯；而在政治上得意的，又多能不忘學問，不僅其自身有成就，而對同時學術界，尤能盡其獎拔誘進之能事。直到晚清如陳蘭甫等，其學脈精神，均顯然與我上說第一系統有淵源，有血脈相通。

大體說來，在中國學術史上之一輩學者們，都和我們此刻所想像之所謂專家學者、爲學問而學問之純然應入第三系統者有其不同。此層極屬重要，姑在此提出。但恨不能精細詳說了。

九

現在試根據上述，再來和近代淵源於西方的學術觀點作一約略的對比。

似乎西方人一向認為學問乃有一外面客觀的存在，有其本身自有之疆境與範圍。所謂學問，則止是探究此客觀之外在，而又宜各分疆界範圍以為探究。如講宗教，主要對象乃是上帝與天國，即客觀外在者。宗教之信仰，即信仰此外在。宗教徒所研尋，亦即研尋此外在。又如云「凱撒之事由凱撒管」，則把人世社會事另劃出一範圍，宗教家避不過問。而政治社會上一切事，在西方人看來，仍像是一種外面的客觀存在，只是其範圍對象各不同而已。西方哲學家則想綜合此一切外面存在，而會通研尋此一外在之整體，或此一綜合之真理。此一整體之與真理，實是超越於人羣社會種種事態之外者。故此一存在，可稱之為「超越的存在」。超越的存在，則必然是抽象的。西方的宗教、哲學與自然科學所研尋者都屬在外，都先應超越於人事。此處不具論。即在西方之人文學方面，亦復分門別類，如政治、經濟、法律等，都是各有疆域，各有範圍，皆可各別研尋。甚至如文學、史學、藝術等，就西方學術觀念言，亦頗似各有一客觀外在之學問疆域，仍可各別研尋。在此向外研尋中，獲得了一理論，再回頭來在人生實務中求實現。故西方人做學問，主要在尋求真理。而尋求真理，事先即抱一超然事外之心情，因此其學問遂走向分科專門化之路。而每一門學問，則必要到達一超越抽象之境界。

即如當年馬克斯在倫敦研究他的經濟學，發現了資本家之利潤所得，乃來自勞動剩餘價值。由此發展，造成他一番超越抽象之理論，成爲他自己的一套歷史哲學。此套哲學之最高原理，即是「由存在決定了意識」，講歷史依循著「階級鬥爭」之必然法則而前進。然後馬克斯及其信徒，把他那一套最高真理要求落實，表現在實際社會上；則此社會必須「革命」，成爲無可避免之事。其實不僅馬克斯一家學說爲然，即如亞當斯密之自由經濟理論何莫不然。又如在政治學上，如孟德斯鳩之法意、盧梭之民約論等亦然。彼等都能在學問疆界中建立起一個抽象超越而概括性的理論，於是回過頭來，要求社會現實與之配合，則自然會引起法國大革命。西方人此種研究學問的態度，在中國傳統中比較很少見。

固然此種研究，亦爲人類社會開闢了許多的境界，提供了許多新意見；但也可說有兩項易見之弊。一則各有分道揚鑣，把實際人生勉强地劃開了。如研究經濟的可不問政治，研究文學的可不問歷史等。第二，各別的研尋，盡量推衍引申，在各自的系統上好像言之成理、持之有故，但到底則每一項學問，其本身之系統愈完密，其脫離人生現實亦將愈顯著。如此一來，再要把各項學問研尋所得來在人生實際社會上應用，自然會有很多困難和不可預防的病害之出現。因此我們可把中西方學術系統之建立，分作如下的分別。中國人乃是先有了一「用」的觀念，而始形成其學術上種種之「體」者。西方人則似先肯定了此種種之「體」，而後始求其發爲種種之「用」者。實因「明體」與「達用」之兩種創造意志之不同，而始有循此以下之分歧。

若把西方學問的大體來和中國傳統相比，似乎西方人最缺乏中國傳統中之第一系統，即他們並不注意到如何做人這一門學問。在西方人做人的理想中，似乎只想到如何做一宗教信徒，如何做一國家公民。做學問的，則只問如何做一學者，如哲學家、文學家等。其他則如做一政治家、律師、醫生，及各種行業中的人物等，他們卻似乎沒有一個共通的做人理想。除卻此種種分別外，是否有一做人的共通大原則、共通大道理，他們似乎沒有像中國傳統如上述學問的第一系統之所注意而討究。因此，中國學問都自第一系統遞進而至第二、第三系統。而西方則似正相反，可謂乃是以第三系統爲主，乃自第三系統而逆歸至於第二、第一系統者。

在中國傳統學術中只有佛學，其先本自印度傳入，比較和中國原有傳統有不同。但到隋、唐時代，天台、華嚴、禪宗中國化的佛學出現，佛學精神也便逐步接近了中國舊傳統。尤其可見者是禪宗。此層已在上提及。

惟其中國學問傳統有如此一特點，所以中國人講學問常說：「道不遠人」，「理即事見」，不太遠超越了實際人事來向外研尋，不重在學問自身來尋求系統。若如在中國出了一個馬克斯，他看到當時資本主義之流弊，他必會提出許多實際改革方案，來求在人事上逐步矯正，其學即走入第二系統。卻不致因此推尋愈遠，發揮出一套距離現實太遠的階級鬥爭與唯物史觀的理論來。這因中國人做學問，主要在求如何做人、做事，即在現實人事中來尋求其合理改進之可能。不像西方般，先在人事之外來尋求一項終極最高真理，再把這一項真理來衡量一切人事。如是，則只有革命一途。革命則是根據真理來改造事實。而真理則是超越於事實而外在者。此一觀念，在中國學術史上很少發揮。

到今天，西方各門學問演進到幾乎難以綜合的地步。而人事也不能時時處處要革命。其實革命也本不是一理想，只是一不得已。而且在落後社會中要求發生革命尚較易，待此國家社會進步到某一階級，到那時再求革命，實很難。而且革命所得，其實也往往不如革命前的理想所期望。尤其是如當前的共產革命，其貽禍人類之烈，豈不已爲人所共見？今天的西方學問似乎已無可會通。而革命改造在他們的現實狀況下，也無法痛快實現。於是乃至陷入一種進退維谷、一籌莫展之困境。於是在此境況下，要求有能推倒一世豪傑、開拓萬古心胸的大文學家、大哲學家出現，也已不可能。然而這又何嘗定是人類文化前途一種可悲觀的消息。說不定在這裏，正是西方學術文化新生一契機所在呀！

一〇

中國人做學問，主要既在講做人，尤其主要在求改進他自己，所謂：「三人行，必有我師焉，擇其善者而從之，其不善者而改之。」此乃是一種極具體、極現實、逐步向前、人盡可行的大道，決非一種超越抽象之談。自做人之共通理想進一步，遂有所謂「道」。道亦指人生實事言。人生實事之改進，則亦是極現實，極具體，自近及遠，自卑登高，惟求其逐步向前，而無所謂徹底改造。故曰：「天理不外人情」、「忠恕為道不遠」。忠恕是中國人所講人生共通一大道。但若真講忠恕，則此社會便很難有革命。因此中國人講人道，注重在「教育」與「教化」，尤貴「盡其在我」。君子思不出其位，雖若是各就自己個人分內盡力，但也有一共同目標、共同方向、共同步驟。在這裏，人人能知能行，而又不易出大毛病。此即是中國人之所謂「道」。學問主要目的，正在明道行道。而道亦可以變，可以進。但其變其進，卻不必要革命。

今天要來講明中國學問之傳統精神，此事實不易。因其非可自書本上作研求，更非短篇演講所能盡意。諸位應先各自具有一番「創造意志」，自此創造意志來決定自己學問之「形成計畫」。今天的中國社會，已是近一百年來深受西方影響，而日趨於現代化的社會。換言之，中國社會早已走上了西方路子。際此形勢之下，我們應如何以古學為今人，即是如何把中國自己傳統精神與現實需要相配合，這一層卻大可有研究。我想我們且莫放大步，倡言革新。我們且不妨跟從清代學人入手。因清代學術實際上已發展完成了我上述之第三系統，其學問方法與其規模較近現代化，較可與西方學術接近。若越此而上，時代愈遠，和我們今天的社會愈不一樣，愈難追尋。輕言學術傳統，談何容易。探本窮源，心知其意，此一境界，實難驟企。諸位且不如先從事一門專家之學，求其可與現代社會相融洽。然後由此上溯，希望能接受到中國之舊傳統。而循此往下，亦並不違背世界之新潮流。將來如何把此傳統與新潮流匯會合一，則在諸位此下之努力。

（民國五十一年九月新亞研究所第二十四次學術演講，載新亞生活雙周刊五卷十三期。）

學術與風氣

一

今天的講題是：「學術與風氣」。首先講「風氣」二字。湘鄉曾文正有原才篇，大意說，人才來自風氣，而風氣則源自心術。往往由於一二人心之所嚮而形成爲一時之風氣，而陶鑄出一時之人才。雖是短短一小篇，而涵義卻極爲深宏。在歷史上常可看到某一時期人才蠭起，而某一時期則人才寥落。各時期所出人才，其規模格局亦各不同。此皆風氣使然。孟子說：「非天之降才爾殊。」人才應是時時有之，處處有之。而且各式各樣的人才，該是無所不有。其成才與不成才，則全賴於風氣之陶冶。風氣必由少數人提倡，得多數人響應，逮於衆之所趨，勢之所歸，蔚然成風，乃莫知其所以然，而靡然爭歸，而終至於不可禦。一切人才皆由此出，學術人才自不例外。

「學術」亦隨「風氣」而變。章實齋文史通義關於此方面，特有發揮。試就學術史注意，亦可見有時學術興盛，人才輩起；有時則極蕭條寂寞，無學術、無人才。此一關鍵，亦繫於當時的風氣。章氏謂：學術上有開風氣之人，亦有追隨風氣、主持風氣之人。但風氣積久，必見弊害，因此又必有矯風氣之人。但當知，矯風氣不一定即是開風氣。實齋在當時，亦只有志矯風氣。只因當時學風皆趨向經學，過分注重古經典之訓詁與考訂。彼力主研治史學，注重近代，提出「經世致用」之新觀點，用以補偏救弊。但當時經學既成風氣，並未發生根本搖動。繼此後起之今文學派，實是跟隨章氏主張而產生。故實齋對晚清學術界影響貢獻實甚大。曾文正提倡於義理、考據、辭章三者之外，再加一「經濟」一項，學問應由此四方配合，以冀造成一種新風氣。除章、曾二人外，稍後如陳蘭甫，主張漢、宋兼採，亦是一種矯風氣。此三人皆非僅是追隨風氣之人，因此在學術上各有一番成就，值得我們注意。但此三人亦皆未能開風氣，對當時學風未能有一番大振起，因而不能在學術界開一新局面。

龔定庵在晚清學術界被目爲一怪傑，梁啟超喻之爲當時一彗星。龔氏頗有意開風氣，其詩有云：「但開風氣不爲師。」可見其意義與抱負。然定庵之今文經學，實從章實齋史學轉來。此層我在舊著近三百年學術史中已詳細指出。若論真對學術界有貢獻，則定庵實較章、曾、陳、三人爲遜。可見有志開風氣，未必即比僅在矯風氣上用心者貢獻成就爲大，此層我們亦該注意。

再遠溯到晚明諸大儒如顧亭林、黃梨洲，應可謂是開風氣者。此下清代學術，即由晚明諸大儒開出。清學至乾、嘉時期，已臻鼎盛。而流弊亦曝者，不能不求改進。章、曾、陳三氏，皆欲矯此風氣之偏頗。然他們亦仍在當時學術傳統牢籠之下，終未能真開出一番新風氣。比較說來，實齋之學，接近有開風氣之可能。然此下如龔定安、魏默深諸人，依然仍在經學圈子中，只稍微採用章氏一些看法，略有變動，並未能真開出一派新學術。下到康有爲，今文學派已走到極端盡頭處。此下則必然將變，再不能依循此三百年來之一條老路。此層我亦在舊著近三百年學術史中明白提過。

二

風氣既是隨時代而變，現在我來講學術風氣，自然該先定一時代之限斷。此下所講乃是從清代道光二十二年即西元一八四二年開始，直到目前中華民國五十一年即西元一九六二年。此段期間，恰是一百二十年。中國人向來以三十年爲一世，因每人通常至三十歲時多已娶妻生子，有了第二代。而每人自向學到老，論他的學問壽命，亦不過六十年左右。如此算來，一百二十年間，所謂學人恰已換了一代。故此一百二十年，應可分爲兩個時代加以述說。

我此講爲何要自一八四二年開始？因是年南京條約簽訂，中國國運正式走進一新時代。前一年正是龔定庵之卒年。龔氏在當時學術界，亦可說是一極具眼光的人，彼已預料到此後中國時運必變，彼又有意爲學術界開風氣。自有龔定庵，確乎清代學術也可說走上一新路。故我此刻，暫把他死後之一年，作爲此兩個六十年之開始。但自五口通商至清代之亡，近七十年，中華民國成立到今始過五十年。我們暫時把民國以前的作爲前一期，民國以來作爲後一期。我們要講民國以來之學術風氣，自然不能不提前看一看前一代之學者。

此處又須作另一交代，如我此刻所講曾文正、陳蘭甫諸人，彼等著作之完成，多仍在民國前一時期中。但他們之成學基礎，則應在更前一時期，故將不列在此一百二十年中討論。我所著近三百年學術史，其中正式可認爲此一時期之人物者，則只有康有爲一章。故此一時期，亦可認爲是學術史上一段寂寞冷落的時期。

在我近三百年學術史書後有一附表，表中將我們前一時期之學者，雖非專章論列，而亦舉其姓名及其生卒年。其卒年已到民國以後者，則僅列生年。此諸學者，似乎無甚可講。依中國全部學術史論，此諸學者，亦可認其無何大成就，無重要地位可言。但若專就此一百二十年論，則此諸學者，仍有值得我們注意推重之處。即如王先謙，誠然不是一位在學術上有重要地位之學者，但其所著如漢書補注、後漢書集解、水經注集注、荀子集解與夫續古文辭類纂等書，若以與民國以下此五十年來之學術成績相比，豈不仍見其卓越！又如郭慶藩有莊子集釋，陶方琦著說文通釋，朱一新有無邪堂答問，在史學方面頗能闢一新路。黃遵憲之新體詩，仍爲此一時代人所傳誦推許。其所撰日本國志，在今日雖不受重視，但五十年來，出使和留學外國的雖多，無論在亞、歐、美、非大國小國，但沒有人能把他所到國家的國情和歷史來作著作對象，遂使黃遵憲這部日本國志，在此五十年中成爲廣陵散，更無嗣響。毋怪梁任公要對黃遵憲甚加推崇。又如孫詒讓，可謂是清代考據學一位最後殿軍大師，所著墨子閒詁及周禮正義，體大思精，卓然不朽。皮錫瑞著經學歷史與經學通論，這是他晚年在湖南中等學校任教時的兩本教科書。但此五十年來一般大學教授自撰教本，殊恐難與相擬。柯鳳蓀著新元史，現已列入二十五史。此書極爲日本人重視，特贈博士學位。沈曾植著作雖不多，但其學精博，多創闢；在同時及民初學者，幾乎無人不加以崇敬。簡竹居與康南海同門並稱，其著作數量之鉅，亦爲不可及。至康有爲在今文經學方面之甚多見解，多得自川人廖平。林紓介紹西方文學，翻譯小說不下一、二百種，對當時影響極大。其文筆，即今讀之，亦一樣會受其感興。若文言文暫不絕迹，林譯仍將於文學界流傳。嚴復譯西方學術著作，在當時中國產生巨大影響。所譯如：天演論、原富、羣學肄言、自由論、穆勒名學、孟德斯鳩法意、社會通詮等，皆極雅正謹嚴，採用一字，往往有考慮經年者。民國以下，大家爭推西洋文化，然在哲學、文學上，能如嚴、林兩人之繙譯成績者，實無幾人。范當世、易順鼎之詩，自提倡白話詩後，彼輩遭受排斥，自屬當然。然平心論之，彼二人詩之造詣，實亦非我們這一代提倡作白話詩者所能與之相提並論。又如康有爲、章炳麟、梁啟超、王國維、劉師培等，皆在入民國後爲大師，然彼等之成學階段則仍在前一時期。若如我上述曾文正、陳蘭甫諸人不作上一時期之學術人才論，則康、章諸人，亦不得歸入民國以下之一時期。

我們平常總說清代學術至乾嘉以後即盛極轉衰，鴉片戰爭太平天國以下，更如由高峯迤邐下達平地，學術衰落，無甚足言。就有清一代學術之高標準言，自可如此說。若轉換一立場，就民國以下之五十年與此一時期相比，則不僅相形見拙，且屬瞠乎其後。由我們此一時期回視他們那一時期，正猶如峨眉天半，使人有急切無可攀登之感。試問：在我們此一時期，誰復有此功力來寫一部像漢書補注那樣的書？誰復有此規模來寫一部像新元史那樣的書？更何人有此精力來寫一部像墨子閒詁或周禮正義那樣的書？

只要我們真實在做學問，真實肯平心靜氣講公道話，便知鴉片戰爭、太平天國以下這一段時期，實在比我們這一段時期，在學問成就方面强得多。我們應再問，晚清一段時期的人才和功力，何以此五十年來竟再看不見？我們不妨自問，我們這一時代，在學術上究竟有幾許成績，能與前一時代人相比？我們今天提倡西方文學已久，赴國外學西方文學的多如過江之鯽，但如莎士比亞集，何人能通體譯出？在五四時代以下，儘有人在指摘林譯之錯誤，但不可否認，林紓譯筆，至今只要有人肯讀，仍會手不忍釋。莎士比亞集結果總算有人譯出了，但我們儘加忽視，儘不當是一成績貢獻看。又如五四以下盡力提倡西方文化，但又有幾人能像嚴復般忠實地做繙譯工作，把西方大著作、大理論，肯如從前南北朝時代一輩高僧般，誠懇介紹與忠實傳播？那樣的人也非全没有，但只是些住上海亭子間，理頭繙譯馬克斯一派「唯物史觀」理論的。我們儘可不承認他們在學術界有地位，但他們究竟在社會上發生了影響。

而且我上所舉，亦只就生於此一時代之學者言。若如我上所分析，尚有生在此一時代前十五年以下者，其成學全在此一時代，照理當列入此時代中。今再自一八二八年起，就我近三百年學術史附表摘錄其姓名，如：黃以周、李慈銘、譚獻、王闓運、李文田、陸心源、吳大澂、戴望、黎庶昌、楊文會、薛福成、劉壽曾、洪鈞、楊守敬、蕭穆、吳汝綸等，此輩人在學術上之成就及其著作，亦當歸入爲此一時代之業績。

而且我近三百年學術史的附表，關於晚清一段學術人才尚多未經提及的，如屠寄撰蒙兀兒史記，此書貢獻或尚在新元史之上。姚振宗著隋書經籍志考證、吳士鑑著晉書斠注，最後如盧弼之三國志集解，我在附表中都未列。又如辜鴻銘，民國以下此五十年中，論到博通西方學術文化的人，恐很少能及。又如王半塘、朱古微、況夔笙諸人在詞的方面之造詣與貢獻。又如陳三立以詩名，馬其昶以古文名。黃節辦國粹學報，歐陽竟无創設支那內學院，乃至佛界高僧，如印光、虛雲、太虛等，皆當歸屬前一時代。此外我一時遺漏未及者必還多。然即此已可知我們此五十年來就學問成績論，確不能與上一時期相比。清末這一時代之學術界，較諸今日實是高高在上。至少我們此一時代人，萬不應對他們有輕視。

三

今要問，爲何前一時期中學問上還能有如此多的人才和貢獻，而近五十年來竟至無人才、無成就？至少那些人才和成就，已不能與前一期相比，而且相差很遠。此非我故意抑揚。諸位真做學問，一進圖書館，前一時代人之書，便知不可不理會。他們的著作，恰如當道而立，只要我們走上路，便會遇到他們。我們儘可率意批評，恣情誣衊，說他們全是過時代落伍了，老朽無價值。但我們這一時代中，究竟連那樣的人才和成就也沒有。縱有，也少得可憐。真可謂蕭條已極，寂寞太甚。此前一期人才，固不能與乾、嘉時代諸大師相比，他們不過承乾、嘉之緒餘，循規蹈矩，無所創新。然究竟他們還是高出在我們之上。即如康有爲、章太炎、梁啟超、劉師培、王國維諸人，豈不是我們這一時代之大師！但實由前一時代所培植。我們這一時代，若無此數人，將會更感黯淡，更無光采。

我在前清時代，尚屬年幼無知，然已聽到康、梁、章、劉、諸人之名字，已開始讀到他們的文章。我認爲他們是古人，稍後才出乎意外，知他們還在人世，還是和我是同一時代的人。我總想，我們此一時代，實是向他們借光不少。但稍後，卻聽人說，此數人都落伍了。甚至有人說，章炳麟如一頭死老虎，不值得再打，打虎該打活的。然章炳麟在學術界究竟是一頭老虎，此刻那老虎真死了，但他的著作、他的學術地位，依然存在，他仍是一頭老虎。至於不屑打那死老虎的人，在學術地位上論，實也夠不上能來打那虎。我這許多話，只要大家且莫看輕前一時代之學人，不妨平心靜氣將近五十年來學術界人物，與前一時代人作一比較，自知誰高誰下。我們一開口便説要開風氣，其實此種只要開風氣、不問真成就的風氣，卻值得我們再檢討。

我並不反對開風氣。我們爲要使下一時代之學術界真能創闢新路，創造新學術，興起新時代，故乃回溯到上一代，來對我們自身這一代作比較，好讓我們得一些反省。或許我們此一時代之缺憾，正在於我們的學術風氣上。或許諸位會説，此時代之學術凋喪，乃受時代動亂之影響。此實不盡然。如南宋末與明末此兩時代，動亂已極，較之鴉片戰爭、太平天國所給與我們之動亂，有過之而無不及。其時動亂之劇烈與深廣，還遠在我們此一時代之上。然宋末有如王應麟、吳澄、馬端臨、胡三省，明末有如顧亭林、黃梨洲、王船山、陸桴亭，人才輩出，學術堅久。我們實不能把時代動亂作藉口，有時時代動亂反可促進學術開創。

今再將清末乃及我們此一時代與宋、明之末的學術界作一比較。當知元初、清初，許多學者都能在中國自己學術傳統裏找尋新出路。在他們手裏，舊傳統並未放失，只因時代刺激，內心苦悶，以及當時各種問題，在在促使他們作深細的研求，切實的解答。又因他們自知生路已絕，更難向外活動，故皆閉戶蟄居，畢生腐心於學問。此所謂閉戶，也不如字面上或想像中那般清閒自在。如顧亭林下半生即周行四方，在騾車上、在旅店中，隨地治學。王船山之著述文稿，皆書於草紙上。此種顛沛艱苦，此一時代的人似乎並未遇到。我們此一時代之學者，處心積慮所要做的，一是反傳統，舊的全不要。因此學問失去本原，只有向外國去尋求。此一層，我也不反對。但無論如何，種子應栽在自己園地上，要使其能在中國社會生長成熟。二是我們的學者們，僅一味講國家，講民族，講革命，講新文化等等大題目，似乎一心想要經世致用，現吃現賣，而並無一種沉潛埋頭的治學精神。在思想理論上，在政治社會事功上，只想立刻有表現、有進取。在其內心深處，實似並不看得起學問。至少是自己民族的文化傳統，一切都遭吐棄。因此我們此一時代，提起學人，總要提到康有爲、章炳麟、梁啟超。實則此三人也非埋頭沉潛治學的人。但他們在前一時代中，至少已接受有中國自己傳統，在學問上總還有一原本。但繼起的卻更不成。

與康、梁同時有張之洞，他是一官僚，但他也還有書目答問一書。一時學人，案頭幾乎無不有此書。雖有人説此書由他人代撰，但此五十年來從事政治的達官貴人中，更無有像此類能囑人代撰學術上有價值書之事出現了。而且張氏在當時曾提出「中學爲體，西學爲用」一口號。此一口號，至今仍爲人爭論。在此一時代之官僚中，可知要覓一張之洞，亦復不易。至如柯鳳蓀、王國維諸人，他們上承乾、嘉學風，關門埋頭做學問，不理會外面事。然柯、王等實際並不爲我們此一時代所重。我們此一時代人所衷心想望者，其實不在此輩學術界中人。一切學術評價，亦都依附於他們的向外活動作衡量。

如康有爲、章炳麟、梁啟超，正因他們能在政治圈子裏有活動，故猶能引起此一時代人仰慕。至於他們是否有真實學問，則很少人理會。但他們究還能講一些中國學術傳統。但即此已爲五四以下人不滿，認爲他們已陳舊落伍了。其實如康氏所著大同書，較之今日共產黨主張尤遠爲偏激。此等意見，可以引起「革命」，卻不能憑此「救時」。章炳麟早年著訄言，有訂孔篇，首開此一時代人批評孔子之先聲。章氏晚年，始將該文删去。然在其檢論一書中，仍然保留許多痕迹。他還講劉歆賢於孔子。又説東漢出一王充，可爲中國學術界雪恥。其實章氏也是一革命人物，並非一救時人物。他在學術上固自有貢獻，而其所影響於社會者，則轉在此等偏激意見上。章氏早年排孔，或是激於康氏之尊孔而起。此兩人政治意見不同，一主保王，一主革命。因在政治問題上爭意氣，而影響到在學術問題上爭意氣，則實是要不得。康氏爲要尊孔，講出他一套今文經學之新考據，如孔子改制考、新學僞經考等，在考據學上皆是極端謬誤之論。然則首壞此一學術時代之風氣者，援春秋「責備賢者」之義，康、章諸人亦不得辭其咎。

四

自清末至最近此五十年來之最大問題，厥爲「如何救國」。政治上之救國運動，分成康、梁之維新派，與孫中山先生之革命派。不幸革命黨人中頗少學者。當國民革命軍北伐成功，奠都南京，當時立法院院長胡漢民召開立法會議，吳稚暉、蔡孑民諸人皆預。會中首先討論婚姻法，夫婦結合是否應定一期限，應否以三年爲期，到第四年或離或否，再訂新約。此項會議紀錄，載在當時上海各大報紙。此後潘光旦曾將此資料收入其所著某書中，至今尚可檢出。此諸人皆當時黨國元老，在定都之初，首先急切討論者，乃爲此類問題。舉此一端，可見當時黨內之無人。

若說學術可以影響政治，則當時之政治前途，自可想像。在革命時期，本不覺得有學術需要。但革命完成，要在政治上求建設，便不能無學術。而當時國民黨內部，正苦無此準備。胡、蔡、吳諸人，所以會提起此項婚姻法之討論，無疑是受了康氏大同書影響。康、梁保皇黨在政治上失敗了，但他們的學術影響卻仍大。不僅如上舉，即五四以下之疑古運動，實亦受康氏新學僞經考影響。至於影響之好壞，則是另一事。

我們讀歷史，每逢改朝換代，當政者必然會盡力羅致一輩老儒宿學，使其參預政治。當時北洋軍閥如袁世凱也懂得此，他曾延致王闓運、柯鳳蓀、梁啟超，乃至洪憲六君子等。但僅求利用，反成摧殘。而國民政府高唱革命，忽視學術界，則亦是一事實。

政府高唱革命與學術界脫節。而在學術界中則追隨政府，另起了兩種革命呼號。一是文化革命，一是社會革命。皆由五四運動開其端。由於五四運動而驚醒了當時的國民黨，他們亦注意到爭取青年，爭取社會大衆。於是政治界與學術界遂混成一流，而大家都以革命爲號召。革命必有對象。國民革命之對象，爲滿洲政權乃及君主政體。文化革命之對象，則轉移到中國五千年來之文化傳統。社會革命之對象，則爲當前整個中國社會，當時則稱之爲封建社會。革命又須有徒衆，徒衆又必有組織。社會革命陣線不久即組成共産黨，與國民黨對立。文化革命陣線雖未組成政黨，但亦同樣有類似於黨的運用，有人稱之爲「學閥」。他們的口號是「廢止漢字」，「打倒孔家店」，乃及「全盤西化」等。他們的地盤則在幾所大學，漸次推擴到研究院。他們的宣傳機關，則爲各種期刊與報章。此三方面所求爭取之共同對象，則同爲青年與羣衆。於是學術政客化，學術大衆化，「黨同伐異」與「譁衆取寵」，成爲這一時代學術界之新風氣。

討論文學，有所謂「選學妖孽」與「桐城謬種」。討論哲學，有所謂「打倒玄學鬼」與「哲學關門」。宣揚學術之能事，只在推翻與打倒。學術界中人相互談論，只講某一人之思想，不問某一人之學問。只爭有思想，可以無學問。縱使有學問，若思想態度不同，不僅不被重視，而且也必在打倒推翻之列。因此當時的學術界，至少並不看重讀書。乃有「讀死書、死讀書，與讀書死」之嘲諷。「冢中枯骨」之喻，較之莊周之言糟粕，尤爲激昂。黨國元老如吳稚暉，有「線裝書當扔毛廁」之名言，一時傳誦，羣目爲思想界之前進。其實當時人不僅不讀中國書，即外國書亦然。因此只叫全盤西化，卻没有人肯埋頭翻譯介紹。

當時學術界所重在自我表現，在從頭創造。報章雜誌，以及種種小册子，乃是表現此種新思想與激蕩此種新風氣之惟一新園地。報紙一日一刊行，雜誌或是雙日刊、或是周刊、或是月報與季刊。小册子亦指日可成。一切都是速成與短命。只求向社會暫時傳布，並不要積年累月在圖書館化真功夫，亦不想作傳世久遠之想。因此大家認爲學術必是短命的，只聽人說某人思想已過時，已落伍，死老虎不再打，冢中枯骨不值再留戀。至於新思想之價值，則以能獲得同時多數人擁護爲衡量的標準。所謂多數，則只在青年與羣衆，盡是暫時的，引致學術通俗化、速成化、淺薄化、輕狂化。只求能爭取到一時人之擁護，其人即爲一代之大師。成爲大師的，其下必須有徒黨，常爲之揄揚，常加以擁護，以求達到爭取青年與大衆之目標。此種學風，用來革命，確可有推翻與打倒的一時之效。所惜是不能憑此來建立一個真的新學術界。

五

上面說過，近代學術界，最先激於心切救時，因此早不免趨向於「功利化」。由於救時而要求革命，由於革命而要求向內有組織，向外有宣傳。但此等究不是學術界的事。真是心切救時，有志實際從事革命活動的青年與羣衆，到底不免於菲薄學問，另有趨嚮。

今再綜此三方面言之。國民黨最先提出革命口號，但到後則最右傾、最保守。文化革命派言論意態激烈得多，而活動能力比較最薄弱。他們的活動表現，只限在學術圈子中排除異已，說不上能真救時、真革命。因此凡受文化革命思想薰陶的人，都會轉入社會革命的一面去。留下的只是些有氣無力，專一於疑古、考古，乃及以科學方法整理國故，模效西方所謂的漢學家，困守於大學及研究院之殘壘中。其實他們漸已脫離羣衆，甚至脫離了青年。他們的最後殘壘，所以猶能固守，則仍賴於有黨的結合與夫其向政治實力之投靠與依附。但他們之號召，則仍然爲文化革命。他們以一種挾恐見破之私心，排除異已，高自位置，下結徒黨，上推領袖，仍從青年及羣衆身上著意活動。而學問著作，僅成爲門面之裝點。於是學術另有一正統，他們封閉於門户私見之內，蔑視舊傳統，尊崇新正統。而新正統之保持，則惟賴陰謀傾軋，以排除異已爲能事。

若我們真求學術界在社會上能起領導作用，在傳統上起革命作用，首要急務，則該先振起學風。在學問以外之種種活動須求有節限，心境須求能純潔寧靜，須求在學術上有真深入。如是，則暫時不能不從社會實際活動中抽身遠離，然後才能返身來領導此社會。暫時不能不在傳統中潛心，始能回頭來改進此傳統。學術界必該真成一學術界，而此學術界也該是千門萬户，不能只此一家。盡可羣壑爭秀，卻不能存心定依附誰來打倒誰。此種打倒之風，極淺薄也極可怕。就我所接觸，在此五十年中，並非沒有埋頭潛心在學術上有成就及可望有成就的；但全受派系排斥打倒。此等人在學術界似乎可有可無，若存若亡。今天的學術界，則只有門户，別無標準。排擠鬭爭，厥爲今天學術界惟一風氣。打倒了別人，而終於建立不起他自己來。

即言西方，遠的如康德、黑格爾，他們一生，豈不僅在大學講堂中講學，退則著書立說。此是西方型的學者；直到近代，也如此。學術傳統，究與政治傳統有不同。學問事業，究與社會事業有不同。我們學術界若真要刻意西化，至少該學到這一點。又該懂得分工合作。在學術圈子外，儘有活動、有事業，不能由學術界一手包辦。在學術圈子內，也可各有研尋、各有成就，不能由一個人作唯一的領導，也不能由一個派系作惟一的霸佔。

六

此五十年來，由於政治社會不斷變動，把學術風氣衝散了。但也因學術界變動，而增添了不少社會政治上之變動。若我們真要爲學術界開新風氣，此事談何容易！讓我們且退一步來矯風氣，且使學術界能在學術圈子裏安下心來。能深知從事學術不比從事政治，更不比從事革命。能開放門户，解淡鬥爭。莫太看重地盤與聲勢，莫太認真交結與排擠。讓學術界真成一學術界，讓從事學問的，可以埋頭潛心，可以平流競進，可以孤芳自賞，亦可以抱殘守缺。在各求猛進中，對別人抱寬容，務使學術界空氣稍寧靜，天地較寬闊。這是今天最低限度一要求。

在我們學術界，若能自我安定，至少可以不增添政治社會上之不安。至於如何使學術影響政治、影響社會，此須有真功實力，亦須有外面機緣，種種條件配合，始可有此期望。否則空言學術救時、學術革命，究不能如開銀行支票般立時兌現。讓我們且把那些救時革命的大擔子卸下，大呼號停止，真跑進學術界。等待學術界新風氣出現，才可有新人才、新學術。到那時，不愁它對社會國家不發生新作用。

我此番演講，不在存心攻擊人，我實無攻擊任何一人之存心。我也非對當前學術界抱消極意態，我實無絲毫消極意態之存在。此刻諸位進入大學，立刻即有數十位教授環繞。當知古人爲學，獲從一師尚難。諸位即此一節，已佔盡了便宜。其次，過去學者欲得一本書，亦復艱難之極。今日每一學校必有一頗具規模之圖書館，諸位可以恣意翻尋。而且今日世界大通，空間縮小了，諸位大可放開心胸與國際學術界求接觸、有比較。又沒有像過去一般的科舉考試束縛人。至於國運艱難，社會困窮，那些正可激發諸位遠大的志趣。諸位應是下一時代的人物了。我們此一時代已過去，我望諸位莫再追隨此一時代之習尚與風氣。孟子說：「待文王而後興者，庶民也。豪傑之士，雖無文王猶興。」諸位應爲下一時代學術界中之豪傑。當知依草附木要不得，不甘寂寞同樣要不得。諸位至少應懂得「守先待後」。學術自有傳統，舊的且莫丟棄，假以時日，將來自有新成就。諸位要能「信道篤而自知明」，各用數十年精力工夫，埋頭潛心，使舊傳統能與新時代相配合。諸位固不可閉門自守，但亦不能開著門儘在十字街頭去徘徊。我只盼此下六十年能有一番新風氣出來，此責任則在今天諸位身上。

我在上次演講中，曾勸諸位不要看輕清代的學人。今天又勸諸位不要輕視清末同、光以下，似乎調子愈唱愈低。但諸位應知：「行遠自邇，登高自卑。」退可以守，而後進可以戰。若短視只看當前此五十年代，作爲自己的標準，怕前途未可樂觀。當然，連我自身在內，都是此五十年代中人物，實無足爲諸位取法之處。我在此也沒有什麼大提倡、大創見。高視闊步，放言高論，到頭一無真實成就，這是此五十年來一大病痛，亦是此五十年來一壞風氣。我此舉出，盼諸君各自警惕！這是我此番講演之宗旨。

（民國五十一年十一月新亞研究所第三十九次學術演講，載新亞生活雙周刊五卷十八期。）

關於學問方面之智慧與功力

一

今天所講的題目，在我平日上課時，也常講及，並非有什麼新意見。只因近兩年來我上課較少，且以前所講多是零碎穿插，今次稍爲作成系統，此可謂是我自己做學問的方法論，但大部分亦是古人治學之經驗。

做學問第一要有「智慧」，第二要有「功力」。二者在學問上究竟孰輕孰重？普通當我們欣賞或批評一個人之學問成就時，多讚譽其智慧，但對於從事學問之後進，則率勉勵其努力。如子貢稱孔子「固天縱之將聖」，則是在天分上讚美。如荀子勸學篇云：「駑馬十駕，功在不舍。」又如中庸所言：「人一能之己百之，人十能之己千之。」則是在功力上奬勸。總之，對於已成功的大學者，每不會推崇其功夫。但對於後進年輕人，亦不會只誇其智慧。這裏面，導揚學術，實有一番深意存在。

一般人之意見，每謂智慧乃屬天賦，功力則應是自己所勉。若謂從事學問，只要自盡己力即可，而天賦則不能强求。實則此事並非如此簡單。每一人之天賦智慧，往往甚難自知。譬如欲知一山中有無礦藏，並非一望可知。須經專家勘測，又須有方法採發。采發以後，尚須有方法鍛鍊。我們每一人之天才，固然出之天賦，但亦須有方法勘測、採掘、鍛鍊，方能成才。而此事較之開發礦藏尤爲艱難。

抑且智慧有廣度，又有深度。每一人之聰明，不一定僅限於一方面。如能文學，不必即不能於歷史、哲學或藝術等方面有成就。又其成就究可到達何等境界，亦甚難限量。因此，做學問人要能盡性盡才、天人兼盡，其事甚不易。但若不能盡性盡才、天人兼盡，而把天賦智慧埋没浪費了，不能盡量發展，那豈不很可惜！

因此，做學問之偉大處，主要在能教人自我發現智慧，並從而發揚光大之，使能達於盡性盡才、天人兼盡之境。如臺灣阿里山有神木，年壽多逾一兩千年以上，至今仍生命健旺。但此等神木，亦須有良好條件護持。我覺得人也應可成爲神人，但每一人率常埋没了自己的天賦與智慧。每一人之成就，很少能達到盡性盡才、天人兼盡之境。因此我説能發現與完成各自之智慧與天賦，而到達其可能之頂點者，乃是做學問人之最大目的所在。

講到功力。譬如山中礦藏，非懂礦學即難發現。抑且但懂煤礦者，僅可發現有煤礦，其他礦藏，彼仍不知。且以採發煤礦藏之方法採掘石油，仍將毫無用處。可知我們之智慧固需以功力培養，而我們之功力亦需以智慧指導。論語上曾說：「學而不思則罔，思而不學則殆。」我姑把「學」當作功力說，「思」當作智慧說。學而不思，等於僅知用功，卻無智慧，到底脫不了是一種糊塗。如我們以研究文學方法來用功研究史學，亦將仍無用處。思而不學，則如僅憑智慧而不下功力，到底靠不住。因此，智慧與功力，二者須循環相輔前進。說至此，則請問究將如何去下手？

我今天的題目是：「關於學問方面之智慧與功力」。「學問」二字，本應作動詞講。今試問我們向那個人去學？向那個人去問？又學些什麼與問些什麼？此應在外面有一對象。因此做學問同時必有兩方面。一方面是自己，即學者與問者。另一方面則在外，一定有一個對象。學問必有師、弟子兩方，必有先進與後進，前輩與後輩。從事學問，須先懂得「從師」與「受業」。學者自己則猶如一個孩童，一切不能自主自立，先須依隨人。因此學者自稱爲弟子，對方即是一長者，即學問上之前輩、先進，如此才算是在做學問。因此從事學問，貴能常保持一種子弟心情。最偉大之學者，正爲其能畢生問學，永遠不失其一分子弟心情之純潔與誠摯。孟子說：「大人者，不失其赤子之心者也。」也可借來此處作說明。惟其永遠在從師與受業之心情與景況中，故其學問無止境。若我們專以「學問」二字作一名詞，如說你能這門學問，我能那門學問，則學問已成一死東西，再無進步可望。此是做學問的最先第一義，我們必先深切體會與瞭解。

二

現在再講到以功力來培養智慧，與以智慧來指導功力之兩方面。我想分爲三階段、六項目來講。

第一階段做學問要先求能「入門」，不致成爲一門外漢。於此則必先要能從師與受業。如諸位進入學校讀書，此亦是從師受業，但究屬有限。我此所講之學問，則不盡於此。因此我之所謂從師，亦非必當面覿對之師。諸位從事學問，要能自得師，要能上師古人，當知讀書即就如從師。

諸位應懂得，「由前人之智慧來指導自己之功力」。因學問必有一傳統，每一項學問皆是從古到今，不斷承續而來。斷不能說此項學問由我開始。諸位當知，從前人在此項學問上，早加上不少功力了。從前人既已成學成業，即可證其有可信之智慧。正爲如此，所以從前人之智慧，可以來指導我自己之功力。接著第二層則是：「由從前人之功力來培養我自己之智慧」。此因從前人之智慧，亦是由其功力所培養而成。故可借前人功力來培養自己智慧。此兩層乃是學問之入門工夫。

現在先講第一層：即我開始學問，功力應向何處用？最簡單講，第一步，諸位應懂得讀書，又必讀人人必讀之書。換言之，即是去讀學術傳統方面所公認的第一流之書。此乃前人智慧之結晶，有作者，有述者，乃學問大傳統所在。我們既不該隨俗，亦不可自信，當知此皆非從事學問之正道。我自己且當先認爲是一盲目人，只有依隨此傳統智慧之結晶而用我之功力，我則依牆摸壁，跟著人向前。如論語，二千五百年來任何一有智慧人，在學問上有成就者，皆曾讀此書。論語既是孔子智慧之結晶，亦可說是經過了二千五百年來有智慧人所公認，成爲儒學一大傳統。自孟子、荀子、董仲舒、揚子雲以來，皆曾讀論語。因此我們今天也得讀。此事決不能說是盲從。而且學問之第一步，也可謂正從盲從開始。我已在先說過，從事學問，第一步應先自己具有一子弟之心情來從師受業，來親師向學。此師即是在學問傳統上已證明爲一有智慧之前人。自己則猶如一盲者，猶如一不能特立獨行之嬰孩，我們定得跟隨人，定得依牆附壁，一步步來鍛鍊我們自己的智慧。我們的功力之最先一步，則應自此處用。

從前人提出讀書法，要在「存大體、玩經文」。此六字即是初學讀書一好指導。任何一書之正文，可說即是經文。我們要能懂得其大體，也就夠了。如此，用心不雜，不旁騖，一部一部地讀去，可以教我們輕鬆上路，不覺太費力。凡你所讀書中一字、一句，訓詁義解，即成爲你自己之知識。做學問首先要有知識，無知無識，做何學問！從前人如何講、如何說，我即應知。但其中也須有選擇。我自己無智慧，好在從前有智慧人，已不斷在此中選擇過，我只依隨著前人，遵此道路行去。讀了一部又一部，求能多學而識。先要知得，又要記得。讀後常置心中，即是「存」。讀了再讀，即是「玩」。此是初學入門工夫，萬萬不宜忽略。

每一人之聰明，不僅自己不易知，即爲師者，亦未必能知。惟其人之天賦智慧不易知，故初學入門，最好讀一書後，又讀一書。學一項後，再學一項。所謂「轉益多師是我師」，從此可以發現自己才性所近。卻莫早就自作聰明，反先把自己聰明窒塞了。如今大學制度，儘教人修習專門之學。一入了史學系，便儘向史學方面鑽。但自己智慧不一定只在這方面。先把自己智慧寬度隔限了，自己智慧之深度，也將有害。不向更廣大的基礎上用力，常不易有更崇高之樹立。這在學問上是最值得注意的。我們該先涉獵，先築廣大基礎，先知學問之大體系與大格局。而能在此中發現自己智慧，此事更屬重要。

三

我個人自幼讀書幸而沒有犯上隨俗與自信之病。我最先只懂讀文章，但不讀俗陋的，如古文觀止之類，而只依隨著文學傳統所重，讀姚惜抱所選古文辭類纂。但我並不能懂得姚選妙處，我想應擴大範圍，讀他所未選的，才能知其所選之用意。我乃轉讀唐、宋八家全集，乃於王荆公集中發現有很多好文章爲我所喜，而姚氏未選。因此悟得所謂「文人之文」與「學者之文」之分別。我遂知姚氏所選重文不重學，我自己性近或是在學不在文。我遂由荊公轉下讀朱子與陽明兩家，又上溯羣經諸子。其時尚受桐城派諸家之影響，不懂得注意清儒考據。但讀至墨子，又發覺有許多可疑及難通處，乃知參讀清末人孫詒讓之墨子閒詁。從此起，再翻讀清儒對其他諸子之訓釋校訂。在此以前，我雖知姚、曾兩人都主張義理、辭章、考據三者不可偏廢之說，但我心中一向看不起訓詁考據，認爲一字經考證而衍成爲三數百字，可謂繁瑣之甚，故不加措意。至此才知我自己性之所好，不僅在文章，即義理、考據方面，粗亦能窺其門徑，識其意趣。我之聰明，雖不敢自謂於義理、考據、辭章三者皆能，但我至少於此三方面皆已能有所涉獵。若讀書不多，僅限於一方面，僅限於幾部書，則只能單線直前，在其他方面之智慧即不能開發。並且單線直前，太窄太艱難。有時也會走不通。因此，初學入門，「涉獵」工夫是重要的。但涉獵非粗疏之謂，只是讀了一書又一書，走了這邊又那邊，且莫呆滯在一點上。

論語上孔子說：「十室之邑，必有忠信如丘者焉，不如丘之好學也。」此處「好學」一語，我們必須深細體會。自己的天賦聰明，切莫太自信，但亦不要太自怯。須知做學問應先有一廣大基礎，須從多方面涉獵，務使自己能心智開廣。若一意研究史學，而先把文學方面忽略了。又若一意研究文學，而先把史學方面忽略了。又若一意研究思想，而不知歷史，不通文章。如此又何能成得學？其實只是自己薄待了自己，開頭先把自己限了。學與問，不一定便知、便能。何況自己決心不學不問，那有自知、自能之理！

故知我們從事學問，開頭定要放開腳步，教自己能眼光遠大，心智開廣。當知一切學問，並未如我們的想法，好像文學、史學、哲學，一切界限分明，可以互不相犯，或竟說互有牴觸。當知從事學問，必該於各方面皆先有涉獵，如是才能懂得學問之大體。

四

繼此，我們將講到「專精」與「兼通」。此兩者間，正須更迭互進，卻非有何衝突。如我們專心讀一書，此即是專精。讀完論語，再讀左傳，此即是兼通。先讀經是專精，再治史是兼通。經學中先讀詩，是專精，又讀春秋，是兼通。如此兩方面更迭而進，如治經學當兼通五經，兼通十三經，又當兼通漢、宋，兼通義理與考據，兼通今、古文學派。治史學當兼通如制度、地理、經濟、法律、社會、學術思想、宗教信仰、四裔民族等。治文學當兼通詩、賦、詞、曲、駢文、散文等。又如兼通文史，兼通經史，兼通經子等。學問入門，正該從各方面都有一番探究。正因各人自己聰明天賦誰也不能自知，應先由自己儘量探測。廣度愈開闊，然後深度愈邁進。少一分功力，即少一分啟悟。對自己將來遠大前程，是一種大損失。

我們為學首先要「多學而識」，已如上述。次之即要懂得「一以貫之」。粗言之，如讀論語、孟子後，要自問論語、孟子中所講爲何？讀杜詩、韓文後，亦應自問杜詩、韓文其精采在何處？諸位萬勿忘卻學問中之一「問」字。能在心中常常如此一問，便自有許多長進。此一步工夫決不可少。做學問定要一部一部書的讀，在每一書之背後，應知其有一個個的「人」存在著。每一部書是一番「業」，每一個人是一位「師」。讀書即是從師受業。又應問師如何成此業？這一問便開了我自己學的路。若諸位不肯如此用心，一意只想要寫一專題，把自己學問早有所表現，如寫唐代文學爲題，則便把杜詩、韓文東竊西剽，一時像有成就，實在是無成就。縱多表現，像是自己學問，其實永不能成學問。固然初學人也須有表現，而此等表現，則只當看作是我工夫之練習。練習則貴在暗處，不貴在亮處。此是初學人用心最該自反處。

諸位真要從事學問，則先不可自高自大，應自居爲子弟身分。要懂得如何從師受業，並要親師、尊師，又貴能從師那一面照見出自身來。若連自己都不知，如何學得成！若真要完成自己，先應從多方面作探測觀察，把自己內性可能儘量發掘。莫先以爲自己智慧已是現成着，只把自己智慧來指導自己功力，便能自創自造。若如此，但走上了錯路。因此，我們的用功方法主要應虛心讀書，讀了一部再一部，接觸了一人再一人。又須懂得挑選第一流著作，即傳統公認最大名家之著作，虛心閱讀。如是入門，總不會錯。

五

在第一階段中之第二層工夫，乃是「以前人之功力來培養自己之智慧」。如論語，從古到今，訓詁義理，各家發揮儘有不同，即如宋、清兩代人所講，考據、義理，顯有相異。諸位當知，接觸一家講法，即可開展自己一分智慧。如此致力，自己智慧即可逐步開展。所謂「出我意外」、「入我心中」，諸位時時得此境界，便會心中暗自歡喜。自己智慧即自此逐步工夫中透出，所謂「溫故而知新」，從前人數千年來智慧積累，一一由我承受，那是何等痛快事。

如象山講論語便與朱子不同，王船山講來又不同，從此處即可啟我聰明。多見異説，自己心智便會不斷開廣。又如讀史記，若專從史記讀史記，則有時自己智慧不夠，將感困難。如初學先讀史記菁華錄，便易引起興趣。自此再進讀歸、方評點史記，便覺與菁華錄不同。接觸到更高一步之智慧，便像自己智慧也隨著高一步。又若再進而讀劉知幾史通與章實齋文史通義，便覺眼前境界更高，又與讀歸、方諸家之圈點批註不同。再又如讀清儒之二十二史考異、十七史商榷、二十二史劄記諸書有關史記部分，以及如梁玉繩之史記志疑之類，我的智慧又開一門路，走向考據一方面去。但如我們在讀此諸書之後，再讀如呂東萊之古史，便會眼前豁然又另開一新境界，懂得所謂史學家之智慧，看他能如何樣的用心去體會古人，認識古代，然後乃知治史學應有史識，論史又與考史不同。呂東萊的古史，好像只就史記原文挑出寥寥數語，輕輕下筆，卻能予人以一種極鮮明深刻之印象，使我們對當時史事有一番真切開悟。由他數句話，即可啟發我甚大智慧。若我們儘讀史記，不讀他人讀史記的書，也可能在我文學、史學各方面之聰明，老悶着不開。試問我有此一份天賦智慧，而讓其窒塞埋沒，永不發現，豈不甚可惜？

我上面所以提出要讀人人必讀之書，正因此等書已由許多人集中心力聰明研鑽過。前人化上莫大功力，我只一繙閱，便可長我許多智慧。又如讀史記賈誼傳，又讀如蘇東坡之賈誼論，也易引起一番心智開發。但若又讀到王荊公詠賈誼的七絕詩，雖只短短二十八字，但荊公意見議論，又較東坡深入而允愜。如此讀書，我之智慧自能逐步開廣而深入。

當知智慧非經挖掘，不易發現。非經鍛鍊，不易長進。學人大病，即在自作聰明，不多讀書，便要想出一番自己道理來與他人爭勝，卻不肯虛心跟人學習。如此，終是斷港絕潢，決非做學問之正道。諸位循此方向去讀書，讀一書自然會像又走到另一新境界，心智日開。如此讀書，自能意味深長，樂此不疲。這是從來做學問人的入門正道，諸位須好好認取。

以上所講入門之學，卻非專為初學人講。當知此一番入門之學，可以畢生行之。學問本是千門萬户，入了此一門還得入那一門，入門工夫隨時運用，自己學問基礎自然會愈廣大、愈篤實、愈高明。

六

現在繼續講第二階段之第一步，乃「由自己之智慧來體會前人之功力」。

上述第一階段是藉著前人引路來指導自己功力，培養自己智慧。現在是自己有智慧了，再回頭來體會前人功力。起先是跟著別人，大家讀此書，我亦讀此書。現在是讀了此書，要進一步懂得前人如何般用功而成得此書。以前讀書是不自覺的，至此可漸漸看出學問之深淺與甘苦來。從前人說：「鴛鴦繡出持君看，莫把金針度與人。」每一部大著作，每一種大學問，盡是前人繡出的鴛鴦。我們要體會他鴛鴦繡成以前之針線，即要學得那金針之刺法。又如呂純陽點石成金的故事，那丐者不以獲得其點成之金塊為滿足，卻要呂純陽那點石成金之指。此一故事，用來說明做學問工夫，大有意思。我們要像此乞丐，要注意到呂純陽那指。否則學問浩如烟海，自己頭出頭沒，將永遠隨人腳跟，永遠做不出自己學問來。

孟子曾說：「大匠能與人以規矩，不能與人以巧。」學問第一步要依隨前人「規矩」。現在進入第二步，則要研究前人之「巧」。譬如黃梨洲作明儒學案，諸位讀後，應知用心看其如何寫成此書，要設想到他未寫成書以前之一切。若你不懂得前人如何寫書，試問你自己又如何忽然能寫書？學著書先須瞭解前人著書之苦心。如顧亭林著日知錄，彼自云一年中只寫得二三條。試問緣何如此艱難？人人讀日知錄，但能懂得顧亭林如何寫日知錄的，實無幾人。我們在此處，當懂得上窺古人用心。如你讀日知錄，又讀困學紀聞、黄氏日鈔諸書，便可看出日知錄成書之體例與來源。又如讀明儒學案，又讀理學宗傳、聖學宗傳諸書，便知明儒學案之體例與來源。當知前人成學，亦各有來源，著書亦各有規矩。只是精益求精，逐步向前。如我們不讀棋譜，只知自己下，則棋藝將無法得進。此所謂「思而不學則殆」。但此項工夫不易下，須能「心領神會」，卻不能具體指點。

諸位當知做學問自然免不了要讀書，讀書的第一步，只是依隨其書從頭讀下，此乃是「受業」階段。但讀書的進一步工夫，應懂得著書人之艱難困苦。又須體會到著書人之經營部署，匠心獨運處。若懂得到此，便可謂乃與著書人成爲「同道」，即是説自己能懂得與前人同樣用功，走上同一道路了。如此讀書，始成爲一內行人，不復是一門外漢。做學問到此境界，自然對從前著書人之深淺、高下、曲折、精粗，在自己心下有一路數。當知學問則必然有一傳統，決非每一學者盡在自我創造。若不明得此中深淺、高下、曲折、精粗，你自己又如何能下筆著書，自成學問！

七

以上是講憑自己智慧來窺探前人功力，待於前人功力有體悟，自己功力便可又進一步使用。現在再講第二階段之第二步，乃「以自己之功力來體會前人之智慧」。

功力易見，智慧難窺。今欲再進一步看了前人功力之後，再來看前人之智慧，此非下大工夫不可。昔二程講學，常教來學者不可只聽我說話，此語極當注意。諸位當知聽人說話易，但聽人說話，貴在能瞭解此說話人之智慧。諸位今天面對長年相處之先生們，上堂受課，依然還只是聽說話。他所講我好像都懂了，但對面那講話的人，其實在我是並無所知。試問對當面人尚是如此，將如何能憑讀書來瞭解幾百千年前人之智慧？但我若不了解其人，只聽他講話，試問有何用處？我們要從讀韓、柳文章去體會瞭解韓、柳之智慧，去體會瞭解韓、柳之內心。

當知學問都從活人做出，學問之背後則必然有其人之存在。但人不易知，各人有各人的天賦不同，智慧不同，境界不同，性格不同。如司馬遷與班固同是大史學家，章實齋論彼兩人有云：一是「圓而神」，一是「方以智」。此乃講到彼二人之智慧聰明不同，天賦性格不同。此等處驟聽像是玄虛，但細參卻是實事。又如歐陽修與司馬光兩人同是北宋大史學家，因其人之不同，而史學上之造詣與精神亦不同。諸位治史學，不懂得所謂史學家其人，試問如何做得一史學家？

讀古人書，須能如面對親覿，心知其人。懂得了古人，像活生生地在我面前，我才能走進此學術園地。此所謂「把臂入林」，至少在我自己要感得是如此。也只有如此，才能瞭解到古人之血脈精神，以及他們間學問之傳統源流。自己才能參加進此隊伍，隨著向前。否則讀書雖多，所得僅爲一堆材料，只增長了自己一些意見。古人是古人，傳統是傳統，與我全不相干。如此般做學問，爾爲爾，我爲我，各自拿到一堆材料，各自發揮一套意見，在人與人間，則絕無關係，絕無內在精神之傳遞與貫徹，交流與影響。此種學問，其實全是假的，並非真學問。諸位今日治學，多蹈此弊，在學術傳統上尚無知識可言，而儘忙著找材料，創意見，想自己出鋒頭。那實在要不得！

講學問則必講其源流承接，此中有人與人之精神血脈，務要臻於「意氣相投」之境，此是學問入門後之事。徒知讀書，只如聽說話。聽人說話，卻不知那說話的人。讀人所著書，卻不知那著書的人，如此則僅成爲死學問，死知識，只是一堆材料。如歐陽永叔與王荊公，其文皆學自韓昌黎，但歐、王兩家文字精神意趣各不同。我們讀韓、歐、王三家文，應能分別出此三家之異在何處，同在何處。歐、王兩家之學韓，各由何處入，又各由何處出。應能從此三家文字「想見其爲人」。應使韓、歐、王三家之精神笑貌、意興情趣，歷歷如在目前。雖在我口裏說不出，卻要在我心裏深深確有此想像。又如讀晚明三大儒著作，也須從其著作透過去瞭解其爲人。於此三家之面目精神各不同處，須能活潑如呈現在我目前。當知學術有血脈，人物有個性，一家是一家，一人是一人。若不能明白分辨出，即證對彼無所知。學問到此境界，始能與古人神交於千載之上。否則交臂失之，當面不相識，只聽人閒說話，那裏是學問！

我們的先一步是從別人之心來啟發自己之心，此即上面所講「從前人之功力來啟發我之智慧」之一項。現在所講則是要以自己之心來證發前人之心，即是「以自己之功力來體會前人之智慧」之一步。此一步工夫較難，必須沉潛反復，密意追尋。諸位當知，一本書之背後，有此一個人。一門學問之背後，有此一位專門名家之學者。學問倘至此步，始可謂懂得了做學問。到此已是「升堂」境界，已能神交古人，恰如與古人周旋揖讓於一堂之上，賓主晤對，情意相接，那是何等的歡樂愉快呀！上述第一步是「從師治學」，現在第二步是「升堂」了，乃是「從學得師」。如此，才能說有了師承，才不是跟著前人走，而是與前人同道而行。諸位今日一心只是要創造，卻不在想從師受學，從學得師。也不是要與人同道，只是想前無古人，別創一格。如此用心，則決非所謂學問之道。

八

此後，我們才能講到學問之第三階段。此一階段，不僅升堂，抑且「入室」，亦即是「成學」階段了。至此階段，學問始真為我有，我已為主而不為客，學問成為我之安宅，我可以自立門户，自成一家。於學問中到此才是自有地位，自有創造。故我上述之第一階段可謂是「從學」

階段，第二階段可謂是「知學」階段，到此第三階段，則可謂是「成學」階段了。

此階段亦將分兩項來講：

如讀韓文，上述第二階段是以我之智慧來窺看韓昌黎之功力，又以我之功力來窺看韓昌黎之智慧。現在是將我自己全心投入，與彼之精神相契合，使交融無間，而終達於「忘我」之境。到此境界，當我讀韓文時，自己宛如韓昌黎，卻像沒有我之存在。我須能親切投進，「沉浸其中，與古爲一」，此才是真學問，才是真欣賞。學問到此，始是學問之最高境界。然而當知此種境界，實不可多得。因各人才性天賦不同，古之學人，亦是人各不同。而我之爲我，亦斷不會與古人中任何一人相同。今要在古人中，覓得一兩位和我自己精神意趣最相近者，然後才能下此工夫，達此境界，此事不易輕言，亦不可强求。在浩浩學海中，能獲得有一兩人同聲相應，同氣相投，精神意氣，歡若平生，這自是一大快事，亦是一不易得事。孔子說：「德不孤，必有鄰。」若我們真在學問上下工夫，此境界亦非決不可得。惟如孟子云：「乃我所願，則學孔子。」當知孔子道大，即顏回親炙，亦有「雖欲從之，末由也已」之歎。我們若想把我此刻所述來讀論語，學孔子，此事恐終難能。然浩浩學海中，也斷不會沒有真能得我欣賞之人物。但亦斷不能多得。當知，惟其「似我」，故能「忘我」。天賦性情中，自有此難能可貴之境界。

在第三階段中之最後一步工夫，則是「用自己之功力來完成自己之智慧」。到此乃真是卓然成家，自見與衆不同了。

譬如歐陽永叔學韓昌黎，想像方其學時，在歐陽心中，則只有一韓昌黎，不僅沒有別人，連他自己也忘了。但到他學成，自己寫文章時，卻又全不是昌黎，而確然是一歐陽修。任何學問都如此。到此時，在學術中方有了他自己之成就與地位。當然不論是文學、史學、哲學，或其他學問，只要真到成就，則必然是「自成一家」。前不見古人，後不見來者，念天地之悠悠，獨愴然而涕下。學到成時，乃始知此「愴然獨立」之感。然此種愴然獨立之感，卻正是其「安身立命」所在。學到如此，方是他的「創造」，創造了他一家獨立之學問，同時亦創造了他此一獨立之人格。在天地間，在學問中，乃是只此一家，只此一人而已。

當然論學問，也並不能責之每人全都能創造，能成家。但我們不能不懸此一格，教人努力。亦因只此一格，始是真學問。我們縱說不能到達此一格，只要不在門外，能升堂，能跑進此學術圈中，在我也可滿足。如此爲學，自可有樂此不疲，心中暗自喜歡之境界，我們亦何苦而不爲。而且我們只要到得「入門升堂」，亦可「守先待後」，把古人學術大傳統傳下，將來自有能創造者出世，凡事亦何必由我成之？此始是學術精神。一個真能從事學問的人，是必須具有此心胸，卻不要儘在成功上作計較。

一〇

現在再把古人講到學問的話，和我上述來作一引證。

論語上孔子說：「吾十有五而志於學，三十而立，四十而不惑，五十而知天命，六十而耳順，七十而從心所欲不踰矩。」這一段經過：十有五而志於學，即是開始努力向學，禮、樂、射、御、書、數六藝，一樣樣地學，正合我所說入門之學之第一階段。三十而立，即是升堂了，正當我所說之知學能學之第二階段。四十而不惑，想孔子到此時，一切皆確然自信，這已是我所說成學之第三階段了。至於此下五十、六十、七十，孔子聖學日躋，愈前愈遠，此則爲吾人所不可企及者，姑可置之不論。

又如韓昌黎答李翊書，自云：「愈之所爲，學之二十餘年矣。始者，非三代、兩漢之書不敢觀，非聖人之志不敢存。處若忘，行若遺，儼乎其若思，茫乎其若迷；當其取於心而注於手也，惟陳言之務去。戛戛乎其難哉！」在此時期，正是有志向學之第一階段，猶如孔子之十有五而志於學。

到第二步，昌黎說：「如是者亦有年，然後識古書之正僞，與雖正而不至焉者，昭昭然白黑分矣。當其取於心而注於手也，汩汩然來矣。」到此階段，心中自有一底，自有一別擇，自有一評判，即猶如孔子之三十而立，那已是升堂階段了。

待到第三步，乃始「浩乎其沛然矣」，至此則是成學第三階段了。惟昌黎亦並不自滿足，此下仍有他繼續用功處。孔子曰：「十室之邑，必有忠信如丘者焉，不如丘之好學也。」可見雖聖人也得有一段學的經過。聖人之過於人者，也只在其「好學」。昌黎自述其致力爲文，由志學到學成，幾二十餘年，也恰和孔子自志學到不惑，中間隔越二十五年相似。固然昌黎僅是一文學家，不能和孔子聖人相比。但我們若真有志從事於學，恐怕二十五年工夫是都該要的。如諸位今年二十五歲，則至五十歲時，縱說不能成專門名家之業，但至少總可進至第二步，升進了學問之堂奧，那是誰也可以努力以希的。如此做學問，一面即是學做人，另一面又是最好一種自怡悅之道，又能守先待後，成己成物，我們又何憚而不爲？

中庸上亦說：「尊德性而道問學，致廣大而盡精微，極高明而道中庸。」我此講看重各自智慧，即是「尊德性」。當知做當問並不能只有一條路，正因天賦各別，人心之不同如其面，我們欲自有成就，便不能只守一先生之言，煖煖姝姝地自足自限。應懂得「從師求學」，「從學得師」。「道問學」即是你之功力，「致廣大」是要泛求博取，「盡精微」則只是完成了一己之德性。換言之，致廣大即是道問學，而盡精微則是尊德性。至於到達成學階段，自爲一家時，乃是「極高明」。而其所取途徑，則實係遵從大家一向共走之道路，既無別出捷徑，亦無旁門斜道，仍只是一個「道中庸」。這是人人所能，亦是盡人當然。

我希望我今天所講，也能由此啟發諸位一番聰明，使諸位知得做學問有此一些步驟與規矩。我今天所講，務盼諸位亦能虛心接受。當知做學問並不難，並在此中有大快樂。只求有正道，有決心。先知從師，再知尊師。並望諸位能上尊古人爲師。先從多師到擇師，自尊師達親師。逐步完成自己，不患到頭不成一家。若一開始便無尊師、親師之意，只把別人家學問作材料看，急要自己獨成一家，天下如何會有此等事？

今再複述一遍。今天所講，要諸位從學術衆流大海中，各自尋得自己才性而發展至盡。其前三項決然是諸位人人可以做到者。第四項已較難。五、六兩項，則不必人人能到，但大家應心嚮往之。心中懸有此一境，急切縱不能至，不妨漸希乎其能至，也盼別人能至。此是我們做學問人，都該抱持的一種既謙謹又篤厚的好態度。我最後即以此爲贈，來作我此番講演之結束。

（民國五十年十一月新亞研究所第六次學術演講，載新亞生活雙周刊四卷十三期。）

學問與德性

一

今天的講題是「學問與德性」。與上次所講「關於學問方面之智慧與功力」一題互有關涉，不過換一方面講來，或可補充上次所講之未及。

本講題中「學問」一語，可作一種工夫看，如云如何學、如何問。亦可作一種成績看，即已成功之學問，如史學、文學等。「德性」一語，亦可分兩種看。一指稟賦，屬於先天。一指修養，屬於後天。凡此兩義，本相通貫。此下引到學問與德性語，不再逐處加以分別。

要講學問與德性之關係，試先從遠處講起。今且問人類現有各種學問，究係自何而來？人類歷史在開始時尚無文字，亦無學問。後來漸有文字，有學問了。然此種種學問究何由起？依常識推想，學問並不是外在的，不能在人類外面先有此一門門、一套套的學問存在，而待人去探求、去追尋。學問乃由人類本身所創造。亦可說，學問是人之德性所需，亦爲人之德性所能。倘使人類心性不需要此種種學問，則不可能有此種種學問。如宗教、如文字、如史學，皆可證其屬人類心性所需。但亦必是人類天賦心智自能創造此種種學問始可。否則縱屬需要，亦將無法產生。因此，就人之立場言，可謂「德性在內」，「學問在外」。自內向外，由德性發展出學問。如是則是先有了人之德性，而後始有學問之創造。人在學問前，學問跟人後。苟無人之存在，亦將無一切學問之存在。此與上講「關於學問方面之智慧與功力」說法相似。

上講謂學問之背後必有人，必先有學者，後有學問。人之材性有不同，其所發展出之學問亦不同。故可謂「人」乃是一切學問之中心。一切學問皆自此中心展出，環拱此中心，而向四外發展。在開始時，一切學問都不遠離此中心。倘我們又說「德性屬天」，「學問屬人」，則人由天生，一切學問亦皆由天性中自然演出。如人性好生惡死，因有種種學問自此出。人又好逸惡勞，因又有種種學問自此出。總言之，學問乃是一種自然發展，由天到人，由德性到功力。學問創造僅是人類天賦德性之表現。一切學問，自其源頭處講，其簡要概念應如此。

但人類文化日益進步，歷史走過一段長遠的途程以後，此情形漸不同。此所謂「源遠而末益分」。各種學問，分道揚鑣，相互間似乎愈離愈遠，各自隔絕，甚至不見有相通處。到那時，學問遂變成爲專門，每一學問各自有其門徑，各自有其範圍與境界。好像每一種學問則各有一個天地，欲進入其中，則各有門户，非隨便亂闖可進。我們固曾反對做學問牢守一種「門户之見」，如治史學者輕視哲學，學哲學者輕視文學等。然各項學問，實際上似乎確有各別之門户，由此門户入，仍有各別之範圍與天地。此亦不可抹殺，謂一切學問總是一般，更無分別。此種分別，我們可稱之爲是「學問之分野」，或「學術之流派」。此等分野與流派，一分卻不易再合。固然，人的中心，還是存在。而學問變化，卻越後而離此中心越遠。

由今天來看各項學問，儼然像有它們一種客觀的存在，好像在人的天地之外，又另有一學問的天地。而且此學問之天地，似乎比起人的天地來，還遠爲浩渺廣大。人的天地，反像包圍在學問之天地中，而且藐乎小哉，有無可比擬之感。若一人從事學問，他只可從一門走進，以一項學問爲中心。依此項學問之道路向前，愈遠而愈見其渺茫，愈深而愈感其不可測與無終極。人之聰明才力，不僅無法兼通幾種學問，連某一項專門學問，也使其皓首終老，無法得有止境。結果是學問轉成了中心，人只是圍繞在每一項學問之特殊境地內，而向之作研究。學問爲主，而人爲附，人像是跟隨在學問之後面。

每一人只要能真對某一項學問作研究，便知每項學問，都有其一套甚嚴之規律，並各有一套特定之訓練。此套訓練，亦可謂即是此項學問之本身。由此訓練而入門，而上路、而前進。從前是人創造出學問，現在是學問在指導訓練人，限定人必得如此般向前。依現在情形言，似乎學問轉是主，人只能跟著走，更不見人之特殊重要性。古代大學者如中國孔子之類，我們今天已無法向他學，只覺他可望而不可及。即如陸象山所謂：「我不識一字，亦可堂堂地做一人。」當知做一人則可，若要做一項學問則斷不可。在學問中，已沒有如此簡易之道可循，似乎學問距離人性的自然創造更遠了。

苟若我們從事任何一種學問，而不肯承認其有種種規律、種種限制，或可說是種種法令，此乃務使吾人必得遵循者。若我們輕忽這一套，不加理會，認爲有了聰明即可做學問，此將大謬不然。當知每一項學問，均在我們生世之前遠有其傳統，久已存在，各成規模。我們要從事此項學問，非先接受從前傳統，依照從前規模不可。於是學問乃似成爲不自然。在我們今天來做學問，已與上面所述歷史上各項學問之開始時的情形大大不同。今天若真要做學問，先莫輕言創造，宜先知有傳統，有師法。如我前一次所講自己只能譬如一盲者，或一嬰孩，務先懂得如何跟隨著前人腳步而行進。

二

現在再講到學問分野，大要言之，一切學問，該可有二大分野：一「自然學」，一「人文學」。此二者對象顯然不同。自然學之對象，乃在人類自身之外面。而人文學所講，則即是人類本身，或可說乃在人類自身之內部。

上面說過，人類開始有學問時，人在前，學問在後。後來文化演進，變成學問先在，而人則僅作爲一跟從學習者。依現在情形言，自然科學方面似乎更見是如此。自然科學之理想境界，應是只見學問不見人。似乎在自然科學中，人的地位乃不存在。自然科學中任何一項知識，最多只可說，此爲某人所發現，卻不可說此爲某人之學。因科學已不歸屬在人，而且像是應排除人在外。

自然科學中也可有派別。例如生物學講遺傳，固亦可有異說。但此乃是暫時現象，其終極境界則必該有一「定論」、有一「公是」，始算是得了一歸宿。而人的個性，則不能在自然科學中存在。如喜、怒、哀、樂在人文學中必不可去，但在自然科學中則絕不可有。我有一時嘗喜讀明末幾位高僧之詩集，初讀若頗可喜，久而感其不然。因彼等既爲世外之人，其詩中乃少人間之熱烈情感。故知不食人間烟火食，即不得有好詩。如讀杜工部詩，尤貴能編年排讀，其一生之喜、怒、哀、樂，隨時隨地，隨所遇而躍然呈現。故杜詩乃能使人百讀不厭。史學亦不能脱離人之性情。縱説史學須能客觀，然真成爲一史學家，則無不有其私人之個性與其真情之流露。哲學似貴探求真理，但亦仍不免各見個性。如宋代二程、三陸，及明代東林二顧皆親兄弟，並在同一學派門路中，研求同一真理，卻仍見個性不同。正惟如此，故愈覺其學問之真而可貴。又如忠、孝、仁、義，此亦人類德性。喜怒哀樂乃自然而發。忠孝仁義由修養所成。若寫一部文學，或史學，或哲學書，苟是不忠、不孝、不仁、不義，不可能成爲一部理想可傳誦留存之著作。然在自然科學中，則既不許有喜怒哀樂，亦不須有忠孝仁義。因自然科學所研究之對象，超然在人自身之外，故不宜有人自身之插入。

科學所要求於人者，乃須有一冷靜之頭腦，要能思慮縝密。似乎只要求有「智慧」與「功力」，卻不需所謂「德性」，不需要學者之個人人格與各別性情。自然科學一成為定論，則只有一「公是」。此一公是，決不能隨時隨地而異。在研究未成熟時，在未臻「定論」時，前人說法可隨時由後人修改。但亦決不是所謂異說並存。「異說」在人文學中，必不能避免，而且亦必然應有其存在。但在自然科學中，則必不許有此存在。抑且修正了前人之說，對此被修正之前人之地位，亦並無損害。因科學所重在學，不在人。人應全沒入學之中，人的地位似在學中消失了。此一層可用來補充上次之所講。

若論詩、文，則該自出機杼，各見性靈。但科學則數十人同做一實驗，應須獲同一結果始對。但我們若從此再進一步講，自然科學之背後依然仍有人在；無人則試問此各項科學又自何處而來？上面所講「德性所能」、「德性所需」兩語，自然科學亦仍不例外。抑且苟其成為一自然科學家，亦必有數項可敬佩之德性，而為其所必須具備者。下面試分舉數項，略說為例。

三

一，「無我」、「忘我」之精神。研究自然科學，則必須有此境界。任何人不能帶了喜怒哀樂與忠孝仁義走進科學實驗室，科學實驗室中必先排除此一切。在中國古代莊子書中，卻有許多話，可借來描寫或發抒自然科學家之無我心情。如所謂「忘我觀化，游乎物外」，或謂「游乎萬物之所終始，以通乎物之所造」云云等語皆是。宋儒言：「打叠心地乾淨。」此亦一科學家走進實驗室獲得成功之一種心理條件。我昔有一友人之女，進大學習醫科，每於實習解剖之後，率不能進食，不能安睡，擬求退學。余告以入解剖室，應能修養一種無人、無我之觀。彼言下有悟，久而安之，終獲卒業。總之是須只見物，不見人。要不見人，自須忘有我。因自然科學本不屬人文界。然爲要養成此等心習，有時反而大智若愚。如牛頓爲其所蓄之二貓，同時開大小二洞，以便此二貓之出入。此種心智，蓋因游心物外，久久成習，遂爾如此。又如愛因斯坦日常生活，有時天真如小兒童。此誠如莊子書中所云之「真人」。相傳美國科學家愛迪生排班領月薪時，忽而忘卻自己姓名，卒由旁人來提醒他。此等皆是一大科學家心習修養到一極高境界時，而有此狀態。人之心習到達於此狀態，乃有所謂真「客觀」。因他已没入在自然物界中，一切不再以我見人見來處理。此亦如清代考據學家所謂之「實事求是」，卻不許有「我認爲」等等主觀意見與空論浮說。科學家之研究，實際有如莊子所謂之「心虛」，其心能虛，故能忘我無我。虛而待物，以順物之變，而游心達觀，乃能有得。此爲科學家德性修養之一種。

其次言之：科學實驗既須步步踏實，又須耐心等待。須如荀子之說「積累」，又須如老子之說「慎微」。謹小慎微，日積月累，即須有一種「不欺」工夫。不欺天、不欺人、認真、不苟且。欲速不得，虛僞不得。蕭然物外，安以待之。試想如有一位天文學家，彼必每夜驅車到一所距家甚遠之天文臺，終夜一人，在望遠鏡下觀測星球天象。如是積累，數十年如一日，苟有所見則記下。積年累月如此記錄，以求有所發現。但縱積長時期之觀察記錄，也未必準可有發現，抑或所發現者乃極細微。仰且有了發現，不能定有解釋，解釋亦未必遽成定論。但此日積月累之觀察記錄工作，則終是不可缺。諸位當知一切科學工夫全如此。然則豈非科學背後乃必然有人存在，並有人之德性存在乎？

科學家又須有「服善」精神。因科學只有公是，無異說，經科學訓練之人則無不知服善。一人發明，衆人景從。即如中國人在外國研究科學，只要真有成績，一樣爲彼邦人士所欽服。故科學無國界，惟有一公是。而且科學又是日新月異，不斷有新發現，後來居上，縱使是一大科學家亦得服善。

在科學界中，又須有「犧牲」精神。今日科學界分工已日臻精細，每一人之一生精力，只放在某一細微之點上，各方配合，逐漸成套。從事科學研究，正如在一大機器中當一螺旋釘。莊子達生篇中有傴僂丈人用竿黏蜩，其方法即由逐漸訓練積累而成。故曰：「五六月累丸二而不墜，則失者錙銖。累三而不墜，則失者十一。累五而不墜，則猶掇之矣。」又說：「雖天地之大，萬物之多，而唯蜩翼之知。吾不反不側，不以萬物易蜩之翼。」孔子聞之，顧其弟子曰：「用志不分，乃凝於神，其傴僂丈人之謂乎。」研究科學正如此，必應除去喜、怒、哀、樂，除去其他一切思念。天地之大，萬物之多，而我只用心在一極微小之項目上，正如此丈人之用心於蟬翼般，才可有結果。

今人又或疑科學只是從功利觀點出發，其實亦不然。即如日隨地轉，抑或地隨日轉？此對幾千萬年來「日出而作，日入而息」之人生習慣，可謂並無大關係。此項新發現之功利意義，在當時乃不爲人知。但今日之天文學中，實不知有多少大發現，皆隨此而來。其他一切科學皆如此。可見科學本原，只爲求真理，不爲求實用。凡屬科學上之大發現，其最先都似與人生實用無關。因此科學研究，其先實也是一種迂闊的。至其在人生實務上發生作用，乃是以後之事。

莊子山木篇有云：「少君之費，寡君之欲，雖無糧而乃足。君其涉於江而浮於海，望之而不見其崖，愈往而不知其所窮。送君者皆自崖而反，君自此遠矣。」此乃是一「孤往」精神。從事科學研究，卻非有此種孤往精神不可。到今天科學範圍日大，分科日細，此非祛除個人一切利害得失觀念，具備此孤往精神，即不得在科學研究中有大成就。

即就上述，可見科學背後仍是有此「人」。而且此人又必須具有上述諸「德性」，必須能捨棄了我，才能深入作科學之研究。結果科學研究是有發現了，而發現此新知識之人，卻反被捨棄，不在其內。如今講天文學，只須講地球繞太陽，不須講哥白尼與加利略。講力學三定律，不須講牛頓。講相對論不須講愛因斯坦。主要是要知道地球繞日而轉，不須定要知道此真理發明者其爲人如何，其個性如何。一項學問之研究完成，而研究此項學問之人物，卻遠離此項學問而退出。在自然科學界最可見此現象。我常想，莊子書中有許多話，可以借來闡說近代科學精神，惜乎此處不能詳舉。

四

上面所說每一門科學背後仍必有一「人」，仍必有其人所必具之「德性」。惟科學愈見發展，遂若只見有學，不見有人。而細究之，則仍必有人之德性爲科學作基址。

現在講到人文學，則顯然與自然科學不同。因人文學之完成，在每一完成之中，不僅定要有此人之存在，並要有其喜、怒、哀、樂，仍要有其忠、孝、仁、義。在自然科學中，此等皆不應加進，學者其人與其所從事之學問，若可分開無多關涉。但人文學則不然，必須學者與學問融鑄合一。此義我在前一講，「關於學問方面之智慧與功力」一題中，已屢屢提起。但此番所講，如上述科學家應備之各條件，一個人文學者亦必具備，人文學之能完成之困難即在此。即如「忘我」、「無我」一節，既須把自身抽離，又須把自身融進，其難正在此。如宋儒張橫渠有云：「爲天地立心，爲生民立命，爲往聖繼絶學，爲萬世開太平。」此四個「爲」字，卻全不爲了他自己，豈非全把自己忘去了，此非一種「無我」精神而何？但要爲天地立心，爲生民立命者，無疑正是此一「我」。淺言之，如孔子曰：「三年學，不至於穀，不易得也。」志不在穀，亦可説是一種忘我、無我精神。其人一意在學問上，不把自己打算放進，但同時又需要此一人自己能有感情，有抱負，不忘忠孝仁義，能有喜怒哀樂。此一種德性修養，此一種精神表現，殊甚不易。又如韓昌黎所云：「處若忘，行若遺，儼乎其若思，茫乎其若迷。」此等形容，亦是一意在學，而忘了自己，到達了無我境界，可謂和科學家研究有所近似。

依次講到第二層：人文學者亦應能「實事求是」，但較科學研究亦更難。若只在考據上求是，所考據的遠在身外，此與科學精神尚易近似，稍屬省力。但若要在人類當前羣體生活之内求一是，此卻甚難。因人事日變，今日之所謂「是」，明日亦可成爲「不是」。此地之所謂是，他處亦可成爲不是。各人立場又不同。莊子齊物論有云：「是亦一彼，彼亦一是。」又云：「此亦一是非，彼亦一是非。」此種情形，在人文學中絶難擺脱。因此在人文學中之實事求是精神，實更其難處。

其次再講到「積累」工夫。人文學之完成，亦同樣須長期積累。然從事人文學者，因無一顯然外在客觀之限制與標準，因此似乎易於自欺、欺人，不是而自以爲是，未達而自以爲達，自滿自足，他人亦一時無可加以指摘。因此又易邁大步、空論、浮言、我見，種種毛病，在自然科學中排除較易，而在人文學中則極難剔去。

因此講到「服善」精神，更極不易。文人相輕，自古已然。所謂「人人自謂握靈蛇之珠，家家自謂抱荆山之玉」，誰也不佩服誰，誰也無奈何得誰。又如云：「吾愛吾師，尤愛真理。」說來極堂皇，但所難者，是人文真理不能如自然真理之易於證驗。因此治人文學者，每易過自期許。甚至高自位置，總覺得自己了不起，把別人不放在眼裏。門户派別，出奴入主，甚至把學問來結黨成閥，排除異己。如荀子所舉少正卯之類，「心達而險，行僻而堅，言僞而辨，記醜而博，順非而澤。」世上真有此等人，但一時甚難確然指出其不是。並不如自然科學可以實驗、求證，有公是，不能有異說。人文學不能輕易付諸實驗，不能把人類社會當作一實驗室，以萬物爲芻狗，專把來當作實驗材料用。

人文學既是急切難得一公認之是，又是各人愛好不同，因此人文學者之最高境界遂落到「自心自信」上。心有自信，便是不求人知。孔子曰：「人不知而不慍。」「不怨天，不尤人，知我者其天乎！」老子云：「知我者希，則在我者貴。」太史公亦云：「藏之名山，傳之其人。」揚子雲云：「後世復有揚子雲，必好之矣。」陳子昂詩：「前不見古人，後不見來者；念天地之悠悠，獨愴然而涕下。」杜工部詩：「但覺高歌有鬼神，不知餓死填溝壑。」韓昌黎云：「以俟知者知。」又曰：「百世以俟聖人而不惑，質諸鬼神而無疑。」此皆是人文學修養一種自心自信不求人知之至高境界。而人文學之難講，則正在此。因科學可徵諸實驗，人文學中之最高境界，一時實非他人所能共喻。譁衆取寵固不是，特立獨行又不易。惟須博學知服，又須下學上達，從虛心到自信，從好學到自負。這一段經過，卻有無限層次，無限工夫。要人在不求人知之默默過程中，獨自深造自得。此則非真有志者，鮮克能之。

作爲一人文學者，如上所述固須自信自負，自有遠志。但諸位又當知，今天的學問已是千門萬户，一個人的聰明力量，管不了這麼多。因此我們再不能抱野心要當教主，要在人文界作導師。所謂領導羣論，固是有此一境界。但一學者，普通也只能在某一方面作貢獻。學問不可能只有一條路，一方面，也不可能由一人一手來包辦。今天豈不說是民主時代了嗎？其實學問也是如此，也得民主，不可能再希望產生一位大教主，高出儕輩，來領導一切。任何一所大學中，亦不可能只有一院、一系。某一院、某一系亦不可能只有一教授。一切學問都得要分工合作。即就人文學論，「人」的地位亦已較「學」的地位似乎是低了。此乃人類文化演進大勢如此，縱使孔子、釋迦、耶穌復生，他們也只能做一現代學者。當然現代學者也有他的至高無上之地位，但情勢似乎已與古不同了。

五

現在再講到「學以致用」一問題，上面說過，科學本重在求「真理」，但人文學則主要求在社會上有「用」，否則又何需有此學！但用有大小遠近。有的有大用，有的只可小用。有的只用在近，有的能用到遠。而且縱在人文學方面，進到某一階段後，亦不能專注意講用。因學問本身已逐漸發展到一近似客觀獨立之境界。

試舉史學為例，司馬溫公撰資治通鑑，即就其書名論，可見其著書本意主於用。但在溫公着手編撰之前，卻預先作一長編，此乃史學之必然工作，則似與用無關了。溫公在長編中，發現了許多問題，即如梁惠王遷都大梁，此一事之年代有問題，太史公史記所載並不確，溫公乃將此時代移前十年，而又載其說於考異中。今試問此一年代問題，對於「資治」究有何等關係？但溫公不能只錄「孟子對梁惠王，王何必曰利，亦有仁義而已矣」幾句話，便算了事。若只隨手隨意摘錄古人幾百千條有關治道之格言，用來資治，亦何不可。但說不到是史學。到溫公時，史學已發展到有其獨立的地位，不能不使溫公要先作長編，而注意到此等小節。但此問題在溫公時實未有解決，下至顧亭林日知錄，始再舊案重提。顧氏以溫公為是，以太史公史記為非。其後清代考據學大興，對此問題爭辯蠭起，仍然是議論紛紜，莫衷一是。我自信關於此問題，在我寫的先秦諸子繫年一書中，始得了完全的解答。並由此而將整部戰國史亦大大改觀了。這亦是一種實事求是。但試問辨定此一年代，在實際人文界究有何用？但我們若放寬眼光，在人文學中不能無史學，在史學中不能不先把事情先後年代弄清楚，則許多麻煩考據，縱說無用，到底也不能免。

六

現在再綜述我兩次所講。上講似乎重在人，尤過乎其學。此講似乎重在學，尤過乎其人。此兩講似有歧義，其間仍須有一更高之綜合始是。而且學問之將來，勢必愈分愈細，而莊子所謂「道術將爲天下裂」，終不是一件好事。因此我想此下勢必要出幾位大學者，其工作應該來寫一部「世界學術發展史」，對此作一綜合研究。此刻由我姑妄言之。

似乎西方人做學問，開始時便偏重在向外。中國人做學問，似乎一向乃是偏重在向內。近人也有說：西方尚智，中國崇仁。我想正是此意。此乃在學術進展之大體上，指其所偏重言。但我們不能不求在此兩者間，有一更高之綜合。此一要求，似乎宜從先寫一部「世界學術發展史」入手，讓人先得一綜合之瞭解。但此工作，卻也不易勝任愉快。

現在再綜合言之。一切學問皆自人來，而且亦爲人用，我們不妨稱一切學問爲「人學」。既是人學，實皆淵源於人之「德性」。但德性之一部分雖爲自然稟賦，其另一部分則屬人文修養。

如中國古人所講「心性之學」，乃是偏於人文修養者，而近代西方人所講「心理學」則可謂是偏於自然稟賦者。即舉此一例，便見中西雙方學問趨向大勢，有此一分歧，或偏輕偏重之處。

總之「德性」仍是一首要，而「智慧」與「功力」尚屬其次。亦可謂智慧與功力亦包含在德性中。我們此刻則應能注重在如何尋求出此兩種學問背後之共通點。此後學術所趨，一面當注重在其共通精神點，一面則在注重其各別處，分途並進。有了此一套共通之學，卻亦不能取消另一套各別之學。既有了此一套各別之學，卻又不能不再求此一套共通之學。

諸位又應知爲學、做人，乃是一事之兩面。若做人條件不夠，則彼所做之學問，仍不能到達一種最高境界。但另一面言，訓練他做學問，也即是訓練他做人。如虛心、肯負責、有恆、能淡於功利、能服善、能忘我、能有孤往精神、能有極深之自信等，此等皆屬人之德性。具備此種德性，方能做一理想人，方能做出理想的學問。真做學問，則必知同時須訓練此種種德性。若忽略了此一面，便不能真到達那一面。

學問縱是高深博大，但人總還是人，人則總和人一般。不能說有了學問，那人便該超出了一般的人的地位。只是在學問中必各有一天地。如研究天文學，天文即成其人之生命世界。如研究生物學，生物即是其人之生命世界。研究人文學，亦應如此。至少在其心中，必另有他人，乃至常有古人。人文歷史，即成爲其人之生命世界。諸位若果瞭解到此，便知揚子雲所謂「後世復有一揚子雲，必好之矣」之精神。因如揚子雲，亦已走進了能把此人文世界作爲其生命世界了。故能「下簾寂寂」，有所安身立命。但諸位當知此事非易。我總望諸位先不要邁大步，更不可空論浮言，流入庸妄。當知最可訓練我們做人者，即在刻實做學問。真要做學問，則非「立大志」不可。用現在話來說，非有「大野心」不可。諸位若能具此野心，逐步向前，各拚著三十年、五十年精力生命，必有所成。

諸位若領悟到此，便知做學問，不該把自己心胸越來越窄，自己脾氣越來越暴躁。又不可有一種茫茫然、前途遙遠之心情。如論語所謂：「篤信好學，守死善道。」此是何等精神！讓我再總結一句話，「德性」之學，實乃是在「人文學」與「自然學」之夾縫中，而是此兩大分野的學問上之一種綜合學問。望諸位鄭重領取此意。

（民國五十一年一月新亞研究所學術演講，載新亞生活雙周刊四卷十七期。）

擇術與辨志

一

今天我所講的題目，爲「擇術與辨志」，這是我們走向學問道路的兩大先決問題。學問如大海，一條船駛入大海中，先要有方向和目標。所謂「擇術」，便是選擇走那條路。所謂「辨志」，便是決定向那裏去。「術」是各項學問之途徑，「志」是學者自己的志向。

諸位進入大學，首先便是院系課程之選擇。或進文學院，或進理學院，選定學院之後再選系，在每一系中再選課。

當知每一項學問，都有前人所已到達之園地，乃及前人所未到達之境界。凡屬前人所已到達之園地，其所從到達之路程及其到達之方法，皆已客觀存在，此乃以前學者之經驗與成績，後來從事這門學問的人，都該接受遵循，俾能到達前人之所到達。

繼此則當繼續向前，開創新園地，求能到達前人所未到達者。學問境界，以此愈闢而愈廣。學問路程，以此愈走而愈遠。當知目前大學科程，在先本無此種種科，盡由後人絡續創闢。待學問走進了新境界，於是又增添出新方法與新路程，而形成爲一門新學科。

直到現在，學問分類日細，路向歧中有歧，各人之所到達，已成爲互不相知。但回溯其最先原始，實由同一路徑而出發。比如各海輪，由同一港口駛進了渺茫的大洋中。又如各飛機，由同一跑道而翱翔於寥廓的太空中，轉瞬間，便各奔前程，互相散開了。

又如一大樹，乃由同一根幹而分條分枝。現在成立的各學科，正如在此大樹上各處花開繽紛，果實累累，但此大樹根幹，卻是那些花實之共同生命，共同源泉。

近人論學，有所謂「通才」與「專家」之爭。其實不通則不能專，通了則仍須專。諸位進入大學，有全校的，乃及各院的共同必修科，進而有各系的共同必修科，更進而有各自專門的分科選修學程，便是這道理。

故從事學問，必當先歷通途，再進專門，由本達末，乃爲正趨。學問之道，歧之中復有歧，專之上猶有專，至於如何來各自選擇一條路，則貴各就自己才性所近，庶可望將來之深造。

現在一般青年，其選擇科目，都注重在某一科目之出路上，及其將來所能獲得之報酬上。當知此乃一種目光短淺的功利觀點，最是要不得。各門科目，有各門科目之意義與價值，在科目本身上，無法衡評其高下。至要分別，則在學者各人所經行道路之遠近，與其所到達境界之深淺。

譬如你若具有音樂天才，你能成爲一個第一流的音樂家，其意義價值，便遠勝於你勉强所難，而成爲一個第二流或第三流甚至更以下的醫生或律師。醫生與律師，同樣對社會有貢獻，但你不能把你自己內在的最高可能表現發揮出來，在你是埋沒了你的音樂天才，而在社會上又無端損失了一位大音樂家，那纔是大可惋惜的一件事。

二

以上這些話，已有很多人講過，現在我再想進一層來闡述我此番講演所要提供給諸位的另一些意見。

任何一門學問，都有許多被稱爲定論的，那是前人從事此項學問者，在其所已到達的園地中，所開出的已成熟的花果。但除此以外，每一門學問，仍必有許多待解決之問題存在着。我們求瞭解此許多定論之由來，是「知識」。我們進而試求對此許多未解決之問題謀解決，此始稱爲「研究」。

任何一門學問，其最先則莫不由於某些問題而來。人類開始，殆可謂毫無知識。橫梗在人類面前的，則莫非是一堆問題而已。待某項問題解決了，便成爲人類之某項知識。但問題無限，整個宇宙和人生，便是一大問題。大問題中有小問題，小問題中則又有小問題，其經人類所已解決者，實是有限之中又有限。知識有限，而問題無窮，人類中有肯獻身於學問研究方面者，其意義之可貴便在此。

今試就此無限待解決之問題而略爲分析，則應可歸納爲兩大類。一類當稱爲「內在」的問題，即種種問題均出生在此項學科本身之內部者。另一類當稱爲「外在」的問題，即種種問題，並不出生在此項學科之內部，而實發動在此項學科之外部者。此兩大類問題之分別，則正與兩大類之學術分別相當。一切學問，就其對象言，亦可分爲兩大類。一是對物之學，另一類則是對人之學。此即所謂「自然學科」與「人文學科」之分別。自然學科對物之學之一切問題起於「物」，人文學科對人之學之一切問題則起於「人」。物質界則永遠是此物質界，比較少變動。如地球環繞太陽而運行，此一現象，永遠如是。自有人類幾十萬年來，幾乎全認爲乃太陽環繞地球而運行。直至近代天文學開始，乃知其真相。但自此一問題解決，人類獲得了對於此一問題之新知識，而連帶關於天文學上之種種其他問題，也逐漸一步步地發現，又一步步地求解決。當前的天文學，便是由此發展而來。

其他如物理學、化學、地質學、生物學等，亦莫不如此。凡屬自然科學方面，則全是如此愈鑽愈深，愈跑愈遠的。問題是一個挨一個，早都存在着。只是人類知識，逐步向前，那些問題纔逐步顯現。你能向那一學科之內部鑽進去，便自知新問題所在，所以說此一方面之問題，則全都內在者。凡粗具科學常識的人，當無不首肯吾此說。

但一涉到人文科學便不同了。不僅五十萬年前的人類，與當前有不同。即五百年前，乃至五十年前的人類，亦已和當前不同了。即就每一個人言，五十年前之我，所見所聞，和五十年後此刻之我，所見所聞，全不同了。大而至於一個國家，一個民族，即就中國言，五十年來，在國際上，經過了第一次、第二次世界大戰，而全世界的形勢大變了。就國內言，自中華民國創建，而國民革命軍北伐，而共產政權出現，又都大變了。在此許多大變中，意想不到的新問題，層見疊出。這全爲研究人文學者所當注意。今試問此等新變化，新問題，何一是能在某一項學科之內預先存在的呢？因此說，人文學科方面之問題，則全是外在的。

三

正因爲自然科學方面的問題，都是預先存在着，所以研究自然科學方面的學者，盡可隔絶人世，埋頭在他的實驗室中，來大膽假設，小心求證，別有他自己的天地。但研究人文科學者則不然，他們正須時時向外通氣，正須在萬變日新的人生大社會中求新呼吸，正須面對人羣當前現實需要，把握人生當前現實問題，而使彼所研究的這一項學科，不斷有新生命，有新創闢。

因此，研究人文學和研究自然學，其間存有甚大差異，爲選擇從學途徑者所當知。要言之，研究自然學，應能有志獻身於「學問」，而研究人文學，則應能有志獻身於「社會」。換言之，研究自然學，其可貴即在其所學。而研究人文學，則可貴更在從事此學之人。牛頓之所以不朽，因其發明了動學三定律，愛因斯坦之所以不朽，因其發明了相對論。而孔子、耶穌之所以不朽，主要更在其本身人格之偉大。

用中國人觀念來分別述說之，研究自然學的條件，應是一「智者」，而研究人文學之條件，則必然應是一「仁者」。惟其是一智者，纔能於別人想不到處提出新假說，於別人見不到處尋覓新證據。惟其是一仁者，他纔會對社會人羣有敏銳的直覺，有深厚的同情，能在大處深處，發掘出人類普遍的、潛伏的真問題之痛癢處，及其癥結處。

研究自然科學，可以逐步向前，逐步上進，前人所不知，而後人知得了。前人所未解決的問題，而後人解決了。後人勝過了前人，所以見其爲智者。研究人文學，不能如此用心。愛因斯坦可以比牛頓前進了，但誰又比孔子、耶穌更前進了呢？當知研究人文學，只求對當前人羣社會有貢獻，說不上前進與否的話，所以見其爲仁者。

研究自然科學的，最先可以發源於一時的某種好奇心，他之所研究，可以與人類痛癢漠不相關，其存心本不在求實際之應用。即如首先研究電學的人，何嘗先著意到以後種種的實用，如電燈、電線、電話、電影等種種發明上面去？因此，可以說他是爲學術而學術者。他的一種冷靜的、純理智的、專在知識上求真理的，所謂純理論的純粹科學，雖爲種種應用科學之本源，而其探討精神，則並不在人類之實際應用上。

然而此種態度，若移用到人文學方面來，也把圖書館作爲其藏身之所，一如自然學者之埋頭實驗室中般，專在學科自身之內部作研究，則其自身最多僅成一學究，其所得之知識，將僅是一種書本上的死知識。經學之流爲訓詁與章句，文學之流爲詞章，史學之流爲考據與纂輯，全用心在前人所已有的學業上，卻與自己身世不相干。如此用心，則決不能成爲一濟世導羣的大學者。

四

昔朱子曾提出「格物」、「窮理」兩大綱，竊謂此可奉爲從事自然科學者之最高最大的目標與宗旨。顧亭林又提出「明道」、「救世」兩大綱，竊謂此可奉爲從事人文科學者之最高最大的目標與宗旨。此兩途，其共同精神，則厥爲能獻身。獻身必具有大勇。有大勇於獻身者，尤貴能不失其身。故學問擇術，貴能自審其一己才性之所近。仁與智，則爲人類才性之兩大區分。必具大仁大智，乃能有大學問。然亦爲其有了大學問，才見其爲大仁與大智。人之德性與學問，乃於此而結合。

說到此，可見「擇術」之上，尤要者，貴能「辨志」。所謂獻身，便是把你的全部生命都交出來，全部精力都用上了，此非先有決心不可，非先能立志不可。然而所謂立志獻身，也不過把你那一分天賦才性之最高可能盡量地讓它發展而成熟，那又於你何損呢？

今不此之圖，而反把你的那一分天賦才性隱藏了，埋沒了。把你的整個生命，全部精力，來隨便使用，隨便浪費了，僅僅換得了一些私人的金錢報酬與職業出路。試問有了真學問，那會無出路？如此打算，實是既不仁，又不智，且無勇。以如此之人來投身學問，試問其價值意義何在呢？

（民國四十八年四月香港大專學生學術研究會成立講演，載新亞生活雙周刊一卷二十一期。）

我對於中國文化的展望

一

今年學生書局二十週年紀念，要我亦寫一篇文章在他們的書目季刊上發表。他們先定了「對中國文化的展望」爲題。但我覺此題範圍太廣。我生平只在讀書做學問上用了些力，我想亦只就此範圍來稍抒我的感想。

做學問本不限在讀書一條路上，但讀書總是做學問的一條路。當前讀書做學問，似乎免不了一個「新舊」之爭。如：該現代化做世界學問，或歐、美西學呢？抑保守傳統來發揚中國的一套舊學呢？古今中西是有些分別的。如中國古籍最早是經學，而詩、書爲其兩大宗，詩屬文學，書屬史學，亦可說中國古人早看重了文史之學。但在西方古代之希臘，有文學，有哲學，卻不見有史學。而哲學在中國亦似少見。如孔子、墨子，說他們的言論中有些近似西方的哲學思想是可以的，但總不能說孔子、墨子是一哲學家。後起的如惠施、莊周、鄒衍、韓非、名、道、陰陽、法諸家，他們亦都有許多近似於西方的所謂哲學思想，但也不能說他們都是一哲學家。

古人不說，說到後代。如宋、明理學，或許更近似西方的哲學。但嚴格言之，這中間仍有分別。如周濂溪，他說：「志伊尹之所志，學顏淵之所學。」伊尹決不能說是一哲學家。孔子稱賞顏淵說：「用之則行，舍之則藏，惟我與爾有是夫。」可見顏淵的那一套，也不能說他是哲學。理學中先如周濂溪，後如王陽明，固多有些近似西方哲學的說法，但陽明也不能說他只是一哲學家。大體說來，也儘可說在中國學問中，並沒有西方般的哲學。直到近代，西學東來，乃始有哲學一名詞。但近代學者如梁任公、王靜安、胡適之、梁漱溟等，似乎也不好即說他們是一哲學家。專學西方哲學家們來做學問的，應尚在此諸人之後。我並不是說中國學人不該學西方般來做一哲學家，只說此事只屬新起，尚待此下之發展。

更進一層言之，如尚書，固是一部史學書，但古文尚書不可信，今文尚書如堯典、禹貢諸篇，亦屬戰國時代人所作。最可信者，爲西周書。但其中所收，如周公、召公言，卻不能說周公、召公是一史學家。但也不能說，西周書所收只是些史料，無史學。又如孔子作春秋，顯然是一部史書，但孔子又決不是一史學家。

說到詩三百首，主要先該懂得風、雅、頌的分別。而詩的分別，卻分別在政治上。不懂得當時的實際政治，如何來言詩。如此說來，詩亦不是一種純文學的。至少可說中國文學是與西方文學有分別的。

朱子注詩極大膽，逕說風詩中某些篇只是男女淫奔之詩。近人承其說，說這些只是男女戀愛詩。但朱子闡發風、雅、頌之意最扼要，最分明。此詩收入了詩經，卻不宜再專以男女淫奔或戀愛來看。所以朱子以後的學者們，仍不斷對此有大爭論。

詩三百之後有楚辭，又是中國古代文學一大結集。但在屈原與其弟子宋玉之間，就有大分別。後代文人，總是推尊屈原，不甚讚許宋玉。用淺顯的看法來說，屈原不是一純文學家，宋玉纔是一純文學家，而中國後人看不起宋玉便是在此處。如司馬相如，可算是西漢一大文學家了，揚雄初甚慕之，但後來反悔了，說「雕蟲小技，壯夫不爲」。可見若要說純文學，又似乎不爲中國人所重。以下的全部中國文學史，此一種看法仍不能忽置。

二

以上所說只在指出中國人做學問，自有一套，不能用西方學問一一相繩。我認爲今之學者，對中西學問，先當辨其異同，然後始能作是非得失之批評。我並不主一意守舊，排拒新興，在中國學術史上無此先例。如東漢以下，印度佛都東來，中國僧徒努力繙譯，傳進新的，並不先要推翻打倒舊的。而在當時僧徒們心裏，早已對新來佛學與中國舊有明白分辨過。故佛菩薩則稱「佛菩薩」，決不稱之爲「聖賢」。佛菩薩所傳之「法」，與中國古聖賢所講之「道」，自有不同。

「涅槃」境界，中國人絕未想到，故竟用「涅槃」二字。如問何爲涅槃？自非細研佛典不可。可見當時僧徒乃是先明了佛法，才來譯佛書。而且亦已先通了中國一套，乃知佛法與中國一套有不同。我行我是，我只來修行闡揚那一套，不先來推翻打倒這一套。學術思想，別有一精神天地，不能與具體物質相比。如在舊地上要另建一所新房屋，便須將舊房屋推翻打倒。學術思想便不同，天地儘大，新的一套佛法進來，何必先將中國聖賢孔、孟、莊、老一套舊的先作推翻打倒工夫。而且精神天地中有了，便有了，不易排除。所以當時中國的僧徒，儘信他們一套新的，卻不先來排除已有舊的。只把舊的之中有可與新的相通處，借來作新的闡揚，如是而止。當時如支道林、僧肇、道安、慧遠等，我們總不能說他們不知道中國之舊，但他們所信，則只是一套新。

尤其如竺道生，大涅槃經全部尚未傳來，但他已能談到經中深義。一時淺見僧徒，羣加排斥，但他深信不搖。最後大涅槃經傳來，終於證明了竺道生之先見。當時的僧侶們，能在佛法中如此深入，自無怪佛法傳入之有其前途了。

又如玄奘，當時佛法已盛行，只法相一宗，中國所繙經典不多。玄奘乃歷盡艱辛，西行求法。其實玄奘對佛法中其他宗派，都已通曉。並不是單信法相一宗。所以到了印度後，印度僧侶都對他表佩服。他歸後，遂盡力繙譯法相經典。他只爲求在中國能得佛法之全。他專講法相，卻不專爲法相，其胸懷廣大有如此。

最後如禪宗六祖慧能，以一不識字人，聽街道上人講佛，動了心。由廣州遠去湖北黃梅五祖弘忍門下，求法後，歸廣州曹溪大梵寺來宣揚。他要也如他般，以一不識字人也能明心見性，即身成佛，立地成佛。此後這一套禪學，卻掩脅全中國，再傳至宋、明各代，久而不衰，演而彌盛。直到今天，此一禪法乃盛傳到西方歐、美去。

今天我們誰能說佛學不是中國文化系統中一大支。但我們當注意，一是中國僧侶們之全心全力艱苦修行。二是他們盡力譯事，把全部佛教經典盡量翻譯。三是他們能把外面新來的，與中國舊有的，求通不求別。至少他們是一意傳進新的，不在排除舊的。這都是我們今天所該借來作參考的。

三

佛教東來，那時的中國人，並不全信佛教。而且不信的，總還是多數。但他們對佛教也總守一容忍態度，不僅不加以排拒，總還對之抱一番敬意。那亦是我們值得注意的。直到中唐，佛法極盛，乃有韓愈起來闢佛。他自比於孟子之拒楊、墨。他對中國舊有的一套，不能不說他實有深入。但對佛教態度，則未免過於偏激。他說，要「人其人，火其書」。即如他的好友柳宗元，也依然信佛。他的及門李翺，則於佛法更有深入，要會通儒、佛，另來講一套新義。但他們於文學上均有極高成就，不失爲中國舊傳統中一代表人。直到宋代，歐陽修最信韓愈。其對佛教的態度亦已與韓愈有異。他認爲只要發揚自己舊有的一套，外來信仰自不會暢行。王安石在學問上更欲超越歐、韓，直追孟子，但他對佛學，亦自有一套愛好。同時周濂溪下開理學門戶，但他對方外常有接觸。而程明道以至朱晦庵，皆於佛學有研尋，進而加以中肯的批評。陸象山更近禪。明代王陽明祖陸抑朱，並有提倡「三教合一」之趨向。乃使後人有疑理學爲禪學之化身者。

下至清代，佛學依然不絕。今文學者如龔定庵、魏默深，皆通佛學。下至康長素、章太炎，皆然。民初歐陽竟无設立支那内學院，梁任公亦親往聽講。這些都説明了中國舊傳統學人對外來佛學之開放持平的態度。均不曾足己自守，一仍故舊。這一態度是又堪今天的我們來加以認識和作爲參考的。

即如耶教初來中國，明末有利瑪竇，徐光啟等向之問學。晚清孫詒讓認墨子近耶穌，遂作墨子閒詁，成一代之絶學。此下如嚴復，派赴英倫學海軍。乃歸而廣譯英、法學術名著，有赫胥黎天演論、斯賓塞羣學肄言、穆勒名學、亞當斯密士原富、孟德斯鳩法意諸鉅著。其一生用力幾乎盡在繙譯上。但他爲繙譯，又儘先在中國文字上努力，刻意上追先秦，以求副其理想上譯事當能抵於信、雅、達之三標準。其信與達否姑不論，至少其譯筆之雅，則此後鮮能與之相伯仲。又其所譯，必懇吳摯甫作序。吳摯甫則曾滌生幕下一古文名家，其經子之學亦一時巨擘。則其時學風固不嚴分新舊可知。而嚴氏晚年又欲以其新學一一返之舊傳，融會所得，惜已無暇暢申之矣。

同是有林紓，擅古文學，精治韓、柳，上溯司馬遷史記，下遵桐城派義法，而亦有意翻譯西洋文學。林譯小說一時傳遍全國，其文筆之優美，與其所譯數量之多，亦足驚人。林紓本人不通西方文字，而興會濃鬱有如此，亦足爲中國人胸懷寬放一明徵矣。

就於嚴、林之譯事，一爲哲學思想方面，一在文學方面。上視魏晉南北朝以下佛教僧侶們之專在宗教信仰一面者，又不同。窺之歷史往例，中國人決不爲固己守舊一氏族。宜亦不詳論而可知。

四

民初以來之新文化運動，其意廣大。因「文化」一辭，其意義決不專限在少許學人做學問之一方面。較之佛教東來之專限在宗教信仰一面者，又不同。立意既廣，所欲從事者，似易而實難。換言之，不啻欲以一番新人生來改變一番舊人生，無孔不入，無隙不窺。此豈短期內少數人之力所能勝任而愉快。因此乃欲擒賊擒王，入虎穴而得虎子，主要在從咽喉處下刀。於是遂有人高唱「非孔」、「非孝」。其實西方人亦非全不孝，耶穌亦尚有聖母。若必以「非孝」來爲傳進西學開先路，則目標已轉移，而且將徒勞而無功。非孝實是一極具體而難實行之空論。若言「非孔」，則泛濫無歸宿。其勢仍將涉及中國四五千年來之全部歷史，全部人生，仍將遇到不易解決事。故非孔一題，至今無解決，至今無定論。從前中國僧人自己先出家，但不昌言非孝。自己先尊釋迦，但不昌言非孔。先重在自己之實踐上，且不輕率的用力於對人作批評上。佛教亦就終於暢行於中國。

而且由於非孔，幾乎要牽連到中國學術之各方面。西方學問貴於分門別類，各成專家。中國學問則貴能和會融貫，成一通人。若果要傳入西學，自當以一專家學者的面貌出現。但今則先要反對通人，自該在各方面去反對，而反把自己亦轉像一通人了。如此則以一通人姿態而來提倡專門，至少是指東話西，話不對題了。

在當時的新文化運動中，提倡白話文是其一項目。但白話文與新文學顯是兩事。如胡適之，並不能說是一新文學家。他的白話散文，並不即算得是一文學。他的白話詩，更多是率筆，離文學境界更遠。只有魯迅，先從事舊文學，繙譯域外小說集，便是林紓的路子。後來轉用白話，又繙譯愛羅先珂一集，逐字逐句，鄭重斟酌。一是他兼通新舊，再則是專一用心。他應該稱得上是一個新文學家。此下繼起的，不夠此兩條件，便難與相比。

胡適之又提倡史學，但他並不曾上窺馬、班用心，此下亦未觸及杜佑、鄭樵輩之樊籬。即連清儒，如錢竹汀、章實齋諸人之意向門徑，亦不體會。卻更提倡崔東壁，那只是古史部分之一考證學者。胡適之專文表彰，卻又只成了半篇。胡適之又主張「哲學關門」。那有立志傳進西學，卻先來一套哲學關門的呢？

當時他們提倡新文化運動，只主張德、賽兩先生，「民主」與「科學」。但他們都不是科學家。只有丁文江是一地質學家，專在科學上來提倡專門之學，他是可以稱職的。若進一步來提倡文化，則茲事體大，恐非一專門學者可以擔任得起。

若論民主，以政治論，在西方亦成一專門。中國人觀念，則政治乃一通人之事。高瞻全局，總攬其成，經濟、法律各項專門，都是一枝一節。若只有專家，則只惟有集體會商了。但在集體會商中，究是服從多數，還是服從專家，依然是一問題。在中國，雖尚通人，不尚專家，但在政事上亦多主集團會商。如唐代，便有六部尚書之會商。但尚書只屬行政方面，故此上還有中書、門下、尚書三省之會商。中書居最高地位，主發佈命令，先有會商。門下主審核命令，又有會商。皇帝居最高位，既不像英國般僅一虛位，又不如美國大總統般可以總攬一切。嚴格說，中國皇帝亦僅是政府中之一位，政府亦不全由皇帝一人作主，那又稱得是一「君主專制」的政治呢？這是政治學上一大問題，亦是一歷史問題，又是一哲學問題。用中國話來講，是一「道義」問題。若要傳進西方政治，事實上先該推翻中國一套舊傳統。但要把中國那一套舊傳統肯定謂是君主專制，那就是一史學問題了。至少對杜佑通典所載職官一部分唐代三省的制度，該有一解說。

離開了學問來談文化，總亦是一缺憾。

即論科學，中國亦有。可惜第一部中國科學史也由外國人來撰述。但至少從文化問題上來講，中國科學亦與西方科學著眼點有不同。即如醫學，顯然有別。撰述中國科學史的英國人李約瑟，他的一位主要助手，乃是中國一老醫生的女兒，故此書對中國醫學這方面是有相當認識的。近代提倡西化，卻有人對中國醫學一筆抹殺，說是不科學，那是太偏激了。單舉這一件，可證文化問題有些該建在學術問題上。而學術有些方面又必該分門別類，各成專門的。則我們要來討論文化問題，亦該有民主精神。繼各方面長時期的商榷，庶可獲得一共通意見。但此還是只限在學問知識上，還該推廣到人生實際各方面去，逐步推展，那裏是一小派人在一短時間內所能決定一切，至少這就不民主了。

胡適之好引龔定庵一句詩「但開風氣不爲師」。若專論學術，一代風氣之形成必先有一代大師之唱導。亦有大師先起，風氣後成。如韓愈，唱爲古文，誠不愧爲一代大師。但下到宋代，歐、曾、蘇、王繼起，風氣始成。此一風氣，亦下到清末而始衰。孔子之爲大師，先開戰國諸子講學百家競起之風。下到漢代，始開一尊儒術之風。而孔子之稱爲至聖先師，則事尚在後。其風則直至今而未盡衰。至龔定庵，欲從經學轉談政治，其意或是，而定庵實不夠爲此事一大師，其風不盛。下至康有爲，而即衰。胡適之提倡新文化，其所意想之事，或更大過於孔子。適之亦或如孔子之自謙。孔子不自居爲聖人，或適之亦不欲以師自居。然孔子有待其及門七十弟子，乃及此下孟、荀諸儒之繼起，而風氣始成。則提倡新文化，自待大師繼起，始逐步有成。孔子曰：「後生可畏。」有志於中國文化之開新者，自不必抱悲觀。

抑且如欲但開風氣不自爲師，竊意欲傳進西學，不如先重繙譯，則徑以西方學者爲師，豈不更直捷，更親切。但當時新文化運動，先就菲薄翻譯。嚴復、林紓皆遭非議。但人譯書，可供千人萬人誦習。較之教人向外國留學，自更方便。日本人學西方，並無大師，但重視翻譯，其風亦至今不衰，值得我們之注意。

今再進而言之。以前新文化運動，僅開批評自己舊有一套之風。此後宜更進一步，專一從事先開傳入西方新的一套，如以前我們的僧侶們。此事決不可輕。果有主張守舊者，亦盼自向古籍中深求之。總之，守舊開新，雙方皆盼有大師。若一尊批評，不尊師傳，則此風實不該提倡。並亦宜加阻止。人自爲政，不成爲政，非可認爲是民主。人自爲學，亦不成爲學，非可認爲是自由。

五

以上專就學術一項言，多爲讀書做學問人言，距離言文化之範圍尚遠。但在文化中，不能沒有讀書做學問人。陸象山欲問朱子，「堯、舜以前曾讀何書來」。王陽明提倡良知，教人「各自向事上去磨練」。若談文化問題，連不讀書人的一般生活趨向都須顧及。中國古人在此方面，亦已有過極多爭論。至少中國古人，亦曾注意到文化問題，更注意到不讀書不做學問人的如何做人和生活問題。孟子曰：「子歸而求之，有餘師。」又曰：「不屑之教誨也者，是亦教誨之而已矣。」今日談文化問題，自亦該注意到此，不該以專家學者自限。無論開新守舊，中國古人一些話，亦仍該注意到。總之，盼我們各自下苦心，努力為人，自己尋向上去，乃是一條人人該走的路。具體言之，言不勝言。我之此文，亦將姑止於此。以待時賢之批評與指教。

中華民國六十九年元月寫於外雙溪之素書樓

（民國六十九年三月書目季刊十三卷四期）

國家圖書館出版品預行編目資料

中國學術通義 / 錢穆作.--臺北市：素書樓文教基金會出版：蘭臺網路總經銷, 民89
面；　　公分.--（中國學術小叢書）

ISBN 957-0422-19-X（平裝）

1.漢學-中國-論文,講詞等
2.學術思想-中國-論文,講詞等

030.7　　　　89017175

中國學術小叢書

中國學術通義

作　　者：錢　穆
出　　版：素書樓文教基金會
　　　　　蘭臺網路出版商務股份有限公司
總 經 銷：蘭臺網路出版商務股份有限公司
地　　址：台北市中正區懷寧街七十四號四樓
　　　　　電話（02）2331－0535
　　　　　傳真（02）2382－6225
網路書店：www.5w.com.tw
E－Mail：service@mail.5w.com.tw
出版日期：中華民國 89 年 12 月
定　　價：新臺幣 270 元
ISBN：957－0422－19－X